KB062480

세계철학사 7

世界哲学史 7
SEKAI TETSUGAKUSHI 7: KINDAI II JIYU TO REKISHITEKI HATTEN

Edited by Kunitake Ito, Shiro Yamauchi, Takahiro Nakajima, Noburu Notomi

Original Japanese edition published by Chikumashobo Ltd., Tokyo.
This Korean edition is published by arrangement with Chikumashobo Ltd., Tokyo
in care of Tuttle-Mori Agency, Inc., Tokyo through Bestun Korea Agency, Seoul.

세계철학사 7

근대 II
— 자유와 역사적 발전

책임편집 이토 구니타케伊藤邦武
야마우치 시로山内志朗
나카지마 다카히로中島隆博
노토미 노부루納富信留

옮긴이 이신철

도서출판 b

| 차례 |

머리말 이토 구니타케 _ 11

제1장 이성과 자유 이토 구니타케 _ 15

1. 들어가며 _ 15

자유의 두 가지 의미 | 19세기의 자유론 | 제3의 자유론

2. 이성의 낭만주의 _ 21

낭만주의란 무엇인가? | 낭만주의와 자연주의 | 헤겔의 역사관 | 헤겔 역사론의 낭만주의적 성격

3. 진화와 도태 _ 28

다윈의 진화론 | 경제학의 사상

4. 제3의 길 _ 33

결정론적 자연관의 부정 | 자기 형성이라는 자유 | 이 사상의 세계적 확산

제2장 독일의 국가 의식 나카가와 아키토시 _ 41

1. 프랑스 혁명과 나폴레옹 _ 41

자유의 철학과 독일 낭만주의 | 『아테네움』에서 동양학으로 | 나폴레옹과 철학 | 헤겔과 피히테

2. 칸트와 프랑스 혁명 _ 49

혁명의 거부 | 근원적 계약과 공화제

3. 피히테의 정치 철학 _ 54

칸트 비판과 혁명권 | 이성에 의한 감성의 제어 | 자아의 해방으로 | 자유로운 존재자들의 상호 인정 | 도덕성의 원리

제3장 서양 비판의 철학 다케우치 쓰나우미 _ 71

1. 서양 철학의 전환점 _ 71

철학의 정체성 위기 | 이 세상은 살아갈 만한가? | 서양 비판의 철학 — 쇼펜하우어와 니체
2. 쇼펜하우어 _77
'세계는 나의 표상이다' | 신체와 의지 | 동정(동고)의 윤리학 | 의지의 부정
3. 니체 _87
'신은 죽었다' | 동정(동고) 도덕 비판 | 영원 회귀 | 하나의 에피소드 — 일본과의 연결

제4장 맑스의 자본주의 비판 사사키 류지 _97
1. 맑스와 '맑스주의' _97
근대의 해방 사상으로서의 공산주의 | 헤겔의 역사 철학과 맑스의 역사적 유물론 | 근대화 이데올로기로서의 '맑스주의'
2. 철학 비판 _103
엥겔스에 의한 '철학'화 | 청년헤겔학파와 맑스 | '새로운 유물론'으로 | 비판적 사유로서의 '철학'
3. 경제학비판 _111
경제적 형태 규정의 지배 | '맑스 경제학' | 물질 대사론과 말기 맑스의 사상

제5장 진화론과 공리주의의 도덕론 간자키 노부쓰구 _123
1. 인간의 유래, 도덕의 기원 _123
다윈의 진화론과 도덕의 기원 | 공리주의와 직관주의 | 살아남은 사상으로서의 공리주의
2. 벤담의 공리주의 _130
제러미 벤담 | 공리성 원리 | 대립하는 원리의 반박 | 공리 계산의 절차
3. 밀의 공리주의 _136
존 스튜어트 밀 | 밀의 견지에서 본 벤담 | 『공리주의』에서의 논의

4. 나가며 _142

제6장 수학과 논리학의 혁명 하라다 마사키 _149
1. 들어가며 _149
수학과 철학 | 19세기의 수학
2. 칸트에서 피히테로 _154
칸트의 수학론 | 피히테의 『전체 학문론의 기초』
3. 대수 방정식론으로부터 갈루아 이론으로 _159
라그랑주로부터 가우스, 아벨을 거쳐 갈루아로 | 갈루아 이론이 성립하기까지의 방법적 변천
4. 갈루아 이론과 군론의 함수론과 기하학, 미분 방정식론으로의 확장 _163
리만 면의 도입 | 데데킨트에 의한 대수 함수론과 대수학의 추상화 | 에를랑겐 프로그램과 리군의 탄생
5. 나가며 _170
19세기 수학이란 무엇이었던가?

제7장 '신세계'라는 자기의식 오가와 히토시 _181
1. 프래그머티즘이란 무엇인가? _181
신세계 아메리카에서 탄생한 철학 | 프래그머티즘의 역사 | 종래 구세계 철학과의 차이
2. 퍼스 _186
프래그머티즘의 아버지 | 프래그머틱한 준칙
3. 제임스 _190
유용성으로서의 진리 | 순수 경험
4. 듀이 _195
프래그머티즘의 실천 | 문제 해결
5. 계속해서 진화하는 프래그머티즘 _200
네오프래그머티즘 | 뉴프래그머티즘

제8장 스피리추얼리즘의 변천 미야케 다케시 _205

1. 스피리추얼리즘의 역사적 배경 _205
프랑스 혁명이 남긴 것 | '스피리추얼리즘'이라는 말을 둘러싸고 | 과학과 종교의 틈새에서 | 칸트 철학과의 거리
2. 멘 드 비랑 _210
관념학(이데올로지)과 생물학의 영향 | 자아의 의지와 신체의 저항 | 심리학에서 형이상학으로
3. 쿠쟁 _214
왕정복고와 7월 왕정 — 프랑스의 입헌 왕정 | 출발점으로서의 심리학 | 비인칭적인 이성의 자발성 | 교육의 비종교적 정책의 추진과 강단 철학의 형성
4. 라베송 _219
전환기로서의 제2공화정 및 제2제정 — 대두하는 물질주의 | 스피리추얼리즘의 세대교체? | 습관과 비반성적 자발성 | '스피리추얼리즘적 실증주의'에 담긴 것
5. 베르그송 _223
제3공화정 — 두 개의 프랑스의 대립으로부터 안정으로 | 시간과 자유 | 자연의 지속화 | 생명으로서의 지속 | 하나의 문제의 끝과 시작 | 맺는말

제9장 근대 인도의 보편 사상 도미자와 가나 _233
1. '근대'와 인도 그리고 '종교' _233
인도의 근대란 무엇인가? | 근대 비판과 근대적 종교 개념 비판의 딜레마
2. 정신성과 세속주의 _236
정신적이고 세속적인 나라 | 비베카난다의 '스피리추얼리티' 이용을 살핀다 | 인도의 '스피리추얼리티'를 헤아리다 | 구미의 '스피리추얼리티'를 헤아리다
3. 브라흐마 사마지의 계보 — 보편과 고유의 희구와 그 초점 _246
람 모한 로이와 브라흐마 사마지 | '마하리쉬' 데벤드라나트 타고르 | 케샤브 찬드라 센의 변천

4. 근대 인도에 뚫린 '구멍' — 라마크리슈나와 신 _252
벵골 지식인과 라마크리슈나 | 인도 근대 사상에서의 라마크리슈나와 신

제10장 '문명'과 근대 일본 가루베 다다시 _261
1. '문명개화'의 행방 _261
시빌라이제이션과 '문명' | 진보의 의식 | '문명개화'의 진행 | '문명'에 대한 의심 | '문화'의 예찬 | 쇼와의 '문명' 비판
2. 서양 중심주의를 넘어서는 것 _272
'문명'을 기뻐하는 서민 | 전통 사상에서 본 '문명' | '문명'의 도덕성
3. 19세기의 다면성 _279
세계사의 철학 | 전후의 대결

후기 이토 구니타케 _287

칼럼 1. 칸트에서 헤겔로 오코치 다이쥬 _66
칼럼 2. 셸링 적극 철학의 새로움 야마와키 마사오 _120
칼럼 3. 스펜서와 사회 진화론 요코야마 데루오 _146
칼럼 4. 19세기 러시아와 동고의 감성 다니 스미 _176

편자 · 집필자 · 옮긴이 소개 _291
연표 _297
찾아보기 _304

머리말

이토 구니타케伊藤邦武

이 제7권은 앞의 제6권에서 이어지는 근대의 제2권째이다. 제6권은 주로 18세기를 다루었다. 이 제7권에서 다루는 것은 주로 19세기이다.

철학사라는 관점을 떠나 세계사라는 일반적인 관점에서 보았을 때 19세기란 어떠한 시대였던가? 19세기는 구세계인 유럽에서는 앞 세기 대혁명의 여진과 같은 혼란이 다양한 형태를 취하여 차례차례 생겨난 시대이다. 나폴레옹 전쟁과 그 후의 유럽 재편성, 독일과 프랑스에서의 사회주의 운동과 반동적 왕정복고, 그리고 산업 혁명과 자본주의 경제의 발달 등이 그것이다.

다른 한편 앞 세기에 구세계로부터 독립한 아메리카에서는 이 세기에 남북 전쟁이라는 대규모의 내전을 경험한 후 비로소 합중국으로서 통일된 시대를 맞이했다. 그리고 이 세기의 후반에 이르면 구세계인 유럽은 제국주의적 확장과 식민지 지배의 시대로 돌입한다. 이에 반해 아메리카는 기본적으로 고립을 선택하지만, 유럽도 아니고 아메리카도 아닌 비서양 세계는 이 세계사적 변동 속에서 인도도 중국도, 또는 남미도 아프리카도 좋든 싫든 서양에 의한 세계 지배의 구도에 휘말려 들어갔다.

그러면 이와 같은 혼란과 지배의 시대에 '세계철학'이라는 이름의 정신적 활동이 무언가의 형태로 작용하고 있었다고 한다면, 그것은 어떠한 운동이었던 것일까? 잘 알려져 있듯이 나폴레옹에 의한 유럽 제압을 경험한 독일의 철학자 헤겔은 '이성'이라는 이름의 '절대정신'이 예전에 고대 그리스에서 보였던 것과 같은 '자유'의 부분적 실현 단계를 넘어서서 그리스도교적인 유럽에서 완전한 자기실현 단계를 맞이했다고 생각했다. 그러나 헤겔의 이러한 이해는 그의 사후 얼마 지나지 않아 산산조각이 나 흩어졌다고 할 수 있을 것이다.

19세기는 그 앞의 세기와는 다른 의미에서 세계의 많은 장소에서 대규모 변혁을 향한 힘이 발휘된 시대이다. 철학은 그러한 에너지를 흡수하면서 그때까지의 사상적인 구제도(앙시앵 레짐)의 질곡으로부터 스스로를 해방하고자 몸부림치고 있었다. 그것은 이 시대의 서양에서도 동양에서도 한결같이 볼 수 있었던 커다란 경향이며, 철학을 근대적 단계로부터 현대적 단계로 끌어올리고 이행시키려 했던 사상에서의 물결이라고도 해야 할 것이었다.

이 제7권의 각 장은 독일과 프랑스, 영국과 아메리카, 인도와 일본 등 많은 지역에 눈을 돌리면서 그 물결을 만들어낸 다양한 요소에 대해 새롭게 빛을 비추어보고자 하는 것이다. 그러한 요소들을 비교해보면, 이들 지역 사이에는 설사 실제로는 햇빛을 보지 못했다 하더라도 사상적인 교류와 서로 겹쳐짐이 적어도 가능성으로서는 충분히 있을 수 있었다는 것이 엿보인다. 이 권의 각 장에는 현대 철학을 향해 흘러가야 할 몇 개인가의 보이지 않는 수맥을 찾아내기 위한 힌트가 곳곳에 포함되어 있을 것이다.

제1장

이성과 자유

이토 구니타케伊藤邦武

1. 들어가며

자유의 두 가지 의미

자유롭다는 것은 부자유하다는 것의 반대이다. 부자유는 누구에게나 좋지 않은 것이므로, 자유는 그 자체로서 좋은 사항이다. 그렇지만 그러한 환영해야 할 사항인 자유가 참으로 무엇을 의미하는가는 그다지 자명하지 않다. 자유라 하더라도 다양한 맥락에서 다양한 의미가 생각될 수 있고, 그 가치도 단순하게 설명할 수 있는 것이 아니다.

철학이라는 학문에 있어 자유란 무엇인가의 물음은 근본 문제의 하나이다. 그 이유는 자유라고 하는 것이 기본적으로 인간이라는 존재자에게만 속하고 다른 모든 존재자에는 없는 독특한 성질이기 때문이다. 그 때문에 철학이 인간 존재의 본질을 이해하고자 하게 되면, 당연히 인간이라는 존재자에게 특유한 성질인 자유란 무엇인가라는 것을 문제 삼지 않을 수 없다.

나아가 철학에서는 자유를 보통의 일상어처럼 단순한 부자유와 대립시킬 뿐만 아니라 그것이 무언가의 필연성과 반대 개념이라고 생각한다. 그리고 철학에서는 자연 속에 있는 필연성과 인간을 넘어선 신의 활동 그리고 때에 따라서는 수학적 진리의 필연성 등, 여러 가지 종류의 필연성에 대해 생각하기 때문에, 자유의 문제는 자연히 인간 대 자연, 인간 대 신의 문제 또는 인간과 영원한 진리와의 관계 문제와 결부되게 된다. 인간은 세계의 창조자인 신의 결정 앞에서 어느 정도의 자유를 지닌 존재인가? 또는 인간의 행위에서 인정되는 자유라는 특성은 자연 현상에서 볼 수 있는 법칙적 필연성이나 수학적 진리의 영원성과 어떠한 관계에서 있다고 생각할 수 있을까?

서양 근대 철학의 기초를 수립한 17세기의 데카르트는 인간 정신이 지니는 자유에는 두 종류가 있다고 생각했다. 하나는 자신이 추구하는 목표를 실현하기 위해 자신으로부터 적극적·자발적으로 의지를 발휘하는 것이다. 또 하나는 다양한 목표가 있을 수 있을 때 그것들의 성질과 특징에 구애받지 않고서 무차별적인 형태로 어느 것인가를 임의로 선택하는 자유이다. 전자는 '자발성의 자유'라고 불리며, 후자는 '무차별한 선택의 자유'라고 불린다.

두 가지 자유는 전혀 상충되는 것은 아니지만, 양립이 반드시 쉬운 것은 아니다. 철학자들이 제창한 전통적인 의미에서의 자유론은 이것들 가운데 어느 쪽에서 자유의 핵심적 의미를 인정하는가 하는 관점에서 분류할 수 있다. 데카르트 자신은 기본적으로 전자, 즉 의지의 자발적 발동이라는 점을 강조했지만, 때로는 후자 쪽으로 기울어진 논의를 하기도 한다.

19세기의 자유론

이 권에서 다루어지는 19세기의 철학이 자유의 문제를 다룰 때 보이는 특징 가운데 첫 번째는 이 시대의 철학이 자유의 이러한 두 가지 의미를 전통적인 철학에서 보이는 개개의 인간 정신의 활동에 근거하여 생각하는 것이 아니라 시간의 흐름에 따라 생기는 사건들의 발전과 변화라는 외적 사태와 관련해 생각하고자 한다는 점이다. 다양한 역사적 발전과 생물적 진화, 사회적 변동과 관련해 어떠한 형태로 자유라는 요소가 발휘되고 있는가? 19세기의 사상가가 문제로 삼은 것은 역사와 진화라는 시간적인 변화와 발전에서 자유는 발견되는가 아닌가 하는 문제이다.

이 물음에 대한 하나의 대답으로서 역사에는 '이성'이라는 개인을 넘어선 정신의 활동이 지니는 자발적이고 적극적인 관여가 인정된다고 대답하는 입장이 있다. 이 입장은 역사에 관한 낭만주의적인 이해이며, 헤겔의 철학이 그 전형적인 예이다. 이것은 첫 번째 의미에서의 자유를 역사 속에서 찾고자 하는 발상이다. 역사를 움직이고 있는 것은 개개의 인간 의지가 아니라 인간 이성이라는 커다란 정신적 힘의 적극적인 활동이라는 것이다.

역사 속에서 이성의 자유로운 활동을 보고자 하는 이와 같은 발상은 자연을 지배하는 물리적 필연성과는 다른 차원에서 실천 이성이라는 예지적인 것의 활동을 인정하고자 한 칸트 철학에서 그 원천을 지닌다. 그러나 칸트 후에 등장한 독일 관념론의 사상가들은 그 활동을 예지계와 같은 현실 저편의 세계가 아니라 오히려 인간 사회의 현실 그 자체 속에서 발견하려고 생각했다. 이러한 발상은 이하의 각 장에서 보듯이 독일이라는 특수한 국민 국가의 국가 의식과 밀접하게 결부되어 있다.

그렇긴 하지만 이성의 활동 핵심에 자유를 인정하고자 하는 독일 철학의 이러한 경향은 단지 역사와 사회라는 차원에만 머물지 않는 좀 더 깊은 사상적 잠재력도 지닌다. 이 점은 보통의 철학사에서는 그다지 주목되지 않지만, 우리는 독일 관념론이 지니는 사상적 의의에 대해 이 권의 후반에서 다루어지는 수학 이론의 역사적 심화라는 특이한 주제 속에서도 확인하게 될 것이다.

다른 한편 역사적 변화와 발전에는 자발적, 적극적인 의지의 활동과 같은 것은 전혀 없으며, 모든 것은 우연의 퇴적에서, 다양한 무차별의 선택이 행해진 결과로 성립한다는 견해도 있을 수 있다. 이것은 데카르트가 말하는 두 번째 의미에서의 자유에 중점을 두는 견해인바, 그것을 현상의 시간적인 추이와 서로 겹쳐 생각한 것이 자연 선택과 최적자 생존이라는 원리에 의해 생물 종의 변화와 다양화를 이해하고자 한 다윈과 같은 견해이다. 이 견해에 따르면, 역사의 진행 안에 이성적인 것은 아무것도 없으며, 무수한 무차별의 우연이 겹쳐 쌓인 것이 있을 뿐이다.

자유는 역사적 변화와 발전이라는 차원에서 어떻게 이해되어야 할 것인가? 19세기의 철학사는 이 물음을 하나의 축으로 하여 정리할 수 있으며, 그 대답으로서 이상과 같은 두 가지 커다란 경향을 인정할 수 있다. 그러나 실제로 대답은 이것만으로 끝나지 않는다. 이 시대는 어떤 의미에서는 전통적인 의지의 자유와 선택의 자유 외에 제3의 대답을 준비하고자 한다.

제3의 자유론

그것은 자발성의 자유와 임의성의 자유 외에 자기 통제를 통한 자기 형성이라는, 그 종류가 다른 자유를 생각해보고자 하는 방향이다. 이 경우의 자기 통제란 욕망의 제한이라든가 정념의 규제라는 부정적이고 억압적인 활동을 말하는 것이 아니라 자기 자신의 습관을 형성함으로써 새로운 자신으로 변모하는 것과 같은 적극적인 자유를 생각하는 것이다. 다수의 행위는 그것들을 각자로서 보면 무차별의 자유 아래 수행된다고 하더라도 그 수행의 축적은 습관이라는, 의지나 선택과는 다른 제3의 정신적 경향을 낳아가는 것이 아닐까? 통계적인 무작위 사태의 축적은 그것 자체를 각각

개별적으로 보면 임의적이고 무차별한 작용처럼 볼 수 있지만, 인간 정신에는 그 축적을 이용하여 습관이라는 무정형적이지만 실재적인 활동을 형성하고자 하는 경향이 있다. 이러한 경향 속에서 습관 형성이라는 지금까지 그다지 주목되지 않았던 자유의 새로운 의미가 인정되는 것이 아닐까?

19세기의 철학은 이와 같은 형태로 자유의 의미에 관한 전통적인 두 가지 의미 외에 새롭게 제3의 의미를 찾아냈다. 그리고 이 견해가 서양의 예로부터의 사상 세계와는 독립적인 자세를 추구하려했던 신세계와 새롭게 근대를 향해 눈뜬 동양 등 비서양 세계의 공명을 불러일으켰다고 생각할 수 있다. 영국으로부터의 독립 후에 그 문화적 정체성의 구축을 모색하지 않을 수 없었던 아메리카라는 신세계와 외압에 의해 어쩔 수 없이 개국하게 된 일본 등에서는 전통적인 서양 사상이 내포하는 이원론적 대립을 넘어서서 그 종류가 다른 가능성을 추구하는 것을 하나의 목표로 삼았다. 19세기의 철학이 준비한 자유에 관한 제3의 견해는 이 가능성의 추구에 부응하는 힘을 지니고 있었다.

예를 들어 새롭게 태어난 아메리카의 문화적 정체성의 표명이라는 성질을 지닌 프래그머티즘Pragmatism이라는 철학 조류에서는 예로부터의 전통 사상에서 보이는 자유 이미지를 넘어선 이러한 제3의 자유 개념에 대한 구명을 커다란 과제로서 의식하게 되었다. 나아가 아메리카의 이러한 사상의 기본적 발상에 대해 다양한 점에서 공명하는 일본의 철학 사상에서도 인간의 자유를 습관 형성이라는 차원에서 찾고자 하는 이 사상을 특히 공감하여 받아들였다고 생각된다.

그런 까닭에 세계철학사의 전망이라는 과제에 따르는 형태로 19세기 철학의 흐름을 살펴보고자 할 때, 아메리카와 동양의 근대사상에서 보이는 마음의 철학을 자유에 관한 19세기 서양의 제3의 입장과 중첩하여 보는 것이 그 전망을 위한 하나의 암시를 주는 것으로 보인다. 이하에서는 대체로 이와 같은 전망에 서서 19세기 세계에서의 새로운 자유론의 겨냥도를 생각해보고자 한다.

2. 이성의 낭만주의

낭만주의란 무엇인가?

이 시리즈의 제6권에서 해명되었듯이 계몽이란 지식과 과학에 근거함으로써 지금까지의 인습에서 벗어나 편견을 버리고 몽매한 상태로부터 탈출하는 것이다. 아메리카 독립 전쟁과 프랑스 혁명이라는 18세기 서양 세계의 대변혁은 이러한 사상적 태도를 사회 전체의 개조를 향해 확대하고 정치사상으로서의 에너지를 최대한으로 발휘하고자 한 운동이었다.

이러한 사상의 커다란 물결은 결과적으로 나폴레옹 전쟁과 같은 격심한 혼란을 산출하면서 당시 유럽 문화 속에서는 후진적인 위치에 머물러 있던 독일에도 파급되었는데, 거기서 독일 특유의 독특한 계몽주의 사상을 산출해갔다. 나폴레옹 전쟁 아래서 발달한 독일의 계몽주의는 인간의 이성과 자연의 감정을 강조한 프랑스와 영국에는 없는 낭만주의라는 새로운 경향을 잉태하고 있었다. 그리고 낭만주의는 독일에 머물지 않고 19세기 서양의 문예와 예술 등 폭넓은 범위에서 커다란 힘을 발휘하게 되었다.

낭만주의Romanticism라는 말은 문예와 사상을 특징짓는 용어로서는 고대 로마 시대의 풍습과 제도, 문화를 존중한다는 것이 본래의 의미이기 때문에, 낭만주의란 모종의 회고적인 성질을 지닌 문예 운동이자 보수적이고 반현대주의적인 사상 경향이라고 생각할 수도 있다. 그렇지만 낭만주의는 로마 시대로의 회귀일 뿐만 아니라 고대 로마의 언어가 그 고전적인 스타일을 완성한 후에 좀 더 비속하고 통속적인 스타일을 취하게 되었을 때 후자의 민중적인 언어 용법에 따른다고 하는, 좀 더 한정된 의미를 지닌다. 낭만주의 문학이란 예를 들어 스코틀랜드와 아일랜드의 고대 영웅을 노래하는 전설의 시인 오시안의 작품이나 11세기 이후 프랑스에 널리 퍼진 기사도적인 사랑의 이념을 '민네Minne'라는 노래로 표현하는 음유시인들의 이야기처럼 통속적인 언어로 이루어진 영웅적 모험과 궁정의 연애를 둘러싼 파란만장한 이야기 스타일을 답습한다는 의미를 지닌다.

그런 까닭에 이른바 소설과 이야기라는 것을 로망roman이라고 부를 때의 로망이란 바로 연애와 모험의 파란만장한 이야기 전개를 의미하며, 사상과 문예에서의 낭만주의란 본래 현재의 현실과는 다른 가공의 고대 세계에 대한 동경이나 도피라기보다 오히려 눈앞의 현실로부터는 도대체 상상할 수 없는 모험과 흥분의 세계로 몰입할 것을 지향하는 것이 된다. 낭만주의란 무엇보다도 고전주의에 대립하여 균형과 조화에 대한 지향을 거부하고 혼란과 위험으로 가득 찬 감정적 흥분으로 향하고자 하는 것이다.

그런데 문화적으로 후진적인 위치를 차지하고 있던 독일에서 시작된 19세기의 낭만주의 운동은 문예와 회화의 세계에서는 독일로 한정되지 않는 서양 세계 전체에 커다란 영향을 미치게 되었다. 예를 들어 영국에서의 워즈워스William Wordsworth(1770~1850)나 콜리지Samuel Taylor Coleridg(1772~1834)의 사상을 거쳐 멀리 아메리카 시인들의 정신을 고무하는 것이 되기도 했다. 그러나 철학과 관련해서는 반드시 그러한 강력한 영향을 미치는 것이 되지는 못하며, 오히려 선행하는 영국이나 프랑스의 사상과 서로 충돌하는 양상을 보이는 면도 있었다. 여기서 말하는 철학에서의 낭만주의 경향은 전형적으로는 헤겔의 역사 철학에서 볼 수 있는 것과 같은 정신의 역동적인 운동으로서의 세계사의 전개라는 발상에서 나타나고 있다.

낭만주의와 자연주의

헤겔이 생각하는 인류의 역사는 이성이라는 정신적인 생명력이 다양한 어려움과의 만남 속에서 어쩔 수 없이 다양한 형태를 채택하게 되면서도 최종적으로는 본래의 존재 방식을 실현한다는 목표를 완수하고 자기 충족을 성취하는 이야기이다. 거기서 이성은 혼란과 파괴를 반복하는 가운데 바로 그러한 부정적 계기들을 양식으로 함으로써 도리어 자기 본래의 모습을 완전한 형태로 확인한다고 하는, 부정을 매개로 한 목적론적 성질을 발휘한다.

그러나 이러한 낭만주의적 역사관은 이미 계몽사상의 융성을 경험하고 그 연장선상에서 콩트의 사회학이나 벤담의 공리주의 등의 경험주의 내지 자연주의적 경향의 사상을 낳은 프랑스나 영국에서는 커다란 힘을 발휘할 수 없었다. 반대로 19세기의 영국에서 등장한 맬서스의 인구론이나 다윈의 진화론에서는 역사적 발전과 추이 과정은 이런 종류의 목적론적 특징을 모두 잃은 채 모든 것이 냉엄한 자연 선택과 최적자 생존의 원리에 따르고 있다고 생각하게 된다. 헤겔의 역사가 역동적인 이성의 운동에 주목하고 있었다고 한다면, 다윈의 진화론은 자연환경과 생물종의 상호 관계를 바탕으로 통계학적 관점에서 보아 어떠한 종류의 변화가 생길 수 있는지를 냉정하게 분석하고자 한다.

그런 까닭에 19세기의 사상 세계는 낭만주의적 경향과 자연주의적 경향의 대립 투쟁의 세계로서 이해할 수 있지만, 이야기는 이것만으로 끝나지 않는다. 앞에서도 썼듯이 19세기의 사상 전개는 이윽고 이러한 두 가지가 대립하는 좁은 길을 벗어나는 다른 사상으로 변모하는 것이다.

그 점을 확인하기 전에 우선 낭만주의적인 역사 사상으로서의 헤겔의 논의를 좀 더 상세하게 살펴보기로 하자.

헤겔의 역사관

헤겔의 철학 체계에서 이성은 '절대정신'이라고도 불리지만, 그것은 기본적으로 자기 자신을 아는 정신을 말하며, 타자와의 구별을 이해하는 과정을 거친 다음, 자신의 사명에 대한 인식으로 돌아오는 정신이다. 이것이 절대정신이라고 불리는 것은 이러한 자기를 아는 운동이 절대자인 신 자신의 자기 앎의 활동과도 근저에서 통하기 때문이다. 우리가 고차적인 이념을 사용하여 행하는 정신 활동에는 언제나 이와 같은 정신의 활동이 관여하고 있지만, 특히 역사의 발걸음은 이러한 절대정신이 '시간에서 현현하는' 일이자 자기 자신을 안다고 하는 그 본성이 가장 눈에 띄는 형태로 발휘되는 그러한 현상이다. 예를 들어 역사 속에서는 나폴레옹에 의한 유럽의 해체와 해방과 같은, 그때까지의 사회의 시간적 추이와 커다란 단절을 보이는 획기적인 사건이 생겨나지만, 이러한 역사적 사건의 발생 그 자체는 나폴레옹이라는 개인의 차원을 넘어서서 절대정신에서의 자기 인식의 존재 방식을 표현하는 것이다.

정신이라는 것을 자연과 비교해보면, 자연 세계는 무수한 법칙에 지배되는 필연성의 세계인 데 반해, 정신의 세계는 자유라는 본질을 지닌다는 것이 특징이다. 그러므로 무릇 정신 일반의 본질은 자유에 놓여 있다는 것이 되는 까닭에, 역사의 발걸음이란 '자유'라는 이념이 다양한 장애나 대립과 싸우면서 그 완전한 자기실현을 지향해 가는 하나의 강력한 운동 과정이 된다. 그리고 이러한 자유 실현의 정도라는 각도에서 보면, 세계의 역사는 바로 가장 빈곤한 시대로부터 다소나마 맹아적인 상태, 나아가 부분적인 실현, 그리고 완전한 개화라는 네 가지 단계를 밟아왔다는 것을 알 수 있다.

첫 번째 단계는 자유라는 이념이 전혀 출현해 있지 않은, 역사 이전이라고 해도 좋은 시대인데, 중국과 인도의 역사가 이에 해당한다. 동양의 이러한 나라들에서는 황제 등의 단 한 사람의 자유로운 주체가 있을 뿐으로, 단순한 왕조 교대의 연속이 이어지고 공空과 무無 등의 부정적인 사상만이 형성되었다.

두 번째 단계는 이집트 등의 중근동 세계의 역사인데, 인간과 짐승의 중간에 자리하는 스핑크스가 활약한다. 그러한 스핑크스의 저주를 깨트리고 인간의 독립을 선언한 것이 세 번째 단계의 그리스 문명이며, 여기에 이르러 인간 정신은 비로소 부분적으로이긴 하지만 자유를 누리는 것의 중요성을 인식했다.

그리고 마지막으로 서양의 근대인이 등장하여 자유라는 이념을 바탕으로 공동체를 구축하는 것이야말로 인류의 역사적 사명이라고 이해했다. 이 사명의 완전한 실현을 눈앞에 둘 수 있었던 것이 네 번째 단계의 완성으로서의 그리스도교적 게르만인의 국가 건설이다.

헤겔은 이처럼 세계의 정치와 사상의 역사를 자유라는 이념 그 자체의 자기실현 운동으로서 파악했는데, 이러한 운동 도식은 기본적으로 목적론적 원리에 의해 지배되는 것이었다. 왜냐하면 역사의 진행을 파악하고 견인하는 것은 역사의 기원에 놓여 있는 무언가의 시동인이 아니라 장래의 완성 시에 실현될 목표, 목적으로서의 '종국'(텔로스)이기 때문이다. 역사를 그 시작이 아니라 종국에서 이해하고자 하는 이러한 역사상은 분명히 또한 역사의 종말, 즉 그 완성이라는 그리스도교적인 종말 사상과도 겹쳐진다.

헤겔 역사론의 낭만주의적 성격

그러나 헤겔 역사론의 눈에 띄는 특징은 이러한 목적론적 성격과 종말론적 구조 이상으로 그것의 낭만주의적 경향에 나타나 있다. 여기서 말하는 낭만주의란 역사에서의 영웅들의 눈부신 모험과 멸망이라는 낭만주의 문학에 특유한 모티프이다. 세계의 역사는 자유라는 이성에 내재하는 이념이 그 자신의 실현을 성취하기 위해 그 수단으로서 인간 개인과 민족을 수단으로 이용하고 그들을 희생시키는 역사이기도 하다. 알렉산드로스 대왕도 카이사르도 나폴레옹도 개인으로서는 최대의 정열을 기울이고 새로운 도시와 제국의 건설로 향하여 투쟁과 파괴를 수행했다. 그러나 그들은 누구든지 간에 각자의 싸움 끝에 몰락하고 운명에 버림받아 비운의 죽음을 맞이하게 된다. 그들은 위대한 업적을 후세에 남기고 세계사적인 사명을 수행하면서도 결과적으로 세계 이성의 자기실현이라는 목적에 이바지한 다음, 몰락이라는 비극적인 종언을 맞이한다.

역사에서 주인공을 맡아 하는 것은 이성이며, 거기에 등장하는 인물들은 이성의 목적 실현에 봉사하는 수단에 지나지 않는다. 인간은 이성 자신의 활동에 그것을 자각하지 못하고서 이용되는 꼭두각시이다. 헤겔은 세계 역사가 진전하는 데서의 이러한 이성의 교묘한 장치를 '이성의 책략'이라고 불렀다. 영웅들이 각각 아무리 현명하고 뛰어난 자질을 몸에 익히고 있었다 하더라도, 참으로 지혜가 풍부하고 모든 사건의 진행 원리를 꿰뚫어 보고 있는 것은 이성 그 자체이다. 역사에 대한 이와 같은 이해는 절대정신의 자기실현이라는 측면에서 보면, 세속화된 신의 나라의 도래 이야기로서도 읽을 수 있지만, 오히려 인간의 초인적인 노력이 최종적으로 보답받지 못하고 운명의 수레바퀴에 휩쓸리게 된다는 면에서 영웅과 기사들의 비극적 운명을 노래한 낭만주의 사상의 결정체로 볼 수도 있을 것이다.

3. 진화와 도태

다윈의 진화론

헤겔의 역사관은 아무리 비극적인 양상을 지니고 있었다 하더라도, 그 이면에는 신의 나라의 실현이라는 낙관적인 종말론을 수반하고 있었다. 다른 한편 이 목적론적 구조를 전면적으로 부정하고 역사적 진전의 무목적성, 우연성, 비결정성을 강조하는 사상의 대표가 19세기 중엽의 영국에서 최대의 관심을 불러일으키게 된 다윈의 진화론이다.

다윈은 그의 주저 『종의 기원』을 1859년에 발표했는데, 새삼스럽게 확인할 필요도 없이 그가 구상하는 생물 진화의 도식은 자연환경의 변화에 따라 환경과 생물 사이에 적응과 도태의 관계가 성립하며, 거기서 작용하는 '최적자 생존의 원리'의 결과로서 가장 많은 자손을 남기는 형질을 갖춘 종이 번영한다는 진화의 논리이다. 여기서 생물 종의 다양화를 촉진하는 것은 생물 측에 내재하는 무언가의 특성이나 생명력의 문제가 아니라 환경에 따라 각각의 종에 서로 다른 적응의 정도라는 상대적인 성질이다. 나아가 이 적응의 정도는 단순한 수량화에 의해 표현할 수 있는 것이 아니라 어디까지나 무작위적으로 분포하는 생명의 다양한 특성과 관련하여 환경의 변화와의 사이에 그 종의 자손이 증대하거나 감소하는 경향과 어떠한 통계적 상관이 있는가 하는 비결정론적, 우연적인 사태로서 이해되고 있다.

다윈의 진화론은 이처럼 역사적 변화의 목적론적 해석을 철저하게 거부함과 동시에 결정론적인 자연관도 부정하는 것이었는데, 이와 같은 특징은 그 자신이 자각적으로 표명하는 점이며, 다윈은 자신의 자연관이 뉴턴 이래의 영국 전통의 자연 신학적 발상을 폐기하는 일에 힘을 빌려주리라는 것을 잘 이해하고 있었다. 그는 생물의 진화가 하등의 것으로부터 고등한 것으로 향하는 '존재의 연쇄'라는 형이상학적 도식을 토대로 한 것이 아니라는 점을 강조하고 있으며, 나아가서는 인간이라는 생물 종의 특권적인 성격을 부정함으로써 그리스도교적인 신에 의한 세계 창조 이야기에도 찬물을 끼얹는 사상이라는 점을 명확히 의식하고 있었다.

그러나 그의 적응과 도태의 도식에는 단순한 신학적 자연관과의 관계뿐만 아니라 인간 사회 수준에서의 경제적 발전 모델과도 깊이 결부된 면이 놓여 있었다. 그는 이 점도 잘 이해하고 있었지만, 그에 대해서는 그다지 분명하게 표출하지 않았다. 왜냐하면 그의 시대의 경제적 발전 모델이란 자본주의에 관한 리카도와 맬서스의 이론을 말하며, 이러한 이론가들이 주창하는 '정치경제학political economy'의 도식은 사람들의 마음에 이미 경제학이 '음울한 과학'이라고 하는 이미지를 불어넣고 있었기 때문이다.

경제학의 사상

영국에서의 경제학 사상은 말할 필요도 없이 애덤 스미스Adam Smith(1723~1790)의 『국부론』에 의해 결정적인 발걸음을 내디디게 되었다. 스미스의 이론은 분업이라는 새로운 부의 생산 방법이 발전함으로써 '사익'과 '공익'이 조화를 이루며, 자유 경제론을 추진하게 되면 전체로서 모순되지 않고 발전해간다고 하는 낙관적인 도식이었다. 이러한 낙관적인 경제 발전의 이해를 가장 상징적으로 나타내는 것이 그가 말하는 '보이지 않는 손'이라는 비유이다. 경제 활동에 종사하는 사람들은 각자 자신의 욕망과 창의에 따라서 자유롭게 이기적인 목표를 추구하더라도 문제가 없다. 사람들이 레세페르Laissez-faire라는 자유방임의 원칙에서 활동하더라도 사회 전체는 마치 '보이지 않는 손'에 따르듯이 좀 더 풍요로운 전체로 계속해서 진화할 수 있다는 것이다.

사회의 부 증대를 '보이지 않는 손'이라는 예정 조화적인 활동에 비교하는 스미스의 이론은 그 손의 소유주로서 아무래도 자비로운 그리스도교의 신을 떠올리게 하지만, 스미스 자신이 정말로 염두에 두고 있던 것이 그리스도교적인 신 개념이었는지 아닌지는 분명하지 않다. 그러나 자본주의 경제의 발흥기에 있던 영국에서 그 신학적 배경이 무엇이었든지 간에 이 사상이 사람들의 마음에 경제의 밝은 미래 이미지를 불러일으키는 데 커다란 힘을 발휘한 것은 의심할 수 없을 것이다.

다른 한편 스미스의 경제 모델은 경제적인 부의 원천이 사람들의 노동에 있다는 노동가치설을 부분적으로 채택하고 있었는데, 경제적인 부의 순환 모델 속에서 노동과 임금이 수행하는 역할에 관한 형식적인 분석이 명확하지 않았다. 이 점을 명확히 하여 노동가치설에 기초한 경제의 순환 모델을 수학적으로도 세련되게 만든 것은 스미스 뒤에 경제학을 발전시킨 리카도David Ricardo(1772~1823)이다. 그러나 리카도가 이해하기에 사회는 방임해 두면 자연스럽게 부를 축적하고 좀 더 풍요로운 사회를 향한다는 것은 보증될 수 없으며, 오히려 수확 체감의 법칙에 의해 정상 상태에 머물게 되는 운명을 지고 있었다. 그로 인해 한 나라의 경제가 지속해서 발전하기 위해서는 외국과의 무역 확대라는 다른 요인을 필요로 한다는 것이 그의 주장이었다.

리카도는 이러한 경제 순환 모델을 기둥으로 하여 수확 체감의 법칙 이외에도 임금의 생존비설 등을 이용했다. 그리고 이 이론을 만들어낸 것이 친우인 맬서스의 『인구론』에서의 사회 분석이다. 맬서스가 논의하는 바에 따르면, 인구의 증가는 그것을 유지하는 물질적 증가보다 속도가 빠르다. 인간의 먹을거리가 증가하는 것은 산술적이지만, 인구의 증가는 기하급수적이다. 따라서 인구의 증가 속도는 기아라는 형태로 조절을 받게 된다. 이 조절의 구체적인 작용은 시장이라는 무대에서 발휘된다. 노동에는 그것의 자연스러운 값이 있으며, 그것은 노동자의 생존을 유지하게 하는 값이다. 그러나 기아라는 한계에 기초한 조절의 작용으로 노동자 계급은 인구를 늘리지도 줄이지도 않고 정상 상태를 유지하는 것이다.

사회의 발전은 결코 자비로운 신의 활동이 보증하는 것과 같은, 안심하고 기대할 수 있는 것이 아니다. 다윈의 진화론은 이러한 음울한 사회 이해를 생물계 전체의 생존과 진화로 확대한 것이다. 이러한 진화론은 결과적으로 '사회 진화론'이라는 형태로 사회의 내적인 냉엄한 생존 법칙을 산출했다. 실제로 이 설의 제창자인 스펜서Herbert Spencer(1820~1903) 자신은 통일성에서 다양성으로 향하는 사회의 진화 논리를 결코 운명적인 것으로는 생각하지 않고, 다양성의 발달은 그 끝에 놓여 있는 통합에의 중요한 계기라고 하는, 오히려 헤겔주의적인 역사관을 주창할 작정이었다. 그러나 사회적 진화론이라는 발상 그 자체는 홀로 걸어 나가 일종의 운명론으로 변화해갔다. 사람들은 진화론을 통해 과학의 새로운 승리를 본 것이 아니라 인간 몰락의 가능성이라는 음울한 미래를 슬쩍 엿본 것이다.

4. 제3의 길

결정론적 자연관의 부정

그러나 다윈 사상의 영향은 전면적으로 부정적인 것일 뿐이라고도 말할 수 없었다. 앞에서 언급했듯이 그의 진화론은 아리스토텔레스 이후의 목적론적 자연관을 부정했을 뿐 아니라 갈릴레이, 뉴턴 이후의 결정론적 자연관도 부정했다. 생물의 생존과 진화를 만들어내는 세계는 확률론과 통계학이 지배하는 세계이다. 그것은 물리적인 법칙이 확고한 원리로써 지배하는 기계와 같은 자연 세계가 아니라 무수한 변동과 변이가 만들어내는 비결정적이고 우연에 내맡겨진 복잡하고 유동적인 세계이다.

자연을 우연의 논리에 의해 해석하고 물리 현상과 생물 진화 속에서 불확정적인 것, 법칙적이지 않은 것을 인정하고자 하는 이와 같은 견해는 철학의 세계에서는 예를 들어 스미스와 동시대인인 흄David Hume(1711~1776)이 이미 지식론의 영역에서 선구적으로 주장한 바 있고, 나아가 흄과 거의 동시대인으로서 베이즈Thomas Bayes(1702~1761) 등의 사상가가 통계적 수법에 관한 논리를 만들어 내고 있었다. 그로 인해 시대는 자연이 지니는 비결정성, 우연성이라는 특징에 관한 관심을 심화시켜갔지만, 그 결과는 진화론뿐만 아니라 전자기 현상과 광학 현상에 관련된 비결정론의 발전에도 영향을 초래했다. 다윈을 낳은 영국은 동시에 맥스웰James Clerk Maxwell(1831~1879) 등의 통계 역학, 전자기학의 발전을 봄으로써 19세기 물리학의 진전에 크게 공헌했다.

게다가 진화론과 통계 역학 등의 자연 과학에서의 비결정성은 그때까지 철학에서 커다란 논의의 주제가 되어온 '자유'의 문제에 대해서도 새로운 관점을 제공했다. 칸트는 자연 세계가 물리 법칙이라는 '자연 필연성'에 지배되는 데 반해, 인간의 행위가 산출하는 도덕의 세계는 자율적인 의지의 활동에 의해 통제되는 한에서, 자유라는 독립적인 영역에 속한다고 생각했지만, 19세기 자연 과학의 진전은 칸트가 말하는 자연 필연성이라는 발상에 크게 수정을 강요하는 면을 지녔다. 그러나 그것은 다른 한편으로 인간 정신이 지니는 자유라는 성질과 관련해서도 욕구를 제한하면서 도덕 원리로 스스로를 규율한다는 의미에서의 '자율'로부터 좀 더 탄력적인 동시에 불확정적인 열린 자기 형성이라는 의미에서의 자유라는 사상의 여지를 가져왔다.

자기 형성이라는 자유

인간이 자기 자신의 성격을 서서히 형성하고 고정된 속성을 극복하여 새로운 자기를 만들어내는 이 작용은 구체적으로는 '습관 형성'이라는 형태로 실현된다. 예로부터 '습관이란 제2의 자연이다'라고 말해지듯이, 습관은 후천적으로 획득된 성질이면서 본래의 자질이나 성질과 마찬가지의 강고한 구속을 미치는 것으로서 실재적인 효과를 발휘한다. 따라서 인간은 자신의 본래 성질이 아님에도 불구하고, 본래의 성질과 같은 힘을 지니는 성질을 자기에게 부여하는 능력이 있다. 그와 같은 의미에서 자기 도야라는 노력을 통해 자기 스스로 자기의 성질을 변경하고 말하자면 새로운 자기를 창조하는 것이 인간 자신이 지니는 자유의 제3의 의미로서 새삼스럽게 주목되어야 하는 것이 아닐까?

자유의 제3의 의미를 자기 도야를 통한 습관 형성으로 자기를 창조할 가능성에서 발견하고자 하는 이 운동은 프랑스에서는 스피리추얼리즘의 전통을 만들어내고, 아메리카에서는 프래그머티즘 사상가들을 낳았다.

프랑스 스피리추얼리즘의 조상은 멘 드 비랑Maine de Biran(1766~1824)인데, 그는 『습관론』을 출판하여 백과전서파나 이데올로지

스트의 유물론적 경향과 다른 새로운 인간론의 가능성을 보여주었다. 이 전통을 계승한 라베송Ravaisson-Mollien(1813~1900)은 같은 표제의 『습관론』에서 자연과 정신의 관계를 대립하는 것이 아니라 연속적이고 통일적인 것으로 설명하기 위해 양자에 공통된 습관성이라는 특성에 주목했다. 이 사상은 프랑스 고전 시대의 몽테뉴와 파스칼의 습관론으로 이어지는 것인 동시에 그의 뒤를 잇는 부트루Étienne Émile Marie Boutroux(1845~1921)의 『자연법칙의 우연성』에서의 비결정론적 형이상학 등, 새로운 자연 이해를 만들어내는 계기가 되었다. 그 후에 등장한 사회 분업을 통한 새로운 도덕 형성의 가능성을 논의한 뒤르켐의 사회사상이나 복수의 인과 계열이 교차하는 가운데서 운명적 만남의 가능성을 발견하고자 한 구키 슈조九鬼周造의 우연의 철학도 이러한 라베송·부트루 이론의 연장선상에 놓여 있는 사상이다.

또한 퍼스Charles Sanders Peirce(1839~1914), 제임스William James(1842~1910), 듀이John Dewey(1859~1952)로 대표되는 아메리카의 프래그머티스트들이 스스로의 인간 자유론의 핵심에 둔 것도 마찬가지로 습관 형성이라는 독특한 자기 창조의 가능성이다. 퍼스는 라베송과 마찬가지로 자연과 정신의 존재론상의 연속성을 강조했지만, 제임스와 듀이는 '경험'이라는 말의 의미를 재고함으로써 경험이 그 자체로서 방향성과 창조적인 힘을 지닌다는 것을 지적했다. 흄 등의 영국 경험론에서 경험은 각각 독립한 개별적이고 단발적인 것으로 여겨졌지만, 제임스 등의 도식에서 경험은 시간적으로 지속하고 서로 유기적으로 연관되며 노력과 공부 아래 변화하고 발전될 수 있는 것으로 생각되었다.

이 사상의 세계적 확산

그런데 19세기 후반에 이러한 자유론들을 흡수한 당시의 동양 세계 사상가에게 이런 종류의 논의는 결코 인연이 없고 이해하기 어려운 발상이 아니었다는 점을 쉽게 상상할 수 있을 것이다. 오히려 서양 근대의 사상을 거의 예비지식 없이 흡수할 것을 강요당한 동양 세계의 사람들에게는 그 이전의 원자론적인 경험 개념이나 순간적이고 폭발적인 의지의 이해와 결부된 이른바 서양 근대형의 인간적 행위 도식이야말로 친숙하지 않은 이상한 이론으로서 받아들여졌을 것이다. 그리고 그 후에 등장한 자기 도야나 자기 형성의 철학 속에서 자신들의 사상 전통과도 상호 이해가 가능해지는 대화의 실마리를 발견했을 것으로 생각된다.

이 책에서는 서양적 근대화의 큰 파도에 습격받은 동양 세계 측의 대응으로서 인도에서의 종교 이해의 변용과 일본에서의 외적인 '문명'과의 대결과 수용이라는 주제를 논의한다. 제9장의 「근대 인도의 보편 사상」은 18세기 말 이후의 인도에서 제국주의적인 영국과의 교류 속에서 '정신성'과 '세속주의'가 하나의 세트가 된 인도류라고도 해야 할 새로운 스피리추얼리즘이 생겨났다는 점을 언급하고 있지만, 그것은 아메리카에서의 제임스 등이 주도한 종교 이해의 혁신과 크게 공명하는 것이며, 거기에는 당연히 아메리카 프래그머티즘에서의 자기 형성적인 인간론의 그림자가 짙게 드리워져 있다.

또한 제10장의 「'문명'과 근대 일본」에서는 후쿠자와 유키치福澤諭吉로 대표되는 메이지의 사상가들이 지향한, 서유럽 유형의 문명으로 진화해야 할 인심의 지도라는 주제가 다루어진다. 후쿠자와 등에게 인심이란 말할 필요도 없이 헤겔적인 객관적 정신이 아니라 개인주의라는 축을 지닌 인간의 신념으로 이루어진 사회적인 존재였을 것이다. 그러나 그 개인주의가 사회 계약론도 구축할 수 있는 그러한 계산적 지성을 지닌 원자론적인 인간상에 기초하여 구상되고 있었다고는 생각되지 않는다. 오히려 당연히 서양 유형으로 진화할 것으로 기대된 개인의 정신적 경향은 그들에게 있어서는 어디까지나 '수신修身'이라는 형태로 자기를 규율하고 자기 진화해야 하는 것으로서 상정되고 있었을 것이다. 그것이 나쓰메 소세키夏目漱石 등 쾨베르 문하 사람들의 다이쇼 '교양파'로 이행하는 것은 대단히 자연스러운 일이었다.

그야 어쨌든 이처럼 유럽에서의 낭만주의와 자연주의의 대립 속에서 태어난 19세기에 특유한 제3의 자유론이라고도 해야 할 습관과 자기 형성을 축으로 한 인간론은 그것을 짊어진 사람들의 생각을 넘어서서 세계의 폭넓은 범위에 공명을 불러일으키게 되었는데, 이 점은 이 시대의 철학이 추구하는 것을 가리켜 보이는 동시에 세계철학이라는 것이 지니는 가능성 가운데 하나를 가르쳐

준다는 점에서 너무도 흥미롭다.

다른 문화에 대한 대항이든 전통적인 질곡으로부터의 해방이든 이 시대의 철학은 모두 '구제도'로부터의 해방을 추구했다. 그것은 말할 필요도 없이 '자유'를 향한 사회적 운동이지만, 동시에 자유라는 것의 의미에 관한 철학적 탐구이기도 했다. 그리고 그런 의미의 탐구에서 철학은 그때까지의 이론을 넘어서는 새로운 관점을 획득했다.

☞ 좀 더 자세히 알기 위한 참고문헌

— 찰스 테일러Charles Taylor, 『헤겔과 근대 사회ヘーゲルと近代社会』, 와타나베 요시오渡辺義雄 옮김, 岩波書店, 2000년. 체계적인 성격이 강한 헤겔의 사상을 포괄적으로 해설하면서 현대의 관점에서 보아 의의가 있는 면과 불모의 면으로 나눈다. 근대 사회의 특질을 포착한 헤겔의 날카로움이 전해진다.

— 대니얼 C. 데네트Daniel Clement Dennett, 『다윈의 위험한 사상 — 생명의 의미와 진화ダーウィンの危険な思想 — 生命の意味と進化』, 오사키 히로시大崎博 옮김, 青土社, 2000년. 다윈의 혁명적 사유를 진화론 분야에 한정하지 않고 자연론으로서 현대적인 관점에서 대담하게 해석한 책. 자연에서 목적론적 측면을 배제하고 기계적인 '알고리즘의 과정'으로서 이해했다고 한다.

— 이나가키 료스케稲垣良典, 『습관의 철학習慣の哲学』, 創文社, 1981년. 저자는 서양 중세 철학의 전문가인데, 토마스 아퀴나스의 습관(하비투스)론을 지렛대로 하여 경험적인 인식과 선험적인 인식의 연속성을 인정하는 입장이 있을 수 있다는 것을 이야기한다. 그리고 이러한 입장이 퍼스와 듀이의 프래그머티즘으로 계승되고 있다는 것을 해명한다.

— 토머스 칼라일Thomas Carlyle, 『의복 철학衣服哲学』, 이시다 겐지石田憲次 옮김, 岩波文庫, 1946년. 산업 혁명 시기의 영국에서 자전적인 스타일로 시대정신에 대한 비판을 전개한 책. 우치무라 간조内村鑑三나 니토베 이나조新渡戸稲造 등 메이지 시기의 지식인들에게 커다란 영향을 주었다. 기묘한 표제이지만, 신체라는 의복 안에 숨겨진 정신을 수양하는 것의 중요성을 설파했다.

제2장

독일의 국가 의식

나카가와 아키토시中川明才

1. 프랑스 혁명과 나폴레옹

자유의 철학과 독일 낭만주의

18세기 말의 유럽에서 가장 커다란 역사적 사건은 말할 필요도 없이 프랑스 혁명이다. 그리고 19세기 초의 유럽에서 최대의 사건은 나폴레옹 보나파르트Napoléon Bonaparte(1769~1821)에 의한 프랑스 제국의 구축과 그 붕괴이다. 이러한 중대한 사건들을 목격한 이웃나라 독일의 사상가와 문학가들은 독일 특유의 사상적 반응을 형성했다. 이 장에서는 그 반응의 몇 가지 측면에 대해 개관하고자 한다.

'짐이 곧 국가다'라고 선언한 것은 17세기 프랑스의 절대 왕권을 상징하는 루이 14세이지만, 대혁명에 의해 그 절대주의적 왕조가 단절되었을 때, 철학적인 반성의 중심에 놓인 것은 '자유'라는 이념이다. 혁명 후의 유럽의 사상은 어느 나라에서나 이 이념을 중심으로 전개되었는데, 독일에서 그 독일적인 성격을 가장 강하게 내세운 것은 '독일 낭만주의' 운동이었다.

독일 낭만주의를 짊어진 사람들은 노발리스Novalis(1772~1801), 티크Johann Ludwig Tieck(1773~1853), 슐레겔 형제 등의 문학가·사상가였는데, 그들은 영국과 프랑스의 계몽사상가와는 달리 고대 그리스적인 세계에 대한 동경을 미래의 문화에 투영한다는 대단히 굴절된 역사의식 아래에서 자유의 철학을 전개해나갔다.

그들에게 공통된 키워드는 아이러니라는 말인데, 그들은 그것이 소크라테스의 '에이로네이아Eironeia'와도 통하는 철학적 사유의 순수 형태라고 주장했지만, 이러한 곡절은 반드시 소크라테스적인 문답법에 대한 존경이라고는 할 수 없으며, 오히려 영국과 프랑스의 계몽주의 활동을 추종하고 있다는 자기 나라가 놓인 문화적 상황에 대한 의식이었다고 보는 쪽이 적절할 것이다. 그들은 아이러니가 형식적으로 자기 동일성의 언명을 부정하는 패러독스 형태를 취하고 있다는 점에 주목하고, 아이러니를 통해 자기 창조와 자기 파괴의 무한한 교차라고 하는, 정신의 일종의 아나키 상태가 생겨날 것을 추구했다.

『아테네움』에서 동양학으로

독일 낭만주의 사람들이 아성으로 삼은 것은 1798년에 프리드리히 슐레겔Friedrich von Schlegel(1772~1829)이 형인 아우구스트 빌헬름 슐레겔August Wilhelm von Schlegel(1767~1845)과 함께 드레스덴에서 창간한 『아테네움』이라는 잡지이다. 동생인 프리드리히는 이 잡지의 창간호에서 자신들의 시대를 특징짓는 가장 커다란 경향은 '프랑스 혁명, 피히테의 학문론, 그리고 괴테의 『마이스터』'라고 말했는데, 이것들은 정치, 철학, 문학에서의 '자유'라는 이념의 추구 이외에 다른 것이 아니다. 특히 슐레겔에게 '질풍노도' 운동을 이끌어온 괴테와 실러는 '전기 낭만주의Pre-romanticism'라고도 말해야 할 위대한 선구자라고 여겨졌다.

또한 이 잡지의 창간 후인 1798년 8월에는 드레스덴에 이 동아리의 주요한 사람들이 같은 집에 모였는데, 당시 예나대학의 원외교수로 부임할 예정이었던 프리드리히 빌헬름 셸링Friedrich Wilhelm Joseph von Schelling(1775~1854)도 이 모임에 참가했다. 그들은 자신들의 미 개념을 체현하는 작품으로서 라파엘로의 「시스티나의 성모」를 선정했다. 셸링이 아우구스트 빌헬름 슐레겔의 아내 카롤리네와의 운명적인 연애로 향하게 된 것은 이 회합이 계기이다.

이 운동의 중심인물 가운데 한 사람인 노발리스는 '새로운 땅의 개척자'라는 의미의 필명인데, 본명은 게오르크 필립 프리드리히 폰 하르덴베르크Georg Philip Friedrich von Hardenberg(1772~1801)이다. 그는 이 기관지의 창간호에 「꽃가루」라는 단장집을 발표하고, 이 단장집이 프리드리히 슐레겔과의 '공동 철학'에 의한 창작이라는 것을 선언함과 동시에 '포에지', '판타지', '유머', '위트' 등의 키워드를 피력하여 이 사상운동이 중시하는 방법을 개진했다. 그는 더 나아가 괴테의 『빌헬름 마이스터의 수업 시대』라는 산문 작품의 걸작을 대체하기 위해 포에지에 의한 메르헨 이야기로서 『푸른 꽃』이라는 작품을 구상하고, 주인공 하인리히가 꾸는 꿈에 나타난 '푸른 꽃'의 상징적 의미를 밝히고자 했다. 그것은 근대적 서양 사회가 보지 못하게 된 자연과의 근원적 일체성의 회복이라는 의미를 지니고 있었다.

한편 잡지 『아테네움』의 주필이었던 프리드리히 슐레겔은 마지막 권이 된 1800년의 제6호까지 이 잡지를 무대로 하여 '낭만적 포에지'와 '낭만적 아이러니'라는 개념을 다듬는 데 힘쓰는 동시에 자전적인 연애 소설로서 『루신데』라는 작품을 발표했다. 이 작품에서는 '낭만적 사랑'이라는 말이 사용되며, 사회적 관습에 반항하는 연애의 지고함이 강조되었다. 그는 또한 처음의 피히테의 '자아' 철학을 떠나 '자연'을 전일적인 것으로 간주하는 스피노자 철학으로 더욱더 기울어갔다.

프리드리히 슐레겔은 『아테네움』의 종간과 더불어 독일을 떠나 파리로 가서 산스크리트어를 공부하기 시작했다. 그는 그 공부로부터 형과 함께 인도 등의 동양 세계에서의 신화적 세계에 대한 탐구로 나아가게 되는데, 프리드리히의 논문 「인도인의 언어와 지혜에 대하여」의 발표는 바로 유럽의 철학 사상이 동양학으로 눈을 돌리게 된 결정적인 첫걸음을 기록하는 것이었다. 그들 이후 유럽의 동양학은 급속한 발전을 이루게 되었는데, 그것은 동시에 쇼펜하우어의 철학에 대한 인도 사상의 영향과 그 연장선상에 자리매김하는 니체의 차라투스트라 사상 등, 이 세기의 서양 비판의 철학을 산출하는 대단히 커다란 원동력이 되었다.

나폴레옹과 철학

슐레겔 형제가 낭만주의에 이별을 고하고 동양학이라는 새로운 사상을 향해 파리에서 발걸음을 시작한 것과 정확히 같은 무렵, 프랑스에서의 정치 무대도 혁명 후반의 공포 정치로부터 나폴레옹의 독재로 커다란 전환을 이루어 나갔다.

나폴레옹은 혁명 직전에 프랑스령이 된 코르시카섬에서 태어났다. 그는 육군사관학교 출신의 군인으로 젊어서 혁명군의 지휘관으로서 실력을 발휘하고, 1799년 11월, 혁명 말기의 혼란을 브뤼메르의 쿠데타로 종결시키고 제1통령이 되어 통령 정부를 수립했다. 나아가 1804년에 '프랑스 인민의 황제'로서 대관식을 가졌다. 그는 한편으로는 사적 소유권의 승인과 민법전의 발포 등에 의해 혁명의 이념을 계승함과 동시에 다른 한편으로는 귀족제의 부활과 로마 교황청과의 화해 등, 구제도로의 회귀 자세도 보이고, 군사 독재적인 정치를 행했다.

그는 프랑스 내외의 세력들과의 사이에서 나폴레옹 전쟁을 수행하고, 많은 승리와 혼인 관계를 통해 영국, 러시아, 오스만 제국 이외의 유럽 대부분을 프랑스 제국의 지배 아래 두었지만, 모스크바에서의 패배 후에 만들어진 대프랑스 동맹군과의 전투에서 패하고, 마지막에는 영국령의 세인트헬레나로 유형에 처해서 51년의 생애를 마쳤다.

나폴레옹의 인생은 이처럼 기본적으로 군인 출신의 혁명주의적인 장군이 프랑스 황제라는 특이한 지위에 오름과 동시에 국가의 독립을 주장한 자기의 주장으로 인해 오히려 각 나라의 독립을 향한 기운을 높이고, 결과적으로 몰락하는 얄궂은 운명의 인생이었다. 그리고 이러한 극단적인 영광과 몰락이라는 드라마로 인해 독일의 철학자들에게도 강한 흥미를 불러일으켜 이 역사적 인물에 대한 이중적인 반응을 낳게 되었는데, 이 경우의 나폴레옹과 철학의 관계는 전적으로 우연의 결과라기보다 오히려 나폴레옹 자신이 지니는 타고난 철학적 경향에 그 이유의 일단이 있었다고도 생각된다.

왜냐하면 나폴레옹은 육군사관학교를 나온 후의 포병 소위 시절부터 플라톤의 『국가』와 루소와 칸트의 정치 철학에 대한 강한 관심을 보였고, 후에 황제의 자리에 오르고 나서는 당시 프랑스 철학계의 대표적 이론가들의 입장에 비판을 가하거나 아니면 자연 과학의 세계상에 관한 날카로운 문제의식을 보이거나 했기 때문이다.

당시의 철학계에서 유력한 조류는 에티엔 보노 드 콩디약Étienne

Bonnot de Condillac(1715~1780)의 감각론을 출발점으로 한 피에르 장 조르주 카바니스Pierre Jean Georges Cabanis(1757~1808)와 앙트완–루이–클로드 데스튀트 드 트라시Antoine–Louis–Claude, Comte Destutt de Tracy(1754~1836) 등의 이른바 '관념학'(이데올로지Idéolgie)이었는데, 나폴레옹은 이러한 사람들의 관찰에 기초한 인간 인식의 형성에 대한 분석이라는 수법이 실천 철학으로서는 전혀 불모였다는 점을 비판하고, 그들의 아성이었던 프랑스 아카데미의 인문학 부문의 폐쇄를 명령했다.

또한 당시의 가장 위대한 과학자인 피에르–시몽 라플라스Pierre–Simon, marquis de Laplace(1749~1827)가 내세운, 모든 자연 현상은 영겁에 걸쳐 그 세부에 이르기까지 결정되어 있다고 하는 결정론적 자연관에 대해 '그렇다면 형이상학적 원리로서의 신은 어떻게 되는가'라고 물었다. 라플라스는 '폐하, 신은 이미 필요하지 않습니다'라고 대답한 것으로 유명한데, 이 일화가 후에 이른바 '라플라스의 악마'의 비유를 낳는 계기가 되었다.

헤겔과 피히테

이처럼 철학과도 밀접한 관계를 지닌 사람이 나폴레옹이며, 그의 존재 그 자체가 독일 사상에서의 게오르크 빌헬름 프리드리히 헤겔Georg Wilhelm Friedrich Hegel(1770~1831)과 요한 고틀리프 피히테Johann Gottlieb Fichte(1762~1814) 등의 포스트 칸트 시대의 철학자들에게 커다란 영향을 미친 것도 잘 알려진 대로이다. 헤겔은 1806년 10월 프랑스군의 예나 점령을 목격하고 친구인 니트함머에게 '나는 황제, 이 세계정신이 정찰을 위해 말을 타고서 시내를 통과해 가는 것을 보았습니다'라고 써 보냈다. 그는 또한 나폴레옹의 실각 소식을 들었을 때 같은 친구에게 보낸 편지에서 '터무니없는 천재가 스스로를 파괴해가는 모습을 보는 것은 놀라운 경험입니다'라고 썼다.

이에 반해 프랑스 혁명의 시대에 그 의의를 정면에서 찬미하고 있던 피히테는 나폴레옹의 등장과 동시에 반프랑스적인 자세를 명확히 하고, 1806년에 나폴레옹 군이 독일 각지에 침공하고 같은 해에 베를린을 점령하자 잠시 옮겨 갔던 쾨니히스베르크에서 베를린으로 돌아와 1807년 말부터 다음 해에 걸쳐 『독일 국민에게 고함』을 공개 강연했다.

『독일 국민에게 고함』은 독일뿐만 아니라 유럽 모든 국민의 도덕적 타락에 대한 반성을 촉구함과 동시에 독일에서의 조국애의 양성을 가장 중요한 과제로서 설득하는 강연인데, 1808년에 출판되자 독일뿐만 아니라 유럽 모든 나라의 독립 기운을 고무하게 되었다. 이 강연의 키워드는 '국민Nation'이라는 말이지만, 이 말이 국가 주권의 담지자로서 널리 인정되게 된 것은 말할 필요도 없이 프랑스 혁명의 '인권 선언'에서이다. 그 선언의 제3조에서는 '모든 주권의 근원은 본질적으로 국민 속에 있다'라고 분명히 말하고 있다. 피히테는 1793년과 1794년에 『프랑스 혁명에 관한 대중의 판단을 시정하기 위한 기여』(이하 『프랑스 혁명론』)를 발표하고 혁명의 본질이 국민을 국가 주권으로 하는 사상에 있다는 것을 이야기하고 있었는데, 『독일 국민에게 고함』은 그 연장선상에서 국민 국가의 형성을 호소한 것이다.

이 장에서는 지금부터 이 『프랑스 혁명론』과 같은 시기에 발표된 피히테의 정치사상 텍스트를 중심으로 하여 당시 독일에서의 국가 의식의 존재 방식을 규정한 철학적 사상의 알맹이를 확인하고자 하는데, 그 전에 피히테에 선행하는 임마누엘 칸트Immanuel Kant(1724~1804)의 정치사상에 대해서도 언급하여 프랑스 혁명에 대한 당시의 철학적 반응을 조금 더 검토하려고 한다. 말할 필요도 없이 피히테는 자기의 철학적 사유의 사명이 '칸트에게서 시작하여 칸트를 넘어서는' 것에 놓여 있다고 생각하고, 그것을 정치철학에서도 실행하고자 했기 때문이다.

2. 칸트와 프랑스 혁명

혁명의 거부

잘 알려져 있듯이 『순수 이성 비판』에서 시도된 철학적 반성에 의한 사유 방법의 전환은 칸트 자신에 의해 '혁명'에 비교되었다. 그는 자신이 기도한 형이상학에 대한 접근을 코페르니쿠스의 천문학에서의 전환에 비겼다. 그러나 사회적·역사적인 사건으로서의 혁명에 대한 칸트의 태도는 독일에서의 그의 사상의 후계자들과는 달리 오히려 소극적인 것이었다.

칸트의 태도는 1789년 7월에 발발한 프랑스 혁명의 여운이 수습되지 않는 가운데 대중을 향해 표명되고 있다. 국가의 존재 방식에 관해 말하자면, 특히 군주제의 옳고 그름을 둘러싸고 칸트와 피히테의 입장은 서로 다르지만, 이것은 아래에서 보듯이 그들에 의해 서로 다른 방식으로 받아들여진 계몽사상의 수용과도 관계된다.

정치적·역사적인 사건으로서의 혁명에 관한 칸트의 명확한 견해가 제시되는 것은 1795년에 출판된 『영원한 평화를 위하여』(이하 『영원한 평화』)이다. 그는 거기서 국가에서의 통치 형태의 변경에 있어서는 혁명보다 개혁이 우선되어야 한다는 견해를 밝혔다. 혁명의 권리에 관해 말하자면, 실제로 자기 스스로 '퓨리턴 혁명'과 '명예혁명'을 경험한 홉스나 로크 등의 영국의 철학자들은 혁명이 그 직접적인 폭력성으로 인해 무정부 상태를 초래한다는 점에서 혁명권을 부정하든가 아니면 대단히 소극적으로 취급했으며, 칸트도 그러한 선행자와 견해를 공유하고 있다. 혁명은 통치의 공백 기간, 무정부 상태를 초래한다는 점에서 용인되지 않고 오히려 개혁이 채택된다.

이와 같은 혁명 부정의 경향 속에서 칸트에게서 특징적인 것은 혁명권의 부정이 군주제의 용인과 하나로 결부되어 있다는 점에 놓여 있다. 『영원한 평화』에 따르면, 군주제가 용인되는 것은 그것이 다른 정체보다도 이상적인 정체로 생각되는 '공화제'에 좀 더 가깝기 때문이다. 그때 비교의 대상이 되는 것은 민중제이다. 민중제는 군주제보다 한층 더 공화제로 정비될 가능성이 없으며, 오히려 불가피하게 전제로 이행할 가능성이 크다. 이 경우의 공화제res publica란 로마 시대의 키케로가 이야기했듯이 인간이 본래 지니는 사회적 본성에서 유래하는, 이른바 '폴리스'에 연결되는 국가 개념이며, 공통의 선을 추구하는 사람들의 무리에 대해 그 선을 제공하는 것을 말한다.

공화제에 대한 근접성이라는 이 비교를 이해하기 위해서는 국가의 형태에 관해 칸트가 도입하는 '지배의 형태'와 '통치의 형태'라는 구분법을 살펴볼 필요가 있다. '지배의 형태'란 '최고의 국가 권력을 소유하는 사람들의 다름'이며, 국가의 형태가 지배권을 가진 자의 수에 따라 군주제, 귀족제, 민중제로 나누어진다. '통치의 형태'란 개개인의 특수 의지를 넘어선 일반 의지의 표현인 헌법에 기초하여 '국가가 그 절대 권력을 행사하는 방식'에 관한 것이며, 그 방식으로서는 공화제와 전제가 거론된다.

전자의 구분에서는 오로지 지배권이 누구에게 귀속하는가 하는 것이 문제가 되는 데 반해, 후자의 구분에서는 지배권이 어떻게 해서 행사되는지가 문제가 되며, 특히 집행권(통치권)과 입법권의 분리·비분리가 공화제와 전제를 구별하는 기준이 된다. 민중제가 공화적이지 않은 것이라고 기각되는 것도 민중제에서는 전원의 의지라는 이름 아래 집행권이 행사되고 때로는 개개 인간의 동의 없이 결의가 이루어지기 때문이며, 그러한 정체는 칸트가 보기에 개개 인간의 동의 위에 성립하는 일반 의지의 자기 부정으로 연결되는 모순적인 정체가 되는 것이다.

그리하여 새롭게 군주제를 살펴보면, 군주제는 어떤 한 가지 보완과 함께 더 공화적인 것으로 여겨진다. 그 보완이란 대의제이다. 여기서 칸트가 대의제를 꺼내 드는 것은 대표하는 자가 복수라면 대표라는 것이 본래 어려워지기 때문이다. 칸트가 대표적이지 않은 공화제를 불완전한 것으로 간주할 때, 거기서는 대표하는 자가 단독이든 복수의 것이든 대표자에 상응하는 특질을 갖추고 있는 것이 공화제의 필요 요건이라는 것을 시사한다. 이 점에 관해 덧붙여 말하자면, 국가 권력의 집행자 숫자가 문제인 것이 아니라 그 집행자가 '좋은 집행자'인지 아닌지가 문제이다.

근원적 계약과 공화제

이리하여 혁명은 칸트에 의해 거부되었다. 그 대신에 채택되는 것이 개혁이며, 그것은 전제를 배척하고 공화제의 수립을 지향하는 것이었다. 이 공화제라는 국가 형태의 기초를 이루는 이념을 규정하기 위해 칸트가 원용하는 것은 '사회 계약'이라는 생각이다. 당장 홉스로까지 거슬러 올라갈 수 있는 사회 계약은 칸트에 따르면 다수의 인간이 결합하여 사회를 형성하기 위한 절차이며, 그것의 일종인 국가('공민적 사회')를 설치하기 위한 계약은 '공민을 하나로 결합하는 계약'으로서 두드러지게 된다. 이 점과 관련해서는 『영원한 평화』에 앞서 공표된 「이론과 실천」이라는 논문과 만년의 저작인 『인륜의 형이상학』(1797년)의 논의도 참고가 된다.

칸트의 국가 의식을 좀 더 명료하게 하기 위해서는 공화제를 추구하는 까닭이 된 이념으로 여겨지는 '근원적 계약'에 대해서도 살펴볼 필요가 있다. 그는 근원적 계약이라는 개념을 '민중 자신이 스스로를 국가로 구성하는 행위'로 규정하고 있다. 계약이라는 개념은 홉스 이후 정치 철학의 주도적인 개념이며, 그것은 통치자와 신민의 관계를 규정하는 것임과 동시에 실천적인 실재성을 지니는 것이기도 하다고 생각된다. 전자의 관계에 관해 말하자면, 통치자와 신민의 관계는 철회될 수 없고 또 역전될 수 없기도 하다.

이러한 이해 아래 칸트는 근원적 계약의 이념과 공화제의 결합을 다음과 같이 생각한다.

> 첫째로 사회의 성원이 (인간으로서) 자유롭다는 원리, 둘째로, 모든 성원이 유일한 공동의 입법에 (신민으로서) 종속하는 것의 원칙들, 셋째로, 모든 성원이 (국민으로서) 평등하다는 법칙, 이 세 가지에 기초하여 설립된 체제 — 이것은 근원적인 계약의 이념에서 생기는 유일한 체제이며, 이 이념에 민족의 합법적인 모든

입법이 기초해야만 하지만, 이러한 체제가 공화적이다.' (『영원한 평화를 위하여』, 우쓰노미야 요시아키宇都宮芳明 옮김, 岩波文庫, 29쪽)

여기에서는 공화제를 성립하게 하는 것이 '법적인 자유'임과 동시에 '근원적 계약'이라는 이념적인 것이기도 하다는 것이 명료하게 표명되어 있다. 법적인 자유란 외적인 자유이며, 이성의 자기 자신에 의한 입법의 자유라는 의미에서의 내적인 자유와 구별됨과 동시에 그 자유는 또한 스스로 동의할 수 있었던 법칙에 따르는 자유로서 법에 대한 종속 및 법 아래에서의 평등과 더불어 공화제의 원리를 형성한다. 그렇지만 근원적 계약 그 자체는 칸트에게 있어 역사적으로 실재한 사실적인 것이 아니라 오히려 이념에 지나지 않는다. 따라서 그것은 다만 실천적인 실재성, 즉 실천을 통해서만 획득되는 것과 같은 실재성을 지닌다고 생각되는 것이다.

3. 피히테의 정치 철학

칸트 비판과 혁명권

칸트의 『영원한 평화를 위하여』가 출판된 것은 앞에서 이야기한 대로 1795년이다. 피히테는 1796년과 1797년에 발표한 『자연법의 기초』에서 자신의 정치 철학을 밝히고, 1798년에 발표한 『도덕론의 체계』에서 도덕 철학을 개진했다. 앞에서 보았듯이 프리드리히 슐레겔이 『아테네움』의 창간호에서 자신들의 시대를 특징짓는 가장 커다란 경향은 '프랑스 혁명, 피히테의 학문론, 그리고 괴테의 『마이스터』'라고 말한 것은 1798년이다. 이로부터 분명하듯이 시대는 급속히 칸트로부터 피히테에게로 이행하고 있었다. 그렇지만 엄밀하게 말하면 피히테에 의한 칸트 비판은 그것보다 몇 년 전부터 이미 시작되고 있었다.

잘 알려져 있듯이 칸트는 「계몽이란 무엇인가」(1784년)라는 논문의 서두에서 계몽이란 인간이 스스로의 책임으로 미성년 상태에서 벗어나는 일이라고 정의했다. 그러나 칸트의 계몽 개념에 따르면, '계몽 군주'는 설사 민중을 이성의 미성년 상태에서 끌어내어 '자기 자신의 지성 사용'을 촉진했다고 하더라도 민중을 '신민'으로서 다루고 군주와 신민의, 따라서 지배와 복종의 관계를 바탕으로 이른바 '자율'을 강요한다는 점에서는 모순을 포함한 존재였다. 칸트에 의해 감화를 받고 자유의 이념에 따라 철학의 체계를 수립하고자 한 청년 시대의 피히테의 눈에 계몽 군주는 말할 것도 없고 본래 군주라는 존재는 자유의 이념에 반하는 자로 비친 것이다.

피히테는 『모든 계시의 비판 시도』라는 1792년에 익명으로 출간된 저작이, 오랫동안 기다리던 칸트의 손에 의한 종교론으로 오인되는 행운으로 학문적인 명성을 획득했다. 그는 칸트 철학의 보급을 도모하고 있던 칼 레온하르트 라인홀트Karl Leonhard Reinhold(1757~1823)가 킬대학으로 옮겨감에 따라 1794년에 그의 후임으로서 예나대학으로 초빙되었다. 그는 이른바 '칸트학파'의 거점이었던 예나대학에 부임하기에 앞서 칸트를 계승하기 위해 철학의 원리에 관한 사유를 심화하는 한편, 정치 철학에 관한 몇 편의 논문을 썼다.

1793년부터 다음 해에 걸쳐 익명으로 출간된 『프랑스 혁명에 관한 대중의 판단을 시정하기 위한 기여』는 그 제목이 보여주는 대로 칸트를 비롯하여 혁명에 대해 소극적이었던 대중의 동향을 토대로 하여 혁명의 권리를 인간에게 고유한 것으로서 정당화하고자 하는 것이었다. 논문 자체는 애초의 계획 가운데 전반 부분만이 공표되고 나머지 부분은 쓰이지 않은 채 완성되지 못했지만, 피히테의 취지는 이미 전반 부분에 잘 나타나 있다. 그 취지는 혁명의 권리가 인간의 도덕적 본성에 기초한 정당한 권리라는 것이다.

이성에 의한 감성의 제어

피히테에 따르면 혁명권을 비롯한 권리의 기초는 '도덕 법칙'에서 찾아진다. 도덕 법칙은 우리 인간의 참된 모습을 가르쳐주는 것이다. 우리는 현상의 세계에서는 다양한 모습을 하고 있으며, 그것은 끊임없이 변화해간다. 그러나 인간은 누구나 이성을 부여받고 있다. 이성 그 자체는 영원히 변화하는 일이 없는 인간의 참된 모습인바, 도덕 법칙은 '양심'과 '우리의 내부에 있는 재판관'으로서 작용하고, 모든 인간에 대해 모든 이에게 공통된 '우리 자신의 근원적인 형식', 즉 '참된 자기'와의 일치를 요구한다.

권리는 그러한 마음의 내적인 도덕 법칙에 뿌리박은 것이면서, 도덕 법칙으로부터의 직접적인 명령과 금지인 의무와는 달리 명령받지도 않을 뿐만 아니라 금지되지도 않는 것, 다시 말하면 허용된 것에 속한다고 생각된다. 이성적 존재자인 인간은 직접적으로는 도덕 법칙의 지배 아래 있다. 그러나 그것과 동시에 도덕 법칙의 효력이 직접적으로 미치지 않는 영역에서는 도덕 법칙이 금지하지 않는 사항으로서 인간에게는 허용된 것이 있으며, 그러한 허용된 행위가 권리로 여겨지는 것이다. 혁명도 국가 설립을 위한 계약과 마찬가지로 허용된 행위이며, 게다가 그 행위를 실제로 하는가 아닌가는 어디까지나 인간의 자유 의지에 맡겨진다는 결론이 도출된다.

그러나 혁명권이 인간에게 인정된다고 하더라도, 일단 계약을 통해 설립된 국가 체제가 같은 인간의 자유 의지에 의해 폐기되어도 좋은가 아니면 인간의 그때그때 사정에 따라 국가 설립의 계약이 체결되거나 파기되거나 해도 좋은가 하는 문제가 있다. 그리하여 새롭게 묻게 되는 것이 인간의 자유 의지와 이성의 도덕 법칙과의 일치 안에서 발견되는 행위의 도덕성이다.

이 물음에 대해 피히테는 인간의 자유 의지와 이성의 도덕 법칙과의 일치가 꾀해지는 것은 '문화'에 의해서라고 대답한다. 『프랑스 혁명론』에서 문화는 감성에 대한 이성의 존재해야 할 관계로서 이해되고 있다. 인간은 이성적 존재자임과 동시에 감성적 존재자이며, 이성과 감성은 언제나 투쟁 안에 놓여 있다. 거기서는 '자유롭게 될 것인가 노예가 될 것인가를 건 길고도 두려운 결투'가 펼쳐지며, 이 결투에 결말을 짓고 이성이 승리를 거두기 위해 이성은 감성을 '제어하는' 동시에 '단련하는' 것이어야만 한다.

이성이 감성을 제어한다는 것은 감성이 이성에 목적을 주는 것이 아니라 오히려 이성이 감성에 목적을 준다는 것을 의미한다. 왜냐하면 그렇지 않으면 인간의 자기는 자기 자신과의 불일치에 빠지고 자기를 상실하게 되기 때문이다. 따라서 이성에 의한 감성의 제어란 감성에의 예속으로부터 이성의, 따라서 우리 인간의 자기 해방의 첫걸음이다. 그러나 이성이 승리를 확실한 것으로 만들기 위해서는 더 나아가 이성이 감성을 다듬을 것이 요구된다. 이성에 의한 감성의 단련이란 이성에 직접 속하지 않는 모든 것을 감성과의 관계에서, 감성을 통해 이성의 활동에 적합한 것으로서 정돈한다는 것을 의미한다. 이처럼 이성에 의한 감성의 제어와 단련은 '자유를 지향하는 문화'라고도 말해지며, 이성적인 동시에 감성적인 존재자가 자기 자신과의 일치를 성취하고 자유를 확립하기 위한 유일한 방법이라고 생각되는 것이다.

자아의 해방으로

이처럼 이성의 우위를 주장하는 피히테의 사고방식의 근본에 존재하는 것은 이성 그 자체와 서로 겹쳐진 자기라는 것에 관한 관심이다. 피히테는 『프랑스 혁명론』과 같은 시기에 칸트의 비판 철학을 체계적으로 다시 파악하는 데서 이론 철학과 실천 철학을 꿰뚫는 통일적인 원리를 '자아'라는 말 안에서 찾는 동시에 인간의 모든 정신 활동을 포괄하는 것과 같은 학문의 체계를 '학문론 Wissenschaftslehre'(지식학)이라는 명칭 아래 구축하는 데 애쓰고 있다.

그때 피히테가 철학을 위해 사용하는 '학문론·지식학'이라는 명칭이 지식이나 학이라는 것을 그 원리와 응용의 양면에서 근본적인 동시에 체계적으로 파악하는 자각적인 영위로서 철학을 이해한다는 것을 나타내고 있다는 것에 주의가 필요하다. '학문론'으로서의 이러한 철학의 원리로서 채택되는 것이 '자아'이다. 피히테가 말하는 자아란 이성적 존재자인 인간이 누구나 모두 자기 자신을 '나는 ……이다'라고 칭할 때의 일인칭의 '나'가 지시하는 것이다.

그러나 그것은 우리의 개별적인 '나'가 아니라 개개의 '나'에 공통된 총칭적인 '나' 일반이라고 해야 한다. 그것은 또한 눈앞에 존재하는 사물과 같은 물체적인 것이 아닐 뿐만 아니라 또한 단지 사고할 수 있는 관념과 같은 정신적인 것도 아니다. 오히려 예를 들어 '문자를 쓴다'라는 행위에 의해 '문자를 쓰는 사람'과 '쓰인 문자' — 주관과 객관의 관계로 집약되는 일련의 것 — 가

'존재한다'라고 하여 무언가의 존재가 의식되듯이 존재와 그 의식을 결과로 불러일으키는 원인으로서의 행위 그 자체, '의식하면서 행위하는 나'와 '의식되면서 존재하는 나'가 분리하는 일이 없이 하나로 결부된, 누구나 자신에게서 직접 의식할 수밖에 없는 것을 피히테는 '자아'라고 부르는 것이다.

그런데 자아라는 원리는 모든 지식의 기초를 이룰 뿐 아니라 실천의 기초를 이루는 것으로도 생각되며, 제1철학인 학문론과 마찬가지로 '응용 철학'이 시도된다. 예나대학에서의 교수 시기에 피히테는 강의에 참여한 학생용의 배포 텍스트로서 『전체 학문론의 기초』(1794/95년)라는 표제를 붙인 책을 출간하는 한편, 법과 도덕에 관한 '학문론의 원리들에 따른' 응용 철학에 속하는 저작을 저술했다. 그것이 앞에서 거론한 『자연법의 기초』(1796/97년)와 『도덕론의 체계』(1798년)인데, 그는 이러한 저작들을 통해 칸트의 혁명에 대한 소극적인 태도를 뛰어넘는 자세를 보였다. 이 저작들은 모두 다 이성적 존재자로서의 인간이 자아의 원리에 따라서 어떻게 실천을 위한 기초를 얻을 것인가 하는 것을 논의하는 가운데 자아의 해방이라는 좀 더 커다란 주제로 향하고 있다.

피히테가 이 작품들에서 실천을 위한 기초를 이루는 것으로서 염두에 두고 있는 것은 법과 도덕이다. 법은 복수의 자유로운 이성적 존재자들이 상호 인식에 기초하여 교섭을 이루기 위한 공동성의 기초를 부여하는 데 반해, 도덕은 공동성에서 각 이성적 존재자가 자유로운 자로서 자기를 정비해가기 위한 기초를 제공한다고 한다. 법과 도덕은 이미 칸트에게서 그러했듯이 단지 구별될 뿐만 아니라 오히려 맞짝을 이루는 것으로서 파악되어야 하며, 그러한 법과 도덕의 상호 보완이라는 틀을 바탕으로 하여 시도되는 것이 『프랑스 혁명론』에서 그려진 개개 인간의 자유를 저해하지 않고서 각 사람의 자율을 촉진하는 국가 체제의 확립이다.

자유로운 존재자들의 상호 인정

법과 도덕을 다루는 응용 철학은 자아의 원리에 따른다는 점에서는 제1철학과 마찬가지이지만, 자아라는 말이 동시에 '나' 일반이라는 총칭적인 것만이 아니라 '이 나'라는 개별적인 것을 지시하고 있다는 것을 고려한다는 점에서 제1철학과는 구별된다. 자아의 원리에서 분리되지 않고서 단번에 파악된 자아의 행위와 그 소산은 실제 행위의 장면에서는 '나는 나다'라는 자아의 직접적인 의식에 반성이 가해지고 서로 다른 것으로서 의식되게 된다. 예를 들어 '문자를 쓴다'라는 행위는 '문자를 쓰는 사람'과 '쓰인 문자'로서 구별되며, 그에 따라 자아도 '세계'라는 비자아적인 것에 대해 열리고, 자아의 원리는 세계와의 관계에 적용('응용')되게 된다. 그때 자아의 원리에 기초한 법이 관계하는 것은 '쓰인 문자'를 매개로 하여 '문자를 쓰는 사람'인 '이 나'와 교섭하는 자, 즉 '다른 나'이다.

피히테가 개별 자아나 다른 자아와 같은 개념을 도입함으로써

기도하고 있는 것은 경험과 함께 비자아적인 것으로서 우리의 눈앞에 나타나 자아를 다양한 것으로 분해하고 그 관계 안에 자아를 구속하는 세계로부터 세계의 일부임과 동시에 자아의 원리로 관통되는 존재자들 간의 상호 교섭을 통해 자아를 해방시키는 것이다. 간단히 말하면, 개개인의 자유의 여지가 전혀 없는, 세계에 의한 구속을 개개인의 자유의 여지를 남긴, 타자에 의한 구속으로 치환하는 일이다. 그 경우의 타자란 눈앞의 존재자 B를 자유로운 자로 인식하고 그 존재자가 자유롭게 행위할 수 있도록 허용하는 한에서 '이성적인' 존재자 A라고 할 수 있다.

이성적 존재자 A의 작용은 '요구Aufforderung'라고 일컬어지는 것이다. 그것은 눈앞의 존재자 B가 자유라는 것을 인식하는('인정하는') 행위임과 동시에 B가 A를 마찬가지로 자유로운 자로서 인식하도록 요구하는 행위이기도 하다. 이 요구를 수반한 활동에 의해 어느 쪽 개인도 자기의 자유를 위한 영역을 확보하는 한편, 타자에 의한 요구에 따르기를 그만두면, 이를테면 '인격'이지 않는 '물건'으로서 다루어지고 곧바로 자유를 상실한다는, 즉 자유이고자 하는 자가 그 누구이든지 간에 그로부터 빠져나올 수 없는 구속 상태 안에 놓이게 된다. 이러한 요구를 매개로 한 이성적 존재자들의 상호 인식('상호 인정')의 관계가 '법 관계'라고 간주되어, 국가 체제의 원형으로 여겨지는 것이다.

자유로운 존재자들의 상호 관계는 서로 상대가 이성적이라는 것을 전제로 한다. 전적인 불법 상태 안에 놓인 자가 적대하는 자에 의해 자기의 자유가 끊임없이 위협받고 도리어 부자유한 상태에 빠지는 것과는 달리 법 관계 안에 놓인 자는 일정한 범위에서 자유를 위한 영역을 확보하고 있다. 그러나 그럼에도 불구하고 여전히 자유는 제한이 붙은 것이며, 법 제도와 같은 외적인 것에 의한 속박을 완전히 철폐하고 있지 않다. 이 속박을 최종적으로 해소하는 시도가 유한한 이성적 존재자 자신의 도덕의식 확립이라고 한다.

도덕성의 원리

일정한 법적 질서를 지닌 국가 체제에 속하는 인간은 이성을 지니는 자가 타자의 촉구에 응답하듯이 법에 동의하고, 그런 한에서 법을 준수하는 '좋은 국민'이라 하더라도, 그자가 곧바로 도덕적으로 보아 '좋은 인간'인 것은 아니다. 그것은 피히테의 견지에서 보면 자아의 원리에 여전히 반하는 것이며, 이성의 한층 더 나아간 개화를 필요로 하는 것이기도 했다. 그것은 또한 계몽된 '군주'라는 후견인에 이끌려 일정한 규율 아래 놓인 '신민'이 여전히 지배와 복종의 관계에 머물고 계몽의 도상에 놓여 있었던 것과 마찬가지이다.

그리하여 제기되는 것이 '도덕성의 원리'이다. 그것은 한 사람 한 사람의 인간의 내적인 도덕의식이며, 도덕적인 사안에 관해 스스로 음미할 것을 각 사람에게 부과하는 것이다. 그때의 시금석으로 되는 것은 스스로의 자아라는 존재 방식이 자유라는 이념에 합치하는가 하는 것이다. 스스로의 자아가 자기 이외의 무언가에 의해 결정된 법에 따르는 것이 아니라 스스로가 입법한 법에 따르는가 아닌가 하는 것, 즉 자율적이라는 것이 물어지는 것이다.

각 사람의 자아와 자유의 이념과의 합치라는 도덕성의 원리에 의해 피히테는 자아의 해방을 성취하고자 한다. 이것은 국가 개념에 대해 중요한 통찰을 수반한다. 그 통찰이란 모든 사람이 도덕성의 원리에 따라 자율적으로 된 상태에서는 자율적이기를 강제하는 것과 같은 국가 체제는 소멸한다는 것이다. 국민 누구나 다 계몽이라는, 따라서 또한 자유롭고 자율적인 자로의 고양이라는 인류 공통의 목표에 다가가는 것을 허용하는 국가야말로 참된 국가라고 해야 할 것이다. 피히테는 칸트의 계몽사상을 계승하면서 그것을 넘어설 것을 지향함으로써 이러한 결론에 다다른 것이다.

☞ 좀 더 자세히 알기 위한 참고 문헌

— 앙드레 말로André Malraux 편, 『나폴레옹 자서전ナポレオン自伝』, 고미야 마사히로小宮正弘 옮김, 朝日新聞社, 2004년. 나폴레옹 자신이 남긴 일기, 서간, 포고 등의 문장에서 말로가 골라내 그의 장대한 생애에 빛을 비춘 기록.

— 우쓰노미야 요시아키宇都宮芳明, 『칸트의 계몽 정신カントの啓蒙精神』, 岩波書店, 2006년. 칸트가 계몽을 어떻게 이해했는지 밝힘으로써 계몽 정신에 의해 관철되고 '영원한 평화'의 사상에 이르는 칸트 철학 전체의 겨냥도를 제공.

— 볼프강 케어스팅Wolfgang Kersting, 『자유의 질서 — 칸트의 법 및 국가의 철학自由の秩序 — カントの法および国家の哲学』, 후나바 야스유키舟場保之 · 데라다 도시로寺田俊郎 감역, ミネルヴァ書房, 2013년. '잘 질서 지어진 자유'라는 원제에서 제시된 대로 칸트의 법철학·국가 철학이 이론 철학·윤리학에 못지않으며, '자율'의 사상을 체현하고 있다는 것을 가르쳐 준다.

— 귄터 죌러Günter Zöller, 『피히테를 읽는다フィヒテを讀む』, 나카가와 아키토시中川明才 옮김, 晃洋書房, 2014년. '피히테를 칸트로부터 읽는' 것을 통해 피히테 철학의 전체상을 체계적·역사적인 전개에서 그려내고, 그 철저함을 '자유'를 둘러싼 정치적 사유 안에서 포착하는 훌륭한 저서. 또한 피히테의 '공화국' 구상에 관한 최근의 것으로서는 구마가이 히데토熊谷英人의 『피히테 — '20세기'의 공화국フィヒテ — '二十二世紀'の共和国』(岩波書店, 2019년)이 있다.

— 가토 히사타케加藤尙武 · 다키구치 기요에이瀧口清榮 편, 『헤겔의 국가론ヘーゲルの国家論』, 理想社, 2006년. 일본에서의 헤겔 국가론 연구가 지금까지 거둔 성과를 총괄하기 위해 편집된 논문집. 특히 칸트와 피히테의 법론에 대한 헤겔의 비판에 관해서는 가토 히사타케 씨의 논문이 시사하는 바가 풍부하다.

칼럼 1

칸트에서 헤겔로

오코치 다이쥬大河內泰樹

『칸트에서 헤겔로』는 R. 크로너Richard Kroner(1884~1974)가 1921~1924년에 간행한 저작의 제목이다. 거기서 제시된 독일 관념론 역사의 기술은 표준적인 이해로서 오랫동안 받아들여져왔다. 그에 반해 D. 헨리히Dieter Henrich(1927~)가 2003년에 영어로 출판한 저작도 마찬가지로 독일 관념론 역사를 다루고 있지만, 이것은 『칸트와 헤겔 사이』라는 제목으로 되어 있다. 이 두 저작의 제목은 언뜻 보아 아주 비슷하다. 그러나 이 '…에서 …로'와 '…와 …사이' 사이에는 거기에 담긴 독일 관념론 이해의 커다란 차이가 놓여 있다.

한편으로 크로너의 '칸트에서 헤겔로'는 거기에 단선적인 진보가 있다고 상정하고 있다. 이 견해에 따르면 칸트에서 시작되고 야코비, 라인홀트, 마이몬, 피히테, 셸링을 거쳐 헤겔에 이르는 철학사는 한 계단 한 계단을 올라가듯이 최종적인 완성을 향해 상승해 가는 과정이다. 이러한 철학사관 자체는 헤겔의 『철학사 강의』를 모범으로 한다고 말할 수 있는데, 독일 관념론 이해는 최근까지 이러한 단순화된 이해에 사로잡혀왔다.

다른 한편 헨리히가 '칸트와 헤겔 사이'에서 보고 있는 것은 바로 '사이'이며, 거기에 놓여 있는 것은 진보가 아니라 각각의 탁월한 체계 시도와 그들의 상호 영향 관계 내지 대립과 항쟁이다. 또한 헨리히는 비교적 무명인 당시 철학자들의 텍스트를 발굴하고, 5년 내지 때에 따라서는 1년이라는 짧은 기간의 철학적 논의 상황의 배치Konstellation를 방대한 서술로써 그려내는 '성좌星座 연구'를 주도해왔다. 칸트와 헤겔 사이에서 독일 관념론을 형성하고 있던 것은 앞에서 이름을 거론한 이른바 대철학자들만이 아니었다.

헨리히의 저작은 1970년대에 그가 미국에서 행한 강의가 토대를 이루고 있는 것이지만, 크로너 저작의 50년 후에 헨리히는 바로 독일 관념론 역사관의 전회를 촉구했다고 할 수 있을 것이다. 그리고 그러한 견해는 또다시 50년 후인 현재에는 일반적인 것이 되었다. 그러나 또한 후기 셸링의 중요성이 지적되고 있는 것을 생각하면, 헤겔에서 끝나는 이 '칸트와 헤겔 사이'라는 정식화도 현재의 연구 수준에서는 문제가 없는 것이 아니다. 최근에는 '독일 관념론'이라는 호칭도 부적절하다고 하여 '독일 고전 철학'으로 부르는 것도 제안되고 있지만, 그야 어쨌든 뛰어난 많은 지성이 사유의 숲으로 헤치고 들어가면서 서로 맹렬히 싸우고 지금도 씨름해야 할 방대한 텍스트를 자아내고 있던 철학사상 그 유례를 찾아보기 힘든 이 시대의 독일 철학을 이미 크로너가 생각하고 있던 것과 같은 방식으로 '칸트에서 헤겔로'라고 정식화할 수는 없는 것이다.

독일 연방
Ⓐ 하노버 왕국
Ⓑ 룩셈부르크
Ⓒ 작센 왕국
Ⓓ 바이에른 왕국
북해
아일랜드
더블린
영국
런던
벨기에 독립
(1830)
네덜란드
대서양
파리
프랑스
스위스
샤르데냐
왕국
포르투갈
마드리드
리스본
스페인
마르세이유
지중해
모로코
알제리아

빈 회의 후의 유럽

독일 연방(1815년) ▪ ▪ ▪ ▪ 1830년 열국이 승인한 그리스 영토

빈 의정서에서 얻은 영토

제3장

서양 비판의 철학

다케우치 쓰나우미竹內綱史

1. 서양 철학의 전환점

철학의 정체성 위기

1831년, 헤겔이 죽었다. 그것은 서양 철학사의 커다란 전환점이라고 말한다. 산업 혁명의 진전과 정치적 격동의 시대를 배경으로 하여 헤겔의 죽음은 '철학의 시대'의 종언과 '과학의 시대'의 개막을 알리는 것이었다. 철학은 예전에 종교로부터 왕좌를 물려받아 모든 문제를 최종적으로 해결하는 임무를 스스로에게 부과했다. 헤겔 철학은 그 완성형이다. 하지만 이제 철학의 그러한 특권성은 상실되고 다양한 문제에 대해서는 과학이 훨씬 더 적확하게 대처하게 되었다고 할 것이다. 이리하여 철학은 정체성 위기Identity Crisis에 빠졌다(H. 슈네델바흐, 『독일 철학사 1831–1933』, 후나야마 도시아키舟山俊明 외 옮김, 法政大学出版局, 2009년). 그것은 지금도 계속되고 있다. 철학이란 무엇인가 하는 것이 철학자 내지 철학 연구자 자신에게도 자명하지 않게 되었다. 철학으로밖에 대답할 수 없는 철학 고유의 문제란 무엇인가? 요컨대 '철학이란 무엇인가'라는 것 그 자체가 철학의 문제가 된 것이다. 그러나 이것은 물론 한탄스러운 것 따위가 아니다. 우리는 '철학이란 무엇인가'를 스스로 생각하고, 그리고 그것과 더불어 그때마다 새로운 '철학사'를 구상할 수 있는 것이다. '세계철학사'란 그와 같은 시도의, 탈서양적인 관점의 연속이다.

이 장의 주인공인 아르투어 쇼펜하우어Arthur Schopenhauer(1788~1860)가 약관의 30세에 주저 『의지와 표상으로서의 세계』를 간행했을 때(1818~1819년), 아직 베를린에서 헤겔이 군림하고 있었고 '철학의 시대'가 최후의 빛을 발하고 있었다. 잘 알려진 에피소드가 있다. 주저의 간행 직후 그는 헤겔에게 대항하여 베를린대학에서 헤겔과 똑같은 시간에 강의를 열었는데, 헤겔의 강의는 대만원인데 반해, 그는 몇 사람밖에 학생을 모을 수 없었다. 쇼펜하우어의 책은 거의 주목받지 못했으며, 그는 헤겔과 그 흐름을 이어받는 자들에 대한 (다분히 질투로 가득 찬) 온갖 욕설을 몇 번이고 써 늘어놓았다.

그러나 쇼펜하우어가 72세의 생애를 마쳤을 때(1860년), 그는 시대의 총아가 되어 있었다. 1850년대부터 갑자기 그의 책이 팔리기 시작하고, 만년에는 산책 중에 넘어진 일이 신문에 실릴 정도의 유명 인사가 되어 있었다. 그리고 19세기 후반은 '쇼펜하우어의 시대'라고 말해도 지나친 말이 아닐 정도로 그의 영향력은 철학뿐만 아니라 예술과 문학 등의 다방면에 미치고 있었다. 쇼펜하우어 철학에 대한 애초의 무시와 만년의 유행, 그 사이에 헤겔의 죽음이 끼어 있다. 그의 철학은 '철학의 시대'에 성립하고 '과학의 시대'에 수용되었다. 그는 서양 철학사의 저 전회를 상징하는 철학자라고 말할 수 있을 것이다.

이 세상은 살아갈 만한가?

쇼펜하우어는 '철학의 시대'의 철학자로서 문자 그대로 '모든 것'을 설명하고자 하는 체계 철학자이다. 그의 주저는 인식론으로 시작하여 존재론·자연 철학·미학·윤리학·종교 철학의 모든 것을 포괄하며, 그것은 '단 하나의 사상'의 전개라고 생각되고 있다. 하지만 그의 철학은 체계 철학으로서의 평가는 그다지 높지 않다. 그 점과 관련해서는 칸트나 독일 관념론의 큰 별들 쪽이 좀 더 뛰어났을지도 모른다. 그러나 저 전회 후의 사람들, '과학의 시대'를 살아가기 시작한 19세기 후반의 사람들은 과학에서는 결코 대답이 나오지 않는 문제에 대해 쇼펜하우어가 결정적인 물음, 철학 고유의 물음, 철학이 우선 생각해야만 하는 물음을 제출했다고 이해했다. 그것은 요컨대 '이 세상은 살아갈 만한가?'라는 물음이다.

쇼펜하우어 자신의 그 물음에 대한 대답은 '아니다'이다. 하지만 그에 의한 이 물음의 제기와 그에 대한 대답이 이른바 '페시미즘 논쟁'을 불러일으키고 19세기 후반의 독일을 석권했다. 그것은 철학자와 지식인뿐만 아니라 일반 사람들의 입에 오르내리는 '논쟁'이었는데, 그와 같은 시대 상황으로부터 결연히 쇼펜하우어에게 반론하고 20세기 이후의 사조에 절대적인 영향을 미치게 되는 한 사람의 철학자가 출현한다. 이 장의 또 한 사람의 주인공, 프리드리히 니체Friedrich Nietzsche(1844~1900)이다.

현대에는 하이데거Martin Heidegger(1889~1976)의 철학사관('존재사')이 쇼펜하우어를 경시한 것의 막대한 영향 아래 그의 철학에는 '이류'의 낙인이 찍히게 된 것으로도 보인다. 또한 '이 세상은 살아갈 만한가?'라는 물음—이것은 '인생의 의미'를 둘러싼 물음이라고 할 수 있을 것이다—은 지금은 철학의 중심 문제라고는 여겨지지 않는다. 오히려 그것은 '아마추어 같은' 물음으로서 '전문적'인 철학에서는 기피되는 종류의 물음이라고까지 말할 수 있다—근간에는 또다시 상황이 변하고 있지만 말이다. 그러나 쇼펜하우어는 이 물음을 철학의 문제로 제기하고, 니체는 생애 내내 그것과 격투를 벌였다. 그리고 그것은 서양뿐만 아니라 세계 속의 종교와 철학이 문제로 삼아온 물음이었다. 쇼펜하우어와 니체는 '세계철학사'라는 시각에서 보면, 대서특필해야 할 위치를 차지하고 있다고 말할 수 있는 것이다.

서양 비판의 철학—쇼펜하우어와 니체

그러면 다시, 쇼펜하우어 철학의 신기축은 어디에 놓여 있었던가? 다양한 점을 들 수 있겠지만, 이 장에서는 다음과 같은 세 가지를 들고자 한다. ① '무의식' 차원의 발견, ② 신의 부재, ③ 인도 사상과의 만남이 그것들이다. 이 세 가지는 서양 철학을 그 근본에서 뒤흔드는 것이었다. 서양 철학 한가운데에서 서양 그 자체를 비판하는 관점이 형성되어온 것이다. 니체에 의해 그 비판은 더욱 철저하게 추구된다. 이 두 사람의 철학 자체에 대한 해설에 들어가기 전에 앞의 세 가지 점에 대해 간단히 설명하고자 한다.

① '무의식'은 쇼펜하우어와 니체 자신의 술어가 아니다. 그들은 한결같이 '의지' 또는 '삶'이라는 말을 사용하고 있다. 하지만 이 표현들은 프로이트Sigmund Freud(1856~1939) 이후—프로이트는 그 두 사람에게서 커다란 영향을 받았다—'무의식'이라고 불리는 차원을 가리킨다고 생각할 수 있다. 우리는 자기 자신의 신체 속 깊은 곳에 놓여 있는 무언가의 '힘'에 의해 추동되고 있으며, 그것은 의식으로는 포착되지 않는 것이다. 우리는 사실은 이성적인 존재 따위는 결코 아니며, 오히려 불합리하고 동물적인 충동들의 덩어리에 지나지 않는다. 이러한 인간관은 이성적 존재라는 것에서 인간의 긍지와 영광 그리고 희망을 보아온 (특히

근대 이후) 서양 철학의 기본 설정을 뒤엎는 것이었다. 또한 이것은 '신체'의 차원을 철학에 도입하는 것이라고 말할 수도 있다. 쇼펜하우어는 서양 철학사에서 거의 최초로 신체를 철학의 중심에 놓은 철학자이다. '삶의 철학'이라고 불리는 사상 조류도 이로부터 시작한다.

② 쇼펜하우어 철학에는 '신'이 나오지 않는다. 현대 일본의 많은 독자는 '그것은 당연하다, 신이 나오는 철학이란 진정한 철학이 아니다'라고 생각할지도 모른다. 확실히 근대의 서양 철학은 — 그리고 과거에도 — 세계의 짜임새를 설명하기 위해 신을 끄집어내는 일은 없어졌다. 하지만 신이 전통적으로 수행해온 역할은 그것만이 아니다. 신이 없다는 것은 인간과 세계의 '좋음'을 보증하는 존재도, 사람들을 최종적으로 '구원'하는 존재도 없다는 것이다. 인간은 어쩔 수 없이 나쁜 존재이며, 세계는 악으로 가득 차 있다. 게다가 누구도 그로부터 우리를 구원해줄 수 없다. 쇼펜하우어는 이 점을 사람들에게 지겹도록 드러내 보인 것이다. 그리고 '신은 죽었다'라는 니체의 유명한 선언은 바로 이 문제를 알아맞히고 있다.

③ 그러나 신이 없다는 것은 곧바로 구원이 가능하지 않다는 것을 의미하는 것이 아니다. 신이라는 초월적인 존재에 의해, 이를테면 '타력'에 의해 구원되는 길을 스스로에게 금지한 쇼펜하우어는 다른 길, 말하자면 '자력'의 길을 찾게 된다. 그리스도교의 금욕적 고행자나 신비주의자와 같은 '성인'의 길을 그는 스스로의

종교 철학 중심에 놓았다. 거기에 인도 사상과의 만남이 더해진다. 다만 그의 철학의 성립에 인도 사상이 미친 영향은 한정적인 것으로 생각된다. 오히려 그는 자기의 철학 체계를 서양 철학의 맥락 속에서 거의 확립한 후에야 비로소 인도 사상과 만남으로써 자신의 철학과 그것의 가까움에 경악했다. 이 만남은 운명적이다. 여명기의 서양의 인도학이 그것을 가장 잘 이해하는 자를 얻고, 그 후 널리 알려지게 된다. 쇼펜하우어는 '불교 철학자'로서, 아니 더 나아가 '불교도' 그 자체로서 받아들여지게 되며, 서양의 사람들에게 '동양의 예지'를 전하고, '세계철학사'에서 대단히 커다란 역할을 하게 된 것이다. 니체는 물론 우리도 그 계승자이다. 하지만 현대의 눈으로 보면 당시의 수용에는 적지 않은 오해와 편견이 놓여 있었다.

위와 같은 세 가지 점을 염두에 두면서 다음 절에서는 실제로 쇼펜하우어 철학의 내용을 확인해 가고자 한다. 그리고 그 후 그에 대한 니체의 비판을 살펴보기로 하자.

2. 쇼펜하우어

'세계는 나의 표상이다'

『의지와 표상으로서의 세계』(이하에서는 『세계』로 줄임. 이

책은 1844년에 '속편'이 나오지만, 이 장에서는 '정편'만을 다룬다)는 '세계는 나의 표상이다'라는 인상적인 문장으로 시작한다(『세계』, 제1절). '표상'이란 우리의 의식에 초래되는 모든 사항을 가리키는 말이므로, 이 문장은 세계란 나의 의식에 비치는 것에 지나지 않는다는 의미이다. 이것은 우선은 유아론—참으로 존재하는 것은 나뿐이며, 나 이외의 세계 전체는 나의 의식 속에만 존재하는 데 지나지 않는다는 사고방식—의 선언처럼 보인다.

조금만 생각해보면 알 수 있듯이 유아론을 부정하기는 어렵다. 아니 그보다는 불가능하다. '나'란 '세계'가 펼쳐지는 무대 그 자체이며, 사물들도 타인들도 모두 '나'의 의식 속에서만 존재한다는 것은 원리적으로 부정할 수 없다. 이것은 실로 기묘하다. 게다가 더욱더 기묘한 것으로 우리는 유아론에 대해 '서로 이야기할' 수 있다. 유아론이란 정의상 '타자'가 존재하지 않는 것일 것이다. 그러나 바로 나의 이 문장을 읽고서 독자는 '확실히 그렇다'라든가 '아니, 그럴 리가 없다'라든가 생각할 수 있다. 왜 그런지 나'들'은 유아론을 '공유'할 수 있다. 따라서 유아론은 부정할 수 없지만, 그 유아론적인 '나'가 왜 그런지 수없이 존재하고 유일한 세계 속에 함께 존재하는 것이다. 이러한 대단히 기묘한 사태가 『세계』의 출발점이다.

쇼펜하우어에게서 이 기묘한 사태를 해명하는 실마리가 되는 것이 신체라는 특수한 존재자이다. '나'의 유아론적 유일무이성과 세계 안의 사물들 가운데 하나에 지나지 않는 '나'라는, '나'의 두 측면이 만나는 현장, 그것이 다름 아닌 신체이다. 쇼펜하우어에 의한 유아론의 불가사의한 해석은 다음과 같다. 인식 주관은 유일하며, 그 유일한 인식 주관이 유일한 세계를 성립시키고 있다. 그리고 모든 이에게 공통된 그 유일한 인식 주관이 각 신체에 '깃들고 있다'라는 것이다.

이것은 아마도 전적으로 보통의 생각을 벗어난 세계 이해, '나' 이해로 들릴 것이다. 그러나 상식을 벗어난 이러한 세계 이해는 상식적 세계 이해의 성질도 가리켜 보인다. 그것은 '에고이즘'이라고 말이다. 쇼펜하우어의 말을 빌리자면, '나'는 모든 이에게 공통된 유일한 인식 주관이기도 하지만, 그것을 깨닫지 못한 채 개체로서의 '나'의 입장에 머무는 것은 '에고이즘'인 것이다. '세계는 나의 표상이다'라는 문장은 그와 같은 에고이즘으로 빠져버릴 필연성을 보여주는 것이기도 하다.

그러면 그 문제를 푸는 열쇠가 되는 '신체'란 무엇인가? 그것은 의지의 나타남이라고 쇼펜하우어는 말한다.

신체와 의지

> 인식 주관은 신체와의 동일성에 의해 개체로서 [이 세계에] 등장하는 것이지만, 그 인식 주관에 있어 이 신체는 두 가지 전혀 다른 방식으로 주어져 있다. 한편으로는 지성적 직관에서의 표상으로서 객관들 사이에 놓여 있는 객관으로서 객관의 법칙에 따르고

있다. 그러나 또 다른 한편으로는 동시에 전혀 다른 방식으로도 주어져 있는바, 그것은 결국 각 사람이 직접적으로 알고 있는 저것으로서, 의지라는 말로 표현되는 것으로서 말이다. (『세계』, 제18절)

쇼펜하우어에 따르면, 내가 자신의 신체를 움직일 때, 그 움직임은 물리 법칙에 따르며 과학적으로 인과 관계를 특정할 수 있다. 그 점에서 신체는 그 이외의 모든 물체와 마찬가지이다. 하지만 그와 동시에 신체가 움직이고 있을 때 나는 그 신체를 움직이는 힘을 내적으로 느낀다. 그것이 '의지'라고 불리는 것이다. 주의해야만 하는 것은 여기서 말하는 의지란 지적 작용과는 아무런 관계도 없다는 점이다. 요컨대 일반적으로 '의지'라는 말로 상상되는 것과 같은 의도적인 의지를 말하는 것이 아니다. 현상으로서는 무언가의 인식이 원인(동기)이 되어 신체가 움직인다고 하는 필연적인 과정이다. 그 움직임을 가능하게 하는 힘, 그것이 여기서 말하는 의지이다. '의지는 순수하게 그것만으로 고찰하게 되면, 인식을 결여하고 있으며, 맹목적이고 제어할 수 없는 충동에 지나지 않는다.'(같은 책, 제54절)

쇼펜하우어는 신체의 이러한 이중의 주어진 방식을 '자연에서의 모든 현상의 본질에 대한 하나의 열쇠로서 사용할' 것을 제안한다(같은 책, 제19절). 요컨대 '우리 자신의 신체가 아닌 객관, 그런 까닭에 이중의 방식이 아니라 오직 표상으로서만 우리의 의식에 주어져 있는 객관 모두를 바로 저 신체의 유비에 의해 판정하는'(같은 곳) 것을 시도하는 것이다. 왜냐하면 나의 신체도 다른 객관들도 표상으로서는 완전히 똑같이 주어져 있는 까닭에, 표상에 나타나는 것을 제거한 다음에 남는 것도 '그 내적 본질에 따르면, 우리가 자기 자신에 관해 의지라고 부른 것과 같은 것임이 틀림없기'(같은 곳) 때문이다.

이리하여 유비라는 방법에 의해 나의 신체에서 내적으로 감득된 저 힘이 다른 모든 사물의 내부로 전용된다. 요컨대 신체를 매개로 하여 자연 속에서 의지를 봄으로써 인간도 포함한 세계 전체의 모든 사물을 하나의 의지의 나타남으로 이해하는 것이다.

동정(동고)의 윤리학

세계 전체를 '하나의 의지'의 나타남으로써 본다는 것은 물론 형이상학이다. '유비analogy'라는 신중한 방법을 사용하고는 있지만, 그와 같은 형이상학을 납득할 수 있을까? 하지만 쇼펜하우어는 또 하나, 의지의 형이상학을 정당화하는 중요한 논의를 전개한다. 그것은 '동정'이라는 어디에나 있는 현상을 기초로 한 그의 윤리학이다.

통상적으로 '동정'으로 번역되는 독일어 '미틀라이트Mitleid'는 괴로움Leid을 함께mit 하는 일이다(이 때문에 현재는 전문적으로는 '동고同苦'로 번역되는 경우가 많다). 우리는 동정(동고)에 의해 타자와 같은 괴로움을 함께 괴로워하고, 그 괴로움을 제거하려고 한다. 이것 자체는 언뜻 보아 예사로운 현상이지만, 쇼펜하우어는 이러한 동정(동고)에 기초한 행위만이 도덕적 가치를 지닌다고 한다.

그가 말하는 도덕적 행위란 타자의 즐거움을 동기로 하는 행위를 말한다. 그 반대는 스스로의 즐거움을 동기로 한 행위이며, 그것은 '에고이즘'이다. 쇼펜하우어에게서 즐거움이란 괴로움의 부재 이외의 아무것도 아니므로, 앞의 두 가지 행위는 타자의 괴로움을 제거하는 행위(도덕적 행위)와 스스로의 괴로움을 제거하는 행위(에고이즘)라고 바꿔 말할 수 있다. 도덕적 행위란 타자의 괴로움을 인식하고 그것을 제거하고자 하는 행위를 말한다. 이러한 '타자의 괴로움의 인식'이 동정(동고)이다. 이것이 도덕적으로 여겨지는 행위의 유일한 동기로 생각된다.

그러나 쇼펜하우어에 따르면 동정(동고)이라는 이 인식은 보통의 인식이 아니다. 누군가가 괴로워하는 듯한 외면적 기색을 보고서 그로부터 그 사람의 괴로움을 추론하는 것이 아니다. 오히려 이 인식은 '직각적直覺的'이다. 타자의 괴로움이 직접적으로 나의 괴로움으로서 느껴지는 것, 이것이 동정(동고)이다.

하지만 왜 이와 같은 것이 가능한가? 그것은 동정(동고)이 타자 속에서 자신과 같은 본질, 요컨대 자신과 동일한 의지를 간취할 수 있기 때문이라고 쇼펜하우어는 생각한다. 이것은 '개체화의 원리를 꿰뚫어 보는 것'이라고도 바꿔 말해진다. 요컨대 시공간(그는 이것을 '개체화의 원리'라고 부른다)에 의해 성립하는 이 표상 세계를 넘어서서 사물 자체인 하나인 의지로 눈을 돌리는 것이다. 타자는 (사실은) 나와 같은 의지이며, 타자의 괴로움은 (사실은) 그대로 나의 괴로움이다. 이것이 동정(동고)의 기초, 즉 도덕의 형이상학적 기초라고 쇼펜하우어는 말한다. '개체화의 원리를 꿰뚫어 보는 것만이 자신과 다른 개체의 다름을 폐기함으로써 타자에 대한 가장 비이기적인 사랑 및 가장 고결한 자기희생에 이르기까지의 마음씨의 완전한 선을 가능하게 하고, 나아가 설명하는 것이다.'(『세계』, 제68절)

그런데 쇼펜하우어는 표상 세계를 성립시키고 있는 개체화의 원리 등을 고대 인도의 『우파니샤드』에서 빌려온 말인 '마야의 베일'(미망)이라 부르고, 그 베일의 건너편을 보는 것, 요컨대 동정(동고)을 성립시키는 '진리', 모든 것이 참으로는 동일한 의지라는 것을 '너는 그것이라tat tvam asi'라며, 이것 역시 『우파니샤드』의 말로 표현하고 있다(같은 책, 제63절 등). 그리고 또한 '모든 사랑이란 동정(동고)이다'라고 하여, 동정(동고)은 그리스도교의 아가페이기도 하다고 간주하고(같은 책, 제66절), 위대한 모든 종교는 같은 진리를 공유하고 있다고 주장하기도 한다.

의지의 부정

그렇지만 아무리 동정(동고)에 의한 도덕적 행위가 존재한다고 하더라도, 이 세계가 괴로움으로 가득 차 있는 것을 변화시킬 수 없다. 아니, 오히려 동정(동고)에 의해서야말로 우리는 세계가 악의 도가니라는 것을 뼈저리게 느끼지 않을 수 없다. 설사 나 개인이 괴로움으로부터 어느 정도 벗어나 있다고 하더라도, 세계는 괴로움으로 가득 차 있기 때문이다.

본래 이 세상의 삶은 괴로움의 연속에 지나지 않는다. 그것은 이 세계가 의지의 나타남이라는 것으로부터의 필연적 귀결이라고 쇼펜하우어는 바라본다. 의지는 끊임없이 무언가를 추구하는 것이다. 그러나 무언가를 추구한다는 것은 무언가가 결여되어 있다는 것이며, 결핍은 하나의 괴로움이다. 의지는 자기의 갈망을 치유하기 위해 언제나 계속해서 무언가를 추구하지만, 그것은 절대로 채워지지 않으며, 무제한으로 계속해서 추구할 수밖에 없다. 하지만 말할 것도 없이 그 의지를 방해하는 일도 역시 괴로움일 뿐이다. 단순하게 말하자면 다음과 같다. 우리의 욕망에는 제한이 없다. 바라는 것을 손에 넣더라도, 다음다음 끊임없이 바라는 것이 나올 뿐이다. 왜냐하면 그것은 '채워지지 않는 생각'과 같은 괴로움에서 나오기 때문이다. 그러나 바라는 것이 손에 들어오지 않으면, 그것 역시 괴로움이다. 우리의 삶은 괴로움에 맡겨져 있으며, 채워지지 않는 갈망에 내몰려 안달한 끝에 결국에는 죽을 뿐이다. 이 세상을 살아간다는 것은 그러한 일이다. 이 세상은 살 만한 것이 아니다. 그렇게 쇼펜하우어는 결론짓는다.

하지만 그와 같은 세계로부터의 구원으로서 '의지의 부정'이라는 길이 존재한다고 그는 말한다. 그것은 물론 '의지하지 않는 것을 의지한다'라는 것이 아니다. 그것은 자기모순이다. 그러한 것이 아니라 이 세상이 괴로움으로 가득 차 있다는 것을 분명히 인식함으로써 자연스럽게 이 세상의 것을 아무것도 바라지 않게 되는 것, 이것이 '의지의 부정'이라고 불리는 것이다. 그것은 '체념' 이라고 바꿔 말해지기도 한다. 괴로움을 분명히 인식하는 것은 스스로의 인생에서 무언가의 커다란 괴로움에 부딪힘으로써 이루어질 수도 있지만, 조금 전에 본 동정(동고)에 의해서도 도달되는 것이라고 쇼펜하우어는 생각한다.

그러면 그와 같은 '의지의 부정' 내지 '체념'이란 어떠한 상태일까? 쇼펜하우어는 그와 같은 경지에 도달한 자는 '내적인 희열과 참된 천상의 안녕으로 가득 찬'(같은 책, 제68절) 상태에 도달한다고 성인의 전기 등을 인용하여 말한다. 그것은 일종의 종교적 경지이다. 따라서 '그러나 그와 같은 상태는 본래 인식이라고는 부를 수 없다. 왜냐하면 그 상태는 이미 주관과 객관의 형식을 지니지 않으며, 개인적인 경험으로서만 접근할 수 있고, 타인에게 전달할 수 있는 그러한 경험이 아니기 때문이다.'(같은 책, 제71절) '그런데 철두철미 계속해서 철학의 입장에 서는 자인 우리는 여기서는 부정적인 인식을 견뎌내고, 긍정적인 인식의 빠듯한 경계석까지 도달한 것에 만족해야만 한다.'(같은 곳) 요컨대 그와 같은 경지는 철학적으로 말할 수 없는 까닭에, 여기서 철학자는 침묵해야만 하는 것이다. 이리하여 『세계』의 본론은 다음과 같이 끝난다.

여기서 말해지는 '무'는 다양한 해석과 오해를 낳아왔지만, 이것은 말할 것도 없이 단순히 '세계가 소멸한다'라는 의미가 아니라는 점에 주의해야 한다.

> 의지를 완전히 폐기한 후에 남는 것은 여전히 의지로 채워져 있는 모든 자에게는 물론 무다. 그러나 또한 역으로 의지를 전환하고 부정한 자에게는 이렇게까지 실재적인 우리의 이 세계가, 그 태양과 은하의 모든 것이 다 무인 것이다. (같은 곳)

덧붙이자면, 현재의 『세계』에는 이 문장의 마지막(요컨대 본론의 가장 마지막)에 다음과 같은 주해가 붙어 있다. '이것이야말로 바로 불교도들의 반야바라밀다Pradschna-Paramita, "모든 인식의 저편"이다. 요컨대 주관도 객관도 존재하지 않는 지점이다.'(같은 곳) 이 주해는 쇼펜하우어 철학이란 '불교 철학'이라고 하는 인식을 널리 퍼지게 하는 데 일정한 역할을 한 것이지만, 사실은 그 자신이 붙인 주해가 아니다. 만년에 그가 자신의 책에 써넣은 것이 사후에 주해로 편입된 것이다. 사실 『세계』에는 판을 거듭할 때마다 가필된 부분이 많은데, 인도 철학이나 불교에 대한 언급은 가필된 부분에 많다는 점도 명기해두어야 할 것이다. 그러한 경위도 있어 쇼펜하우어와 인도 사상의 관계는 아직 논의가 다 이루어지지 않은 문제이다.

3. 니체

‘신은 죽었다’

니체는 라이프치히에서 고전 문헌학 학생이었을 때(1865년), 우연히 쇼펜하우어의 『세계』와 만나며, 일거에 그에 사로잡혔다. 철학에서의 최초의 저작 『비극의 탄생』(1872년)은 고전 문헌학의 책으로서 그리스 비극을 다룬 것이지만, 쇼펜하우어의 영향이 대단히 농후하다. 하지만 이미 그 책에서 니체는 쇼펜하우어에게 대항하여 ‘이 세상은 살 만한가?’라는 저 물음에 대해 긍정적인 대답을 내놓고자 한다. 이후 니체는 생애 내내 그 물음과 격투를 벌이며, ‘삶의 긍정’을 계속해서 자신의 철학적 프로젝트의 중심으로 삼았다.

니체라고 하면 ‘신은 죽었다’라는 말이 잘 알려져 있다. 가장 유명한 것은 ‘광기의 사람’이 시장에 찾아와서 ‘신은 죽었다!’라고 사람들에게 알린다고 하는 기묘한 정경을 그린 구절일 것이다(『즐거운 학문』, 제125절. 덧붙이자면 이 책의 제목은 『즐거운 지식』이라는 번역도 있다). 그 ‘광기의 사람’이 ‘나는 신을 찾고 있다!’라고 외치면서 시장으로 달려오자 ‘거기에는 마침 신을 믿지 않는 사람이 많이 모여 있었으므로 그는 큰 웃음을 불러일으켰던’ 것인바, 그는 자지러지게 웃는 이 무신론자들에게 ‘우리가 신을 죽였다’,

'신은 죽었다'라고 알리는 것이다(같은 곳. 강조는 인용자. 이하에서도 마찬가지다).

물론 주목해야 하는 것은 '광기의 사람'과 '무신론자'의 어긋남이다. 이 장의 처음에 신이 전통적으로 수행해온 역할에는 두 가지가 있다고 말했다. 하나는 이 세계의 궁극적인 설명 원리로서의 역할, 또 하나는 악으로 가득 찬 이 세계로부터 우리를 구원하는 역할이다. 그 어긋남은 여기에서 기인한다. '무신론자'들은 세계의 설명 원리로서의 신을 부정한 것을 하나의 '승리'로서, 인류의 '진보'로서 자랑하고 있다. 하지만 다른 한편의 '광기의 사람'은 만약 신이 존재하지 않게 된다면, 구원이 불가능해질지도 모른다는 것, '이 세계는 살 만한 가치가 있는가'라는 저 물음이 제기될 수밖에 없게 된다는 것을 두려워해야 할 문제라고 느끼고 있다. 니체는 그 문제를 '니힐리즘'이라고 부르지만, '무신론자'들은 '신의 죽음'이 불러일으키는 이 커다란 문제를 깨닫지 못하는 것이다.

앞의 이야기가 나오기 조금 앞에는 다음과 같이 쓰여 있다.

> 새로운 투쟁. — 붓다가 죽은 후에도 여전히 수백 년의 오랜 세월에 걸쳐 어떤 동굴에서 그의 그림자가 보였다고 한다 — 너무나도 전율해야 할 그림자가. 신은 죽었다. 하지만 사람 세상이 언제나 그렇듯이 어쩌면 여전히 수천 년의 긴 세월 동안 신의 그림자가 보이는 동굴이 있게 될 것이다. — 그리고 우리 — 우리는 신의 그림자를 거꾸러뜨려야만 한다! (같은 책, 제108절)

이 구절이 '신은 죽었다'라는 말이 (출간된 저작에서) 처음 나오는 곳이지만, 핵심은 분명히 '신의 죽음'이라는 사건 그 자체가 아니라 '신의 그림자'라는 것의 타도이다. '신의 죽음'은 이미 자명한 사건이고 많은 사람이 인정하고 있지만, 그것보다 중요한 것은 '신의 그림자'의 타도라는 '새로운 투쟁'이라는 점이다. 그러면 '신의 그림자'란 무엇인가? 그것은 형이상학을 가리킨다. 그것은 타도되어야 한다고 니체는 말한다. 여기에 쇼펜하우어와는 다른 그의 독자적인 길이 놓여 있는 것이다.

동정(동고) 도덕 비판

니체는 '과학의 시대'의 철학자로서 형이상학—자연을 넘어선 무언가가 존재하고 그에 의해 모든 것이 규정된다고 하는 사상—을 부정한다. 그것은 소크라테스와 플라톤 그리고 그리스도교라는 서양 문화의 근간에 대한 신랄한 비판이라는 형태를 취하지만, 최대의 가상적은 언제나 쇼펜하우어였다. 그 비판은 여러 분야에 걸치는데, 하나의 중심은 앞에서 본 동정(동고) 도덕에 대한 비판이다. 그것은 모든 현상이 '하나의 의지'의 나타남이라는 형이상학의 부정뿐만 아니라 모든 사람에게 타당한 객관적인 선이 존재한다는 발상의 부정이기도 하다.

니체의 동정(동고) 비판의 핵심은 '고통의 부재'라는 쇼펜하우어의 행복관에 반해 괴로움과 맞서 그것을 극복하는 활동에야말로 행복이 있다고 하는 점이다. 니체는 말한다. '그대들은 가능한 한— 그리고 이것보다 더 미친 듯한 '가능한 한'은 존재하지 않지만— 고통을 없애고자 한다. …… 그대들이 이해하고 있는 안락함 — 정말이지 그것은 어떠한 목적이 아니라 우리에게는 종말이라는 생각이 든다! …… 고통에 의한, 엄청난 고통에 의한 훈련 — 그대들은 알지 못하는가, 오직 이러한 훈련만이 지금까지 인간의 모든 향상을 이루어왔다는 것을?'(『선악의 저편』, 제225절). 그러므로 '타자의 행복 증진'이라는 '도덕적으로 올바른' 것을 하는 것이라면, '타자의 괴로움의 제거'가 아니라 '(가능한 한 많이, 가능한 한 무거운) 괴로움을 타자가 스스로 극복하도록 도움'을 주어야 한다는 것이다. '내가 벗들에게 가르치고 싶은 것은 오늘날 이렇게 적은 사람밖에 이해하고 있지 못한 것, 동정(동고)의 저 설교자가 가장 이해하고 있지 못한 것, 즉 함께 기뻐하는 것이다!'(같은 곳)

쇼펜하우어가 동정(동고)을 그리스도교의 아가페와 『우파니샤드』의 사상과 동일시하고, '의지의 부정'을 불교의 열반과 겹쳐 놓고 있었다는 것은 앞에서 이야기했다. 그것이 얼마나 타당한 것인지는 현대의 관점에서는 의문이 있을 수도 있지만, 니체는 쇼펜하우어에 의한 그 동일시를 받아들여 자기의 비판은 그리스도교와 불교에 대한 비판이기도 하다고 이해하고 있었다. 쇼펜하우어는 신에 의한 타력 구제를 부정하고 불교적인 자력 구제에서 가능성을 보았지만, 니체가 보기에는 본래 거기서 공통으로 생각되는 '구원'이 문제이다. 쇼펜하우어는—그리고 그가 생각하기에는 그리스도교도 불교도—'세계는 괴로움으로 가득 차 있는' 까닭에 우리는 세계로부터 구원되어야만 한다고 생각했다. 그에 반해 니체는 '세계는 괴로움으로 가득 차 있다'라는 전제는 공유하지만, 그런 까닭에 이 세상은 살 만하다고 결론짓는 것이다.

이것은 단지 쇼펜하우어 등과는 행복관이 다를 뿐이라고 보이기도 한다. 하지만 니체의 말을 빌리면, 동정(동고)을 쇼펜하우어처럼 '도덕의 기초'로 하는 것은 특정한 행복이야말로 '유일하게 올바른' 행복관으로 간주하는 것이며, 그것은 그와 같은 행복관을 지니는 특정 유형의 사람들만이 '유일하게 올바른' 인간 유형이라고 선언하는 것과 마찬가지이다. 따라서 니체의 주장에는 모든 사람에게 공통된 선 따위는 존재하지 않는다는 함의가 놓여 있다. 확실히 '고통의 부재'를 선이라고 생각하는 사람이 많을지도 모르지만, '고통의 극복'을 행복으로 생각하는 사람도 있으며, 인류의 진보와 문화의 정화는 바로 그처럼 삶을 긍정하는 자들에 의해 달성된다고 니체는 생각하는 것이다.

영원 회귀

이상과 같은 삶을 긍정하는 최고 형태, '일반적으로 도달될 수 있는 한에서 최고의 긍정 정식'(『이 사람을 보라』, 「차라투스트라는 이렇게 말했다」 제1절)으로서 니체가 끄집어내는 것이 유명한 '동일한 것의 영원 회귀'이다. 이것은 잘 알려져 있듯이 '모든 것이 같은 순서로 전부 그대로 무한히 반복된다'라는 기묘한 사상이다.

> 네가 지금 살고 있고, 살아온 이 삶을 너는 다시 한번 살아야만 하고 또 무수히 반복해서 살아야만 할 것이다. 거기에 새로운 것이란 없으며, 모든 고통, 모든 즐거움, 모든 사상과 탄식, 네 삶에서 이루 말할 수 없이 크고 작은 모든 것이 네게 다시 찾아올 것이다. 모든 것이 같은 차례와 순서로. (『즐거운 학문』, 제341절)

이것은 하나의 사유 실험이다. 니체가 말하는 것은 삶을 긍정하려면, 모든 것을 긍정해야만 한다는 것이다. 요컨대 인생의 끝에 즈음하여 '이것이 인생이라는 것이었는가? 자! 다시 한번!'(『차라투스트라는 이렇게 말했다』, 제3부 「환영과 수수께끼」, 제1절)이라고 말해야만 한다는 것이다. 아주 행복한 순간을 몇 번이고 맛보고 싶다는 기분은 누구나 지니는 것이겠지만, 그와 같은 순간뿐만 아니라 괴롭고 슬픈 나날이든 언제인가 찾아올 자기의 죽음이든 그 모든 것이 긍정되어야 한다고 말이다.

아니, 사실은 그에 그치지 않는다. '영원 회귀'란 단지 개인의 인생이 되풀이된다는 이야기가 아니라 세계 전체가 반복된다는 이야기이기 때문이다. 영원 회귀의 세계에서는 어떠한 악도—

아우슈비츠도 히로시마도 3·11 동일본 대지진도 — 무한히 반복된다. 그러한 세계를 견뎌낼 수 있을까? 아니, 단순히 '견디는' 것이 아니라 그처럼 세계 전체가 몇 번이고 반복되면 좋겠다고 저절로 바라는 것이야말로 참된 '삶의 긍정'이다.

니체 자신이 과연 이와 같은 긍정의 경지에 실제로 도달했는지는 의심스럽다. 앞에서 말한 '고통의 극복'이라는 행복관에 의해 그와 같은 긍정에 다다를 수 있다고 니체가 생각하고 있던 절이 있지만, 그것도 상당히 무리가 있는 것으로 보인다. 또한 이 긍정의 경지야말로 니체가 비판하려고 하고 있던 불교적인 깨달음에 가까운 것이 아닐까 하는 해석도 있을 수 있다. 니체가 제시한 '삶의 긍정'을 어떻게 받아들일 것인지는 지금도 열린 문제이다.

하나의 에피소드 — 일본과의 연결

마지막으로 하나의 에피소드를 소개하고자 한다. 이 시리즈 제1권 제5장(아카마쓰 아키히코赤松明彦, 「고대 인도에서 세계와 혼」)에도 등장한 파울 도이센Paul Jakob Deussen(1845~1919)이라는 서양 철학·인도 철학 연구자는 실은 니체의 김나지움 시대부터의 친구이다. 니체의 권유로 쇼펜하우어를 읽게 되고 그의 신봉자가 된 그는 후에 독일의 '쇼펜하우어 협회'를 설립하며 — 그것은 현재도 존속하며 세계의 연구를 주도하고 있다 —, 쇼펜하우어 전집의 편자가 되었다. 그러한 도이센 밑에서 한 일본인이 유학했다. 인도 철학을 연구하고 후에 도쿄제국대학 교수로서 일본 종교학의 주춧돌을 놓은 아네사키 마사하라[쵸후]姉崎正治[嘲風](1873~1949)가 그 사람이다. 아네사키는 일본에 처음으로 니체를 소개한 한 사람인 다카야마 쵸규高山樗牛의 친구이기도 하지만, 1900년 8월에 니체의 사망 전보가 도이센에게 도착했을 때, 그도 마침 그 자리에 있었다고 한다. 아네사키는 귀국한 후 쇼펜하우어의 『세계』를 처음으로 일본어로 번역했다. 일본의 쇼펜하우어 연구는 그로부터 시작되며, 지금 이 소론도 그 연구의 축적 끝자리에 서 있는 것이다. '세계철학사'라는 꼬여 있는 실타래의 한 가닥은 이리하여 우리에게도 이어지고 있다.

☞ 좀 더 자세히 알기 위한 참고 문헌

— 스토 노리히데須藤訓任 책임 편집, 『철학의 역사 9. 반철학과 세기말哲学の歴史 9. 反哲学と世紀末』, 中央公論新社, 2007년. 쇼펜하우어와 니체뿐만 아니라 19세기부터 20세기에 걸친 서양 철학을 알기 위해 지금 이 책 다음으로 읽기에 가장 좋은 책이다.

— 뤼디거 자프란스키Rüdiger Safranski, 『쇼펜하우어 철학이 사납게 밀어닥친 시대의 하나의 전기ショーペンハウアー哲学の荒れ狂った時代の一つの伝記』, 야마모토 유山本尤 옮김, 法政大学出版局, 1990년. 방대한 책이지만, 쇼펜하우어 철학의 내용을 알기 위해서뿐만 아니라 '철학의 시대'의 종언을 살아간 그의 전기로서도 읽기가 아주 쉬우며 또한 재미있기도 하다.

— 로제-폴 드르와Roger-Pol Droit, 『허무의 신앙. 서유럽은 왜 불교를 두려워했는가?虚無の信仰 西欧はなぜ仏教を怖れたか』, 시마다 히로미島田裕巳 · 다기리 마사히코田桐正彦 옮김, トランスビュー, 2002년. 불교가 서양에 본격적으로 소개되기 시작한 19세기 초부터 어떻게 수용되고 오해되었는지에 대해 알기 쉬울 뿐만 아니라 또한 자극을 주는 책. 쇼펜하우어의 혁신성도 알 수 있다. 고대부터 현대까지 통사적으로 다루면서 쇼펜하우어와 니체에게도 한 장씩 할애하고 있는 프레데릭 르누아르Frédéric Lenoir의 『불교와 서양의 만남仏教と西洋の出会い』(이마에다 요시로今枝由郎 · 도가시 요코富樫瓔子 옮김, トランスビュー, 2010년)도 추천한다.

— 나가이 히토시永井均, 『이것이 니체다これがニーチェだ』, 講談社現代新書, 1998년. 수많은 니체 입문서 중에서도 이것이 으뜸이다. 어느 정도 편향이 있긴 하지만, '니체와 함께 철학하기'에는 가장 좋은 입문서. 또한 니체(및 쇼펜하우어)에 관한 비교적 새로운 연구서로서는 버나드 레진스터Bernard

Reginster의 『삶의 긍정. 니체에 의한 니힐리즘 극복生の肯定 ニーチェによるニヒリズムの克服』(오카무라 도시후미岡村俊史 · 다케우치 쓰나우미竹内綱史 · 니나다카시新名隆志 옮김, 法政大学出版局, 2020년)을 추천할 만하다. 이 장에서는 다루지 못한 다양한 논점에 관해서도 치밀한 동시에 명쾌한 해석이 이루어진다.

제4장

맑스의 자본주의 비판

사사키 류지佐々木隆治

1. 맑스와 '맑스주의'

근대의 해방 사상으로서의 공산주의

냉전 종결로부터 대략 30년을 거쳐 현실 정치에 대한 영향력이 저하된 것으로 보이는 현재에도 칼 맑스Karl Marx(1818~1883)의 사상에 대해 말하는 것은 여전히 커다란 어려움을 수반한다. 그 어려움을 초래하는 것은 우리가 여전히 맑스가 비판의 대상으로 삼은 자본주의 경제 내부에서 생활을 이어가고 있다는 사회적 제약만이 아니다. 맑스의 사상 그 자체에 내재하는 근대주의와 근대 비판이라는, 서로 대립하면서도 보완하는 두 가지 계기가 사태를 한층 더 복잡하게 한다.

15세기부터 18세기에 걸친 긴 '출산의 고통'을 거쳐 유럽에서 탄생한 자본주의 경제는 인류사상 대단히 특이한 경제 체제였다. 후에 경제 인류학자 칼 폴라니Karl Polanyi(1886~1964)가 지적했듯이 그것이 성립하기 위해서는 '악마의 맷돌'로서의 시장이 그 이전의 모든 사회 시스템의 기본 원리였던 공동체를 대신하는 것이 필요하며, 그것은 사람들의 생활 양식에 근본적인 변화를 가져왔다. 한편으로는 공동체적인 인격적 의존 관계의 속박이 사라지고 '자유 경쟁'이 행해짐에 따라 생산력이 비약적으로 상승하고, 인류가 향유할 수 있는 물질적 부가 증대한다. 하지만 다른 한편으로는 인간 생활의 대부분이 시장 경제에 의존하게 되기 때문에, 사람들의 운명은 경제의 호·불황에 크게 작용 받게 되고 불안정화한다. 특히 실업하면 사는 장소마저 잃어버리게 되는 무소유의 임금 노동자들은 진전되는 기계화 아래에서 점점 더 혹심한 경쟁에 노출되고, 저임금과 장시간 노동이 사회에 만연해간다.

이러한 전적으로 새로운 경제 체제의 탄생과 함께 민중의 해방 사상도 그 이전의 종교적 유토피아를 벗어던지고 새로운 모습으로 나타나게 된다. 그것이 다름 아닌 사회주의, 공산주의이다. 이 근대적 유토피아는 세속적 욕망의 즉자적인 충족을 이상으로 한 이전의 중세적 유토피아 사상과는 달리 현재의 사회 모순의 극복을 지향하는 것이며, 합리성과 진보라는 특징을 지닌다. 즉, 발흥하고 있던 자본주의가 산출한 실업과 빈곤, 노동의 고통과 같은 문제를 극복하는 이상향이 다양한 형태로 구상되었다.

예를 들어 가장 격렬한 계급 투쟁이 전개된 프랑스에서는 프랑스 혁명에 참여한 바뵈프François-Noël Babeuf(1760~1797)가 그 한계를 극복하기 위해 토지의 사적 소유의 폐기에 의한 '평등의 공화국'의 실현을 주장하고, 생시몽Saint-Simon, Claude Henri de Rouvroy(1760~1825)이 산업의 담지자에 의한 자주 관리와 국제 연대를 주창하며, 푸리에François-Marie-Charles Fourier(1772~1837)가 빈부의 격차와 공황을 초래하는 '문명사회'를 '팔랑주phalange'라는, 사람들의 정념을 채우기 위한 독특한 공동 사회로 치환할 것을 설파했다. 19세기 중반에 활약한 블랑키Louis-Auguste Blanqui(1805~1881)도 바뵈프의 사상을 계승하여 어소시에이션association(협동 조직이나 연합 등으로 번역된다)이 결합함으로써 노동자가 생산 수단의 소유자가 되고 토지와 자연의 부를 공유하는 공산주의 사회를 지향했다.

헤겔의 역사 철학과 맑스의 역사적 유물론

19세기 중반에 철학자, 사상가로서 유럽에 등장한 맑스의 사상은 바로 이와 같은 근대적인 해방 사상을 계승하고 그것을 철저하게 하는 것이었다. 맑스의 공산주의론의 특징 가운데 하나는 그 실현을 역사의 필연적 발전 과정 안에 자리 잡게 한 데 있다. 이 점에서 맑스는 헤겔의 후계자이기도 했다. 왜냐하면 헤겔은 세계사를 '자유의 의식이 전진해 가는 과정'으로서 파악함으로써 근대적인 이성의 입장에서 역사를 발전 과정으로 이해하는 시각을 주었기 때문이다.

물론 후에 청년헤겔학파가 비판했듯이 현재의 '우리'의 견지에서 사후적으로 역사를 다시 파악해가는 방법에는 지금 있는 현실 속에서 이념을 발견한다는, 그것 자체로서는 정당한 개념적 파악이 단순한 현실의 옹호로 될 수도 있다는 결함이 놓여 있었다. 그런 까닭에 맑스는 청년헤겔학파가 제시한 것과 같은, 무언가의 이념에 의해 시대를 초월하고자 하는 '계몽주의'를 배척하면서도 오히려 현실에서 생산 활동을 행하고 나날의 생활을 영위하고 있는 사람들의 활동 양식의 발전에서 역사를 다시 파악하고 근대 사회를 넘어서는 새로운 사회를 전망하고자 했다.

헤겔이 자유의 양식에 따라서 세계사를 '전제 정치', '민주제 및 귀족제', '군주제'로서 구분했듯이, 맑스는 생산 양식에 따라서 세계사를 '아시아적, 고대적, 봉건적 및 근대 부르주아적 생산 양식'으로서 구분했다. 그리고 '부르주아 사회의 체내에서 발전하고 있는 생산력들은 동시에 이러한 적대 관계의 해결을 위한 물질적 조건들도 만들어내는' 것이며, 그런 까닭에 '이 사회 구성으로써 인간 사회의 전사前史는 종말을 고하고', 공산주의 사회가 실현된다고 주장했다(『경제학비판』). 이것이 이른바 '역사적 유물론'이다. 후에 루카치György Lukács(1885~1971)가 말했듯이, 맑스는 '헤겔 철학 안에 숨어 있는 역사적인 경향을 철저히 그 극단으로까지 밀고 나갔던' 것이다(『역사와 계급의식』).

근대화 이데올로기로서의 '맑스주의'

산업 혁명 이후 급격한 생산력의 상승을 실현하고 있던 근대 사회, 특히 사회주의 운동과 민족 해방 투쟁에 있어 이러한 맑스 역사관의 충격은 절대적이었다. 왜냐하면 그것은 자본주의 경제의 전 지구적인 발전 추세를 예언하고, 그것의 가장 큰 변혁 세력이 노동자 계급이라는 것을 분명히 했기 때문이다.

다만 맑스의 이론이 곧바로 인구에 회자했던 것은 아니다. 그 이론은 맑스의 사후에 맹우인 프리드리히 엥겔스Friedrich Engels(1820~1895)와 그 제자인 칼 카우츠키Karl Kautsky(1854~1938)에 의해 삼라만상을 설명하는 하나의 세계관으로서 통속화되고 독일의 노동운동, 사회주의 운동에 보급되었다. 러시아 혁명 후에는 스탈린 체제하에서 국가 체제를 정당화하는 도그마가 되고, 소련의 권위와 물질적 힘을 배경으로 세계에 유포되었다. 이렇게 맑스의 사후에 도식화되고 단순화된 속류적인 맑스 해석의 체계를 이 장에서는 '맑스주의'라고 부르기로 하자.

물론 '맑스주의'가 맑스 이론의 단순한 날조라면, 세계를 뒤흔들 정도의 영향력을 지니지 못했을 것이다. 그것은 맑스 사상에서의 근대주의적 요소—즉, 합리주의, 실증주의, 진보 사관, 생산력주의, 유럽 중심주의 등—를 일면적으로 비대화하고, 자본주의 경제와 근대 국민 국가로 이루어진 근대 사회 시스템 내부에서 주류의 근대화 이데올로기와는 다른 또 하나의 대항적인 근대화 이데올로기를 형성했다. 따라서 '맑스주의'에 기초한 이런저런 많은 정치 운동은 20세기의 역사에서 막대한 성공을 거둘 수 있었다.

그러나 그 성공의 비밀이 근대주의에 있었던 한에서, 그것은 결코 근대를 넘어서는 이론적 작용 범위를 지니지 못했다. 월러스틴Immanuel Maurice Wallerstein(1930~2019)도 지적했듯이 그것은 자본주의 세계 시스템의 중심부에서는 대의제 민주주의하에서 자본주의 경제의 수정을 요구하는 사회 민주주의로 전화하고, 혁명이 성공한 반주변 및 주변부에서는 근대적 정치권력의 담지자가 됨으로써 국제적인 주권 국가 체제 안에 갇혀서 중심부의 자본주의와는 다른 개발독재형의 국가 자본주의라는 형태에서의 근대화를 정당화하는 이데올로기로서 기능하는 데 머물렀다.

하지만 맑스의 사상에는 근대주의에서 파생되면서도 그것과 날카롭게 대립하는 또 하나의 요소가 있었다. 그것은 바로 맑스가 '경제학 비판'이라고 부른, 자본주의 경제와 그것이 산출하는 많은 이데올로기에 대한 근본적이고도 철저한 비판이다. 이 근대 비판의 계기는 '맑스주의'에서는 거의 그 이빨이 뽑혀 부차적인 에피소드로 폄하되든가 전혀 무시되든가 했다. 하지만 그것은 러시아 혁명 후에 다시 발견되며, 다양한 탄압과 압력에도 불구하고 20세기 후반 이후의 철학과 사상에 적지 않은 영향을 주어왔다. 이하에서는 '맑스주의'와 맑스의 근대 비판을 대조시킴으로써 세계철학사에서의 맑스의 의의에 대해 생각해보고자 한다.

2. 철학 비판

엥겔스에 의한 '철학'화

사실 맑스 자신의 텍스트에 입각한다면, '맑스의 철학'이라는 것은 존재하지 않는다. 오히려 맑스는 청년헤겔학파의 영향 아래 있던 최초 시기의 논문을 제외하고 일관되게 철학에 비판적인 입장을 취했다. 하지만 맑스가 경제학 비판을 수행한 것은 잘 알려졌지만, 마찬가지로 그가 철학 비판을 수행한 인물이라는 것은 그다지 알려지지 않았다. 물론 이것은 '맑스주의'에 의한 '철학'화의 영향으로 인한 것이다.

맑스 이론의 '철학'화를 앞서 이끈 것은 엥겔스이다. 뒤에서 이야기하듯이 맑스에게 유물론은 오히려 철학으로부터의 이탈을 의미했음에도 불구하고, 엥겔스는 맑스에 의해 '비로소 유물론적 세계관이 …… 문제가 된 모든 지식 분야에 걸쳐 …… 수미일관하게 전개되었다'라고 말하고, 세계의 근원을 물질에서 보는 철학적 세계관으로서의 유물론을 주장했다(『포이어바흐론』).

또한 엥겔스는 변증법을 세계의 모든 것을 설명하는 보편적 일반 법칙으로서 이해했다. 그에 따르면, '역사에서 사건들의 외형적 우연성을 관통하여 지배하는 변증법적 운동 법칙과 똑같은 것이 자연 속에서도 수많은 서로 뒤얽힌 변화를 통해 자기를 관철하고' 있으며, '이 똑같은 법칙은 인간의 사유의 발전사를 이미 날실처럼 꿰뚫고 있는' 것이고, '보편타당한' 것이다(『반뒤링론』). 하지만 맑스 자신은 자연과 사회 그리고 인간의 사유를 보편적으로 관통하는 '변증법적 운동 법칙'에 대해 말한 적은 한 번도 없다. 이미 보았던 것과 같은 '역사적 유물론의 공식'이라고 불리는 서술에서조차 맑스 자신은 '안내의 실絲'이라는 표현을 조심스럽게 사용하고 있으며, 그것들이 '철학과는 달리 그에 근거하여 역사적 시대들이 올바르게 구분될 수 있는 처방전이나 도식을 결코 주지 않는다'라는 것을 분명히 말했다(『독일 이데올로기』).

사실 에티엔 발리바르Étienne Balibar(1942~)가 지적했듯이 '맑스가 철학적 담론의 전통적인 형태와 사용법에 대해 비록 어느 정도 반대했다고 하더라도, 그 자신이 철학적 언명들을 그의 역사·사회적인 분석과 정치적 활동의 명제로 자아냈다고 하는 것은 거의 의심할 여지가 없다.'(『맑스의 철학』) 그런 의미에서는 여전히 '맑스의 철학'에 대해 말하는 것이 불가능한 것은 아니다. 하지만 그것은 또다시 '맑스주의'적인 철학 체계로 되돌아가는 것이 아닐 뿐만 아니라 맑스가 '철학적 양심'을 '청산'하기 전인 최초 시기의 저작들 속에 있는 철학적 언명들을 골라내 재편성하는 것도 아니다. 맑스의 철학에 대해 말하기 위해서는 맑스 자신의 맥락에 따라서 철학 비판의 의미를 확인하는 일이 필요한 것이다.

청년헤겔학파와 맑스

젊은 맑스가 특히 영향을 받은 것은 청년헤겔학파의 리더였던 브루노 바우어Bruno Bauer(1809~1882)의 자기의식의 철학이다. 바우어는 진리의 근거로서의 실체를 중시하는 까닭에 주체가 지니는 자기반성적인 혁신적 계기를 현재의 '우리'에게로 회수해버리는 헤겔 철학의 보수성을 혹독하게 비판하고, 주체인 자기의식이야말로 참된 실체이며 역사를 형성하고 발전시켜왔다고 주장한다. 그리고 자기의식이 미숙한 까닭에 산출한 스스로의 소외태 — 즉, 스스로가 산출한 것이면서 스스로에게 적대하고 스스로를 지배하는 존재 — 인 종교를 자기의식 그 자신에 의한 종교 비판을 통해 극복하고자 했다.

그러나 정세가 반동화하는 가운데 맑스는 철학자로서 대학에 자리를 얻는 것을 단념하고 저널리스트로서 활동하기 시작하는데, 이때 목재 절도 단속법 등, 현실의 경제적 이해관계를 둘러싼 문제에 관여한 경험이 맑스에게 청년헤겔학파의 추상적인 철학적 문제 구성에 대한 의문을 지니게 한다. 맑스는 좀 더 구체적인 변혁 구상을 심화하기 위해 헤겔 법철학의 비판적 연구에 몰두하고, 초고 『헤겔 국법론 비판』에서는 사적 영역인 시민 사회와 공적 영역인 국가가 서로 소원하게 된 근대 사회의 이원주의는 시민 사회에서 현실적으로 생활하는 사람들이 정치에 참여하는 '민주제'에 의해 극복되어야만 한다고 했다.

그러나 맑스는 파리에서 간행된 『독불연보』(1844년 2월)에 게재된 두 개의 논문에서 일찌감치 이 구상을 내던진다. 「유대인 문제에 대하여」에서는 정치적 민주주의의 실현으로 전근대적 특권이 제거됨에 따라 오히려 근대적 이원주의가 철저해지는 것이 지적되며, 「헤겔 법철학 비판 서설」에서는 변혁의 근거가 시민 사회에서 생활하는 인간의 욕구, 단적으로는 프롤레타리아트의 욕구에서 찾아지게 된다. 이와 같은 감성적 욕구의 중시는 청년헤겔학파의 대표자 가운데 한 사람인 루트비히 포이어바흐Ludwig Andreas Feuerbach (1804~1872)의 휴머니즘적인 감성적 인간의 철학에 기초하는 것이었다.

이리하여 이념에 의한 의식의 변혁이라는 청년헤겔학파의 문제 구성으로부터의 이탈하기 시작한 맑스는 파리에서 경제학 연구를 본격적으로 개시한다. 이때 작성한 노트 일부가 『경제학·철학 초고』라고 불리는 수고이다. 여기서 맑스는 사적 소유를 자명한 전제로 하는 경제학자들을 비판하고, 사적 소유의 근본 원인을 '소외된 노동'이라는 근대에 고유한 노동의 존재 방식, 단적으로 말하자면 임금 노동에서 발견했다. 맑스는 바우어의 자기의식의 추상성을 포이어바흐의 감성적 인간에 의해 비판하고, 소외를 자기의식에서의 소외로서가 아니라 시민 사회에서의 소외로서 파악했다. 다른 한편 맑스는 포이어바흐의 감성적 인간의 정태성을 바우어의 자기의식의 역동성에 의해 비판하고, '노동'을 양자의 결절점으로서 자리매김했다. 여기서는 인간들이 사적 소유라는 소외된 형태를 취하면서도 노동이라는 감성적인 동시에 의식적인 행위를 통해 스스로를 발전시키고 이윽고 소외를 극복하여 '인간주의'와 '자연주의'의 통일을 실현할 것이라는 전망이 제시되었다.

'새로운 유물론'으로

이 시점까지는 포이어바흐를 비판하면서도 여전히 높이 평가하고 있었지만, 브뤼셀 망명 후의 맑스는 포이어바흐를 포함한 모든 철학을 비판하는 입장으로 이행한다. 청년헤겔학파의 논객 가운데 한 사람이었던 막스 슈티르너Max Stirner(1806~1856)의 비판을 받아 맑스는 자기와 포이어바흐의 이론적 차이를 명확히 하기 위해 「포이어바흐 테제」라고 불리는 메모를 수첩에 써두었다. 이 속에서 포이어바흐의 유물론은 감성적 인간의 직관에 의해 사람들을 종교로부터 해방하고자 하는 데 지나지 않으며 여전히 부르주아 사회의 입장에 서 있지만, 맑스 자신의 유물론은 인간의 실천적 활동에서 출발하고 그 실천이 현실 사회에서 만들어내는 모순을 파악하는 것이며 '인간적 사회'의 입장에 서는 '새로운 유물론'이라고 했다.

엥겔스와 공동 집필한 초고 『독일 이데올로기』에서는 좀 더 철저한 철학 비판이 수행된다. 철학은 이데올로기가 현실적 관계들로부터 자립적인 힘을 지닌다고 생각하여 이 이데올로기 그 자체를 세계에 대한 다른 '해석'에 의해 비판하고, 사람들을 계몽함으로써 세계를 변화시키려고 했다. 그러나 맑스에 따르면 이 투쟁 방식은 잘못이다. 문제는 오히려 이데올로기를 만들어내지 않을 수 없는 현실적 관계들을 비판적으로 분석하고 현실적 관계들 그 자체 속에서 변혁의 계기를 발견하는 것이다. 맑스가 자신의 입장을 '실천적 유물론자'라고 언명한 것은 바로 변혁을 위한 근거를 이념에서가 아니라 현실의 실천적 관계들 속에서 발견하고자 했기 때문이다.

이 '새로운 유물론' 내지 '실천적 유물론'에서 필연적으로 태어난 것이 생산력과 생산관계의 모순에서 새로운 사회의 성립 근거를 발견하는 '역사적 유물론'이었다. 1848년 혁명 직전에 맑스가 공산주의자 동맹의 강령으로서 집필한 『공산당 선언』에서 말하고 있듯이, 부르주아 사회 속에서 성장한 생산력과 부르주아적 생산관계의 모순이 심화하고 공황으로서 현상함과 동시에 프롤레타리아트가 임금 노동자로서 생활하기 위해 단결하기를 배우고 어소시에이션을 형성해 간다. 이리하여 '계급과 계급 대립을 수반하는 구 부르주아 사회를 대신하여 각 사람의 자유로운 발전이 모든 사람의 자유로운 발전을 위한 조건이 되는 하나의 어소시에이션이 나타난다.'(『공산당 선언』)

비판적 사유로서의 '철학'

이상에서 분명하듯이 맑스의 철학 비판은 현실 세계에 대한 정신적인 힘, 즉 의식, 의지, 개념 등의 힘을 과대평가하는 모든 사유를 향하고 있다. 그런 까닭에 맑스의 이론도 그 자체로는 무언가의 현실을 변혁할 힘을 지니고 있지 않다. 선구적인 '맑스주의'의 비판자였던 칼 코르쉬Karl Korsch(1886~1961)가 지적했듯이, '맑스주의 이론은 사회적·역사적 과정의 일반적 표현이기 때문에 맑스주의 이론도 이러한 역사적·사회적 과정 전체에 의해 조건 지어진 것으로서 파악되어야만 한다.'(『맑스주의와 철학』)

맑스에게 무언가의 선험적이고 초역사적인 타당성을 지니는 철학 체계를 구축하는 것은 문제가 되지 않는다. 맑스는 '초역사적인 것이 그 최고의 장점인 보편적 역사 철학 이론'의 거부를 거듭해서 표명했다. 오히려 맑스가 행하고자 한 것은 자본주의 경제라는 특수 역사적인 생산 시스템이 필연적으로 산출하는 인간의 의식과 행위에 대한 불가피한 제약을 밝히는 것이며, 그것을 통해 현실에 존재하는 변혁 가능성을 내다보고 창조적인 실천의 지평을 열어젖히는 것이었다. 따라서 맑스는 주저 『자본론』 제1권에서 '실제로 분석에 의해 종교적 환영의 현세적 핵심을 발견하는 것은 역으로 그때그때의 현실적 생활 관계들로부터 그 천국화된 형태들을 설명하기보다 훨씬 더 쉽다. 후자가 유일한 유물론적인, 따라서 과학적인 방법이다'라고 말한 것이다.

이미 문제는 '세계를 해석'하고 그 내용을 기점으로 하여 세계를 변혁하려고 하는 것이 아니다. 오히려 '세계를 변혁하기' 위하여 이 근대 사회 시스템이 계속해서 만들어내고 있는 우리의 사고와 행위에 대한 '족쇄'를 밝혀야만 한다. 맑스에게 이것을 수행하는 것이 바로 다름 아닌 경제학 비판이었다.

이와 같은 비판적 사유는 더 이상 맑스가 비판한 의미에서의 철학이 아니지만, 다른 한편으로 단순한 실증주의로 해소될 수 있는 것도 아니다. 전통적인 근대 철학과 대립하는 것으로 볼 수 있는 이런저런 실증주의는 아도르노Theodor Wiesengrund Adorno(1903~1969)가 지적했듯이, 무매개적으로 '방법론'을 고집하기 때문에 오히려 한층 더 직접적인 근대주의의 표출이 된다. 따라서 맑스는 그 경제학 비판의 출발점에서(『경제학 비판 요강』) 그 철학으로서의 한계를 인식하면서도 근대 사회 시스템의 개념적 파악을 위해 고투한 헤겔의 논리학으로 되돌아갈 수밖에 없었다.

이처럼 독일 관념론의 위대한 성과에 입각하면서 근대 사회 시스템을 넘어서는 비판적 사유 양식을 창조했다는 의미에서 맑스의 이론적 작업은 역시 하나의 '철학'이었다. 이 비판적 사유는 루카치를 비롯한 서구 맑스주의로, 프랑크푸르트학파의 비판 이론으로, 안토니오 네그리Antonio Negri(1933~)와 존 홀러웨이John Holloway(1947~) 등의 자율주의 맑스주의로 그리고 치밀한 문헌 연구에 기초한 여러 비판적 맑스 연구로 계승되어 가게 된다.

3. 경제학 비판

경제적 형태 규정의 지배

맑스의 경제학 비판을 이해하는 어려움은 철학 비판의 그것을 상회한다. 인류사적 관점에서 보면 대단히 특이한 시스템인 자본주의적 생산 양식은 시장 경제가 생활의 구석구석까지 침투한 현재에는 우리의 일상 그 자체이며, 그 특이성을 인식하기는 쉽지 않다. 게다가 맑스 자신이 말하고 있듯이 그 경제학 비판 시도의 완성형인 『자본론』 제1권의 서술은 관련된 초고에 비해 '방법이 훨씬 더 숨겨진' 것이 되었다. 이와 같은 어려움을 배경으로 하여 맑스의 경제학 비판은 '맑스 경제학'이라는 근대주의적인 이론 체계로 재편되고 말았다.

현대 독일의 가장 저명한 맑스 연구자 미하엘 하인리히Michael Heinrich(1957~)도 강조하듯이 맑스의 경제학 비판을 다른 모든 경제학으로부터 근본적으로 구별하는 것은 경제적 형태 규정의 비판적 분석이다. 『자본론』 제1권의 서두에서 지적되듯이 자본주의 사회에서 재화 대부분은 '상품'이라는 형태를 취하여 나타난다. 여기서 재화는 단지 사람들의 욕망을 채울 수 있는 유용성(사용 가치)을 지니는 것만이 아니다. 또는 단지 교환의 대상이 되는 것만도 아니다. 여기서 재화는 사람들이 각각의 사적 이익에 기초하여 가능한 한 싸게 사고 가능한 한 비싸게 파는 대상, 즉 가치 평가를 하는 대상으로서 다루어진다('가치' 즉 교환력을 지니는 것으로서 다루어진다). 즉, 재화는 가치 평가의 대상이라는('가치'를 지니는) 특수한 형태를 지닌다. 자본주의 시스템에서 재화가 취하는 이 형태야말로 '상품 형태'라는 경제적 형태 규정 이외에 다른 것이 아니다. 나아가 그것 자체로서는 볼 수 없는 상품의 '가치'를 표현하기 위해 필연적으로 특정한 하나의 상품이 다른 모든 상품의 가치를 표현하는 '일반적 등가 형태'를 취하여 '가치'라는 순수하게 사회적인 힘을 체현하는 강력한 존재가 된다. 이것이 '화폐'이다.

이와 같은 경제적 형태 규정은 인간이 경제 활동을 통해 만들어 내는 것이면서 인간의 활동 방식을 규제하고 제어한다. 재화가 상품 형태를 취하는 자본주의 시스템 내부에서는 무엇을 얼마만큼 생산하고 누구에게 얼마만큼 분배할 것인가 하는 생산 활동의 사회적 편성을 인간들 측의 논리에 의해, 예를 들어 전통(신분과 세습)이나 사회적 의지 결정(독재자에 의한 것이든 민주적인 의지 결정에 기초한 것이든)에 의해 수행할 수 없다. 왜냐하면 거기서 사람들은 뿔뿔이 흩어진 사적 개인으로서, 개개의 사적 이해관계를 위해, 사적으로 생산 활동을 하기 때문이다. 그러므로 자본주의 시스템에서 생산 활동의 사회적 편성은 자신들이 생산한 상품이 팔리는가 또는 얼마나 팔리는가와 같은 것을 통해, 즉 상품 형태를 통해 조정되고 제어되게 된다. 단적으로 말하자면, 사적 생산자로 이루어진 사회에서는 인간들이 생산의 편성과 생산물의 분배를 직접적으로 실현할 수 없으며, 그것을 상품 형태에 의존하여 행해야만 하는 것이다.

이처럼 자본주의 시스템에서는 인간들이 스스로의 행위를 통해 만들어낸 경제적 형태 규정이 인간들의 행위와 의식을 틀 짓고 규정하는 힘을 지닌다. 이러한 형태 규정은 어디까지나 개인들의 행동에 의해 형성되는 사회적 힘이지만, 그와 같은 행동을 계속하는 한에서 현실적으로 우리의 실천에 계속해서 커다란 영향을 준다. 그런 까닭에 우리는 형태 규정이라는 개념에 의해 자신들을 규제하고 제어하며 지배하는 사회적인 힘을 외재적으로나 정적으로 파악하는 것이 아니라 자기 자신의 행위에 의해 끊임없이 재생산되는 힘으로서 내재적인 동시에 동적으로 파악할 수 있게 되는 것이다. 덧붙이자면, 경제적 형태 규정의 지배에 의한 인격의 변용은 후에 루카치나 아도르노가 전개한 논점이며, 또한 이 경제적 형태 규정의 생산 실천을 통한 재생산에 대해서는 홀러웨이와 네그리 등이 강조하고 있다.

이와 같은 근대에 고유한 주체와 객체의 전도를 초래하는 경제적 형태 규정의 지배는 『자본론』 전체의 모티프를 이룬다. 현실의 역사에서 전면적인 상품 생산이 성립하기 위해서는 자급자족의 공동체적 생활 질서를 파괴하고 노동력을 상품화하는 것이 필요하며, 상품을 생산하는 사적인 생산 활동, 즉 사적 노동은 실제로는 임금 노동에 의해 행해진다. 노동 과정 일반으로서 추상적으로 고찰하게 되면, 임금 노동도 역시 생산자가 능동적으로 생산 수단에 작용함으로써 수행하는 자연 과정이라는 점에는 변함이 없지만,

임금 노동은 이것을 오로지 자본의 기능으로서, 즉 자본의 가치 증식이라는 목적에 종속되는 형태로 행한다. 여기서 목적은 부의 생산 그 자체가 아니라 자본의 가치 증식이기 때문에, '생산 수단들은 노동자에 의해 그의 생산적 활동의 소재적 요소들로서 소비되는 것이 아니라 노동자를 생산 수단들 자신의 생활 과정[가치 증식과정]의 효소로서 소비한다.'(『자본론』 제1권)

더 나아가 자본주의적 생산 양식에서는 이 전도된 과정이 끊임없이 되풀이되며, '노동자 자신은 끊임없이 객체적인 부를 자본으로서, 그에게 소원한, 그를 지배하고 착취하는 힘으로서 생산한다.'(같은 곳) 임금 노동을 통해 자본주의적 생산관계가 끊임없이 재생산되게 되면, 사람들은 임금 노동의 시간뿐만 아니라 자유 시간의 소비 활동도 자본에 의존하게 되고, 휴식 시간은 내일도 노동력을 판매하기 위해 노동력을 재생산하는 시간이 된다. 나아가 임금 노동자의 고용은 자본의 가치 증식 활동의 활발함에 의존하기 때문에, 임금 노동자들은 끊임없이 실업과 빈곤의 공포에 노출된다. 바로 자본주의적 생산 양식이란 '노동자가 현존하는 가치의 증식 욕구를 위해 존재하는 것이지, 그 반대로 대상적인 부가 노동자의 발전 욕구를 위해 존재하는 것이 아니라는 생산 양식'(같은 곳)인 것이다.

'맑스 경제학'

이처럼 근대에 고유한 경제적 형태 규정이 왜, 어떻게 해서 성립하는지를 노동의 사회적 형태(사적 노동 및 임금 노동)로부터 해명하는 것이 맑스 경제학 비판의 핵심이었다. 그러나 '맑스 경제학'에서는 이와 같은 맑스 경제학 비판의 결정적 계기가 등한시되든가 경제학에 대해서는 그다지 중요하지 않은 부차적인 에피소드로 폄하되어버린다. 가치론은 상품 형태론 없는 속류적 노동 가치론으로, 화폐론은 가치 형태론 없는 교환 과정론 내지 화폐 기능론으로, 자본의 생산 과정론은 노동론 없는 착취론으로 전화된다. 이리하여 '맑스 경제학'은 자본주의 경제의 근본 특징을 자본가에 의한 생산 수단의 사적 소유에서 구하는 '소유 기초론'으로 빠지며, 자본주의적 생산 양식의 힘의 원천이 특정한 노동 형태가 끊임없이 산출하는 경제적 형태 규정에 있다는 것은 잊혀버리고 만다. 그런 까닭에 또한 실천적으로는 이 자본주의적 생산 양식의 극복이 단순한 사적 소유의 수탈, 나아가서는 그 사적 소유를 배후에서 뒷받침하는 국가 권력의 탈취로 환원되어버린다.

이러한 경제학 비판의 속류화가 20세기의 정치주의적인 '맑스주의' 당파에 대해 얼마나 안성맞춤이었는지는 분명할 것이다. 하지만 이와 같은 변혁 구상은 미리 한계가 운명지어져 있었다. 사적 노동이 상품 생산관계를 만들어내고 임금 노동이 자본을 산출하며 자본주의적 생산관계를 계속해서 재생산하고 있다고 한다면, 그 근본적 변혁은 정치권력에 의한 외적 강제에 의해서는 불가능하며, 사회 운동과 사회 개량을 통해 생산의 존재 방식 그 자체를 변용시키는 장기적인 동시에 근본적인 노력이 필요해진다. 맑스 자신도 『자본론』의 집필과 인터내셔널에서의 활동 경험을 통해 개량 투쟁과 생산자 협동조합을 중시하는 등, 좀 더 장기적인 변혁 전망을 품게 되어갔다.

물질 대사론과 말기 맑스의 사상

예전에 마루야마 마사오丸山眞男가 지적했듯이 근대적 사유 양식이 '맑스주의'를 통해 도입된 일본에서는 '선진국'에서는 예외적으로 '맑스주의'가 아카데미즘 속에서 중요한 위치를 차지한 점도 있어 아직도 경제적 형태 규정을 중시하는 맑스 이해는 일반적이지 않다. 그러나 유럽과 미국에서는 1970년 이후 자본주의가 장기 정체에 빠지고 근대주의가 좌파 속에서 후퇴해 가는 가운데 그와 같은 이해가 이미 운동가나 맑스주의자들 사이에서 커다란 영향력을 지니게 되었다.

하지만 맑스의 경제학 비판에는 또 하나의 중요한 측면이 있다. 형태 분석이 없는 '경제학'의 결함은 형태 규정과 소재를 유착시킴으로써 자본주의적 생산 양식의 역사적 특수성을 파악할 수 없게 되는 것만이 아니다. 그와 같은 유착을 통해 소재의 구체적 논리를 사상해버리고, 그 성질을 지극히 추상적으로만 파악할 수 있게 되는 것이다. 이와 같은 '경제학'의 한계는 예를 들어 고전파 경제학의 '수확 체감 법칙'이나 미시 경제학의 '한계 생산력 체감의 법칙'에서 단적으로 제시된다. 경제적 형태 규정의 비판적 분석이야말로 형태와 그 담지자인 소재를 분리함으로써 경제적 관계들에서 이 소재가 지니는 의의를 그 성질에 근거하여 구체적으로 이해할 수 있게 한다.

특히 근간에 기후 위기와 팬데믹, 생명 공학 폭주의 위험성 등이 심각해지는 가운데 주목되는 것이 '물질대사' 개념이다. 이 말은 본래는 생리학에서 유기체의 순환적인 생명 활동을 나타내는 개념이었는데, 맑스는 이것을 전용하여 인간과 자연의 물질적인 순환을 나타내는 개념으로서 사용했다. 『자본론』 제1권에서는 사회관계의 형성을 생각하는 데서 가장 중요한 활동인 노동을 '인간이 자연과의 그 물질대사를 그 자신의 행위에 의해 매개하고 규제하며 제어하는 하나의 과정'이라고 정의한다. 자본주의 사회에서는 이 물질대사를 제어해야 할 노동이 임금 노동이라는 특수한 형태를 취하고 자본의 가치 증식을 목적으로 하여 행해지기 때문에, 역으로 지속 가능한 물질대사를 교란해버리는 것이다.

이와 같은 관점에 설 때 공산주의는 단지 생산과 분배를 자각적으로 제어하고 인간의 자유를 실현하는 것만이 아니라 '연합한 인간들이 …… 이 물질대사를 합리적으로 규제하고 …… 자신들의 인간성에 가장 어울리고 가장 적합한 조건들 아래서 이 물질대사를 수행하는' 사회이기도 해야만 한다(『자본론』 제3부 주요 초고). 만년의 맑스는 바로 이상과 같은 물질대사의 합리적 제어 가능성을 전망하기 위해 경제학 연구를 넘어서 농예 화학, 생리학, 지질학, 광물학, 식물학, 유기 화학 등의 자연 과학도 철저하게 연구했다.

또한 만년의 맑스는 자본주의의 해방적 경향을 과대평가하는 경향이 있었던 초기의 생산력주의적인 동시에 유럽 중심주의적인 견해에서 완전히 벗어나 전근대 내지 비서양의 공동체를 높이 평가하고, 그것을 적극적으로 변혁 구상에 자리매김하게 되었다. 맑스는 말년에 쓴 러시아 혁명가 자술리치Vera Ivanovna Zasulich(1849~1919)에게 보낸 편지의 초고에서 러시아의 공동체의 필연적인 해체를 부정하고, 그것이 계승한 '원시적 공동 사회의 생명력은 셈인, 그리스인, 로마인 등의 사회보다, 더구나 근대 자본주의 사회들의 그것보다 비교가 되지 않을 정도로 강했다'라고 말하고 있다.

더 나아가 '현재 자본주의 시스템은 서유럽에서도 합중국에서도, 과학과도 인민대중과도, 또한 이 시스템이 만들어내는 생산력 그 자체와도 투쟁 상태에 있다'라고 말하고, 자본주의에 대해서는 이전보다 더 엄혹하게 평가하고 있다. 잉여 가치의 최대화를 목적으로 하는 자본주의적 생산 양식은 인민대중과 대립할 뿐 아니라 인간과 자연 사이의 물질대사를 지속 가능한 방식으로 제어하기 위한 과학과도 대립하며, 이런 의미에서 합리적 생산력의 발전에 대립하고 있다. 이와 같은 인식 아래 맑스는 농경 공동체를 '러시아에서의 사회적 재생의 거점'으로서 자리매김했다. 말기의 맑스는 이전의 근대화론을 철회했을 뿐만 아니라 오히려 전근대적 공동체의 생명력과 제휴하면서 자본의 힘을 봉쇄해가는 전략으로 전환했다고까지 말할 수 있을 것이다.

☞ 좀 더 자세히 알기 위한 참고 문헌

— 죄르지 루카치György Lukács, 『역사와 계급의식. 루카치 저작집 9歴史と階級意識 ルカーチ著作集 9』, 시로쓰카 노보루城塚登 · 후루타 히카루古田光 옮김, 白水社, 1968년. 거의 100년 전에 간행된 저작이면서 독일 관념론과 맑스의 관계에 대해 가장 적확하게 전개한 저작 가운데 하나. 또한 여기서 전개된 물화론도 대단히 선구적이다. 선입관에 현혹되지 말고 제4장 「물화와 프롤레타리아트의 의식」을 숙독하기를 바란다.

— 아리이 유키오有井行夫, 『맑스는 어떻게 생각했는가 — 자본의 현상학マルクスはいかに考えたか — 資本の現象学』, 櫻井書店, 2010년. 입문서 체제를 취하고 있지만, 대단히 난해한 저작. 그러나 독자가 그 '합리적 핵심'을 잡아내는 데 성공하면, 맑스와 헤겔의 관계에 대해 깊은 시사를 얻을 수 있을 것이다.

— 사사키 류지佐々木隆治, 『맑스 자본론マルクス 資本論』, 角川選書, 2018년. 난해하다고 알려진 『자본론』 제1권의 상품론을 가능한 한 알기 쉽게 해설했다. 전체를 읽음으로써 맑스의 경제학 비판이 얼마나 완성도가 높은 것이었는지 이해할 수 있을 것이다. 원전에서 인용하여 해설하는 스타일인 까닭에 교과서로 활용할 수도 있다.

— 사이토 고헤이齋藤幸平, 『대홍수 전에 — 맑스와 행성의 물질대사大洪水の前に — マルクスと惑星の物質代謝』, 堀之内出版, 2019년. 일본인으로는 처음, 역사상 최연소로 도이처 기념상을 수상한 Kohei Saito, *Karl Marx's Ecosocialism* (New York: Monthly Review Press, 2017)의 일본어판. 저작과 초고, 편지에 머물지 않고 맑스의 연구 노트까지도 섭렵하여 말기 맑스에서의 물질대사론의 심화를 해명한 획기적인 저작이다.

칼럼 2

셸링 적극 철학의 새로움

야마와키 마사오山脇雅夫

이후에 '적극 철학' 체계의 제1부(이것에 제2부 '신화 철학', 제3부 '계시 철학'이 이어진다)로 되어가는 미완의 초고군 『세계 시대』에서 셸링은 '자기와 그리고 세계와도 분열해 있다는 대단히 선명한 인간의 감정'에 대해 말한다. 근대가 인간과 자연이 분열하고 전체의 조화가 상실되는 것에 의한 의미 상실의 시대라는 인식에서, 그리고 이러한 시대의 문제와 철학적으로 대결하고자 했다는 점에서 셸링은 헤겔과 일치하고 있었다. 그러나 이 문제에 대한 응답에서 셸링은 헤겔과는 대조적인 다른 사상의 가능성을 열어 보였다.

'끊임없는 모순 해소의 운동으로서 임재하는 통일', '자기에게 다른 것인 세계에 현재하는 신', 이러한 개념 장치에 의해 헤겔은 모순으로 가득 찬 현실을 어떤 의미에서 이성화한다. 목적으로 향하는 운동 그 자체 속에서 목적의 실현을 인정함으로써 헤겔은 현실을 엔텔레케이아entelecheia(현실태)적으로 파악했다.

그러나 현실의 무엇임was, 그 본질을 논리적 추론으로써 인식하는 헤겔적 이성은 그것이 존재한다는 것daß을 보여줄 수 없다고 셸링은 본다. 그것은 헤겔의 이성이 스스로를 산출한 것, 자기의 '과거'를 알지 못하기 때문이다. 셸링의 적극 철학은 이성 그 자체를 좀 더 커다란 시간의 체계 속에 자리매김하고자 한다. 셸링은 '존재'가 이성으로 회수되지 않는다는 것을 확인하고, 모든 사유에 선행하는 이 존재로부터의 이성의 생성을 추적한다. 그런 의미에서 셸링은 적극 철학을 '역사적 철학'으로 특징짓는다.

'현재'는 이성이 자신을 산출한 것인 이성의 타자=자연적인 것과 대립하는 시대이다. 셸링은 반이성주의자가 아니며, 이 대립의 극복은 자연적인 것이 이성에 내재화되는 형태로 구상된다. 그러나 대립이 극복되더라도 자연적인 것이 근절되는 것은 아니다. 이성에 대항하는 '이성의 타자'는 이성의 근저에서 계속해서 활동하며, 오히려 그 힘과 강함의 원천이 된다고 생각된다. 모든 것을 회수하는 헤겔적 이성과는 전혀 다른 이성의 존재 방식을 셸링은 보여주었다고 말할 수 있다.

그리고 또한 현실 속에서 이성을 본 헤겔과는 달리 셸링은 대립의 통일이 현재에서 실현된다고 생각하지 않는다. 현재는 장래의 통일에 이르는 이행 단계에 지나지 않는다. 현재의 대립을 초극하는 '미래'를 사유할 가능성을 셸링은 열고 있다. 블로흐Ernst Bloch(1885~1977, 하버마스는 그를 '맑스주의적 셸링'이라고 불렀다)의 '아직-의식되지 않은 것'의 철학이나 어떤 의미에서는 맑스도 셸링이 열어젖힌 지평 위에 있다.

제5장

진화론과 공리주의의 도덕론

간자키 노부쓰구神崎宣次

1. 인간의 유래, 도덕의 기원

다윈의 진화론과 도덕의 기원

지질학자 찰스 로버트 다윈Charles Robert Darwin(1809~1882)은 『종의 기원』 등의 저작에서 자연 선택과 성 선택의 이론을 전개했다. 잘 알려진 대로 다윈의 진화론은 현재의 생물학뿐만 아니라 유전적 알고리즘 등의 공학을 포함한 폭넓은 분야에 영향을 미치고 있다. 유감스럽게도 '폭넓은 영향' 중에는 '적자생존'의 잘못된 해석에 기초한 우생학처럼 분명히 사회적으로 바람직하지 않은 것도 포함되어 있다.

그런데 진화론 그 자체가 '바람직하지 않은' 학설로서 다루어지는 일도 있다. 신앙과 진화론이 충돌하는 경우 등이다. 예를 들어 미국인의 상당한 비율이 진화론을 부정한다는 조사 결과가 보고되었다. 미국에서는 진화론은 신에 의한 창조를 부정하는 것으로서 학교 교육에서 진화론을 가르치는 것을 제한하려는 움직임도 있었다. 다른 한편 근간의 가톨릭이 표명해왔듯이, 신에 의한 창조와 진화론은 모순되지 않는다는 입장도 가능하다. 마쓰나가 도시오松永俊男에 따르면,)다윈은 1866년에 『종의 기원』 제4판을 출판하기까지 자연 선택은 신과는 무관계한 자연 현상이라고 생각하고 있었다고 한다.

진화론이 제시하는 인간과 다른 생물 종 또는 자연과의 사이의 연속성은 이것들을 다루는 학문의 연속성으로 이어져 간다. 그 연속성은 도덕론 또는 윤리학에도 도달한다. 『인간의 유래』에서 다윈은 인간과 동물을 나누는 가장 중요한 차이는 도덕관념 또는 양심의 존재라고 하고 있다. 그러나 '가장 중요한 차이'는 '잘 발달한 사회적 본능을 갖춘 동물이라면, 어떠한 동물이든 그 지적 능력이 인간의 그것에 필적할 정도로 발달하면 곧바로 필연적으로 도덕관념 또는 양심을 획득할 것이다'라는 제언에 의해 당장 연속성으로 치환된다. 또한 이 제언은 '인간이 지니는 최고의 정신적 능력의 하나에 대해 하등 동물의 연구가 어디까지 빛을 던져주는지를 확인한다'라는 연구 방침을 수반한다. 이러한 방침은 윤리학의 생물학화 또는 자연화라고 부를 수 있는 경향에 포함할 수 있을 것이다.

현재 윤리학의 자연화를 추진하고 있는 학문 영역은 몇 가지 있다. 진화 윤리학이 그 대표라고 할 수 있을 것이다. 또한 뇌신경과학이나 사회 심리학의 수법을 이용한 도덕 판단 연구가 뇌신경 윤리학이라고 불리는 분야의 일부로서 이루어지고 있다. 예를 들어 이른바 광차 문제(트롤리 딜레마)에 관한 사람들의 판단에 관한 연구가 이 분야 연구의 잘 알려진 예이다.

도덕 판단을 포함한 추론 능력 또는 합리성과 같은 인간의 정신적 능력을 생물학적인 기반에서 설명하려고 하는 것은 그러한 능력이 지니는 일정한 제약과 경향, 요컨대 인간 이성의 유한성을 보여주는 측면을 지닐 것이다. 도덕의 기원을 진화론적으로 설명할 때도 진화 과정에서의 우연적인 요인에 대한 적응으로서 인간의 도덕이 만들어져왔다고 설명하게 된다.

공리주의와 직관주의

뇌신경 윤리학의 대표적인 연구자의 한 사람인 조슈아 그린Joshua Greene은 의사 결정에는 무의식의 직관적 반응과 의식적으로 행해지는 합리적 추론이라는 두 가지 양상이 있다는 이중 과정 이론에 기초하여 공리주의를 옹호하고 있다. 그린의 논의를 상세히 설명할 여유는 없기 때문에 여기서는 이 장과의 관련에 초점을 맞춘 대단히 대략적인 개요에만 머문다. 다섯 사람을 구하기 위해 한 사람을 희생시키는 선택지에 혐오를 느끼는 것과 같은 직관적 반응은 진화 과정에서 인류가 소규모의 집단 내에서의 생활에 대한 적응으로서 획득해온 도덕이다. 그린은 각 집단이 획득해온 도덕을 상식적 도덕이라고도 부른다. 그러나 과거의 환경 조건에 적합하지 않은 상황이나 윤리 문제, 예를 들어 집단 사이에서 각자의 상식적 도덕이 대립하는 상황은 상식적 도덕으로는 해결할 수 없다. 그러한 상황에서는 서로 경합하는 상식적 도덕을 조정하기 위해 인류의 공통 기반에 기초한 메타 도덕이 요청되지만, 그것은 관련된 사실이나 증거에 기초하면서 전체로서의 최선의 결과(귀결)를 검토하는 공리주의적인 도덕으로 되리라는 것이 그린의 주장이다.

그런데 공리주의와 직관주의를 대비시키는 도식은 현대에 시작되는 것이 아니라 윤리 사상사에서도 중요한 구도였다. 여기서 말하는 직관주의에는 다양한 입장이 포함되는 까닭에 간단한 정의를 부여하기는 어렵지만, 이 장의 목적을 위해서는 고다마 사토시兒玉聰에 따라 '행위의 귀결에 대해 생각하는 과정을 거치지 않고서도 행위를 보면 곧바로 그 올바름이나 올바르지 않음을 알 수 있다는 사고방식'으로 이해해두면 충분할 것이다. 현재의 윤리학에서 공리주의와 도식적으로 대립하게 되는 것은 임마누엘 칸트적인 입장을 대표로 하는 의무론이라고 불리는 입장이다. 그러나 공리주의와 의무론이라는 대립 도식은 20세기에 들어서고 나서 주류가 되었기 때문에, 그 이전에 공리주의와 대비되어온 것은 직관주의였다. 앞에서 말한 고다마는 공리주의와 직관주의의 대립이 사상사에서 드러나게 된 것은 18세기 말에 벤담 등의 공리주의자가 활약한 무렵이라고 하고 있다.

살아남은 사상으로서의 공리주의

여기서 공리주의 그 자체에 대해 아주 간단히 설명해두고자 한다. 다만 이 작은 절에서 이루어지는 공리주의의 특징 부여는 어디까지나 현재 관점에서의 정리이며, 벤담 등이 자기 입장을 전개하고 있던 시점에서의 이론상의 관심 등과는 반드시 합치하지 않는다는 점에 대해서는 주의하기를 바란다.

우선 공리주의는 현대의 용어로 말하면 귀결주의라고 불리는 입장으로 분류된다. 귀결주의에 대해서는 '행위와 정책에 대한 도덕적 평가 과정에서 대상이 되는 행위나 정책이 가져오는 귀결에 관한 정보만을 사용하는' 입장으로 정의할 수 있다. 이렇게 정의하면 앞에서 말한 직관주의와의 대비가 알기 쉬울 것이다. 또한 의무와 권리와 의도 등의 귀결에 관계되지 않는 정보는 직접 고려되지 않는다는 점에서 다섯 사람을 구하기 위해서였다고 하더라도 누군가를 희생시키는 것은 허용되지 않는다는 의무론과도 대립한다는 것을 알 수 있다.

다음으로 공리주의는 귀결이 최대화되는 선택지만이 도덕적으로 올바르다고 하는 최대화주의를 취하는 입장이기도 하다. 이 입장은 최대 행복이라는 관용구로도 표현되지만, 다른 모든 선택지와 동등한 것 이상으로 좋은 귀결을 지니는 선택지만이 도덕적으로 올바르며 그렇지 않은 선택지는 모두 옳지 못하다고 하는 주장에 대해서는 너무 큰 요구가 아닌가 하는 비판이 제기되기도 한다. 그러나 가장 좋은 결과를 가져오는 행위와 정책이 올바르다는 주장에는 단순한 설득력이 놓여 있으며, 그것에 반론을 제기하기는 쉽지 않다. 그에 더하여 현대를 대표하는 공리주의자 피터 싱어Peter Singer(1946~)가 실천적인 문제 해결을 논의할 때 자주 전략적으로 제안하듯이 상황을 조금밖에 개선하지 않는 행위와 정책으로도 그것들이 가져오는 귀결과 파급 효과를 쌓아감으로써 결국 가장 좋은 결과에 이르게 된다고 기대할 수 있다면, 당면해서는 그것으로 좋다고 하는 유연성을 공리주의자가 받아들일 여지도 있다.

셋째로, 공리주의는 전체의 최대 행복을 추구하지만, 여기서 말하는 '전체의 최대 행복'은 행위나 정책에 의해 영향을 받는 모든 개인에게 결과로서 생겨나는 행복의 증감을 덧셈한 것으로 생각된다. 이때 각 사람의 행복은 평등한 무게로 다루어지며, 특정한 개인의 행복이 특별하게 여겨지는 일은 없다는 점에서 공리주의는 평등주의적이라고도 말해진다.

넷째로, 이상과 같은 특징에서 공리주의는 관습적으로 의무나 도덕적으로 올바르다고 생각되어온 것을 그대로 받아들일 수 없으며, 최대 행복이라는 관점에서 그것들을 비판하고 변경을 요구할 수 있다. 이 점에서 공리주의는 개혁주의적인 면을 지닌다.

실제로 다음 절에서 설명하는 벤담이나 밀은 동성애자나 여성이 전통적으로 놓여온 지위 등의 문제와 씨름했다.

개혁주의적인 측면으로 인해 공리주의는 인간 사회의 진보에 틀림없이 공헌해온 한편, 도덕적으로 중요하다고 생각되어온 가치를 짓밟는 경우가 있다고 하는 비난도 받아왔다. 다섯 사람을 구하기 위해서는 한 사람을 희생시키는 일도 부득이하다고 하듯이, 가장 큰 귀결을 실현하기 위해서는 인권과 평등마저 희생할 수도 있다는 무도한 입장이라는 것이다. 실제로 넓은 의미에서 윤리학 영역에 속하는 연구자라도 공리주의에 대한 혐오를 입에 올리는 사람이 있다.

확실히 공리주의는 소수자의 중대한 이익을 다수자의 중대한 이익을 위해 희생해야 한다고 주장할 가능성을 이론적으로 배제하지 않는 입장이기는 하다. 하지만 그러한 비판자들은 예를 들어 벤담이 생존, 풍부, 안전, 평등이라는 공리성의 네 가지 부차적 목표를 중시했다는 점을 보지 못하고 있다.

물론 공리주의는 비판의 여지가 없는 입장이 아니다. 그러나 이미 말했듯이 간단하게는 반박할 수 없는 설득력을 갖추고 벤담으로부터 헤아려도 200년 이상 다양한 관점에서의 비판과 음미를 견뎌내고 오늘날까지 유력한 도덕론으로서 살아남은 입장이기도 하다는 점을 설사 공리주의가 마음에 들지 않더라도 잊어서는 안 된다.

실제로 공리주의는 현재에도 진지한 검토의 대상으로 계속해서 여겨지고 있다. 예를 들어 동물 윤리, 해외 지원, 인구론 등, 현대의 실천적 과제에 관한 논의에도 관계되고 있다. 이 장의 나머지에서 다루는 벤담과 밀의 사상에 관해서도 예를 들어 벤담의 언어론에 초점을 맞춘 것 등의 연구서, 밀의 중요한 저작 『논리학 체계』의 새로운 번역, 양자에 관한 해외의 연구서 번역 등, 일본어로 읽을 수 있는 연구 성과가 고도로 전문적인 수준의 것부터 지금 이 장과 그것들의 중간 수준의 것까지 겹겹이 쌓여 있다. 그것들을 읽음으로써 그들의 공리주의에 대해 좀 더 깊은 이해를 얻을 수 있을 것이다. 이 장의 나머지에서는 독자가 이러한 문헌들에 도전하는 준비가 될 수 있도록 벤담과 밀의 공리주의에 관한 논의의 요점을 뽑아내 설명하고자 한다.

2. 벤담의 공리주의

제러미 벤담

제러미 벤담Jeremy Bentham(1748~1832)은 런던에서 태어나 12세에 아버지에 의해 옥스퍼드대학에 들어가며, 거기서 법률을 공부했다. 그 후 법조계로 나가지 않고 법률과 사회의 개혁에 관해 집필했다. 1780년에 완성하고 그 9년 후에 출판된 『도덕 및 입법의 원리 서설』(이하에서는 『서설』로 줄임)에서 체계적으로 공리주의 이론을 전개했다. 공리주의자로서 말고도 일망 감시 장치라고도 번역되는 형무소 등의 시설 '파놉티콘Panopticon'의 제언과 자신의 사후에 유체를 '오토 이콘'(auto-icon 또는 self-image)으로서 보존·전시하도록 지시하고, 그것이 후에 유니버시티 칼리지 런던에서 공개된 것 등도 널리 알려져 있다.

공리성 원리

벤담은 『서설』에서의 공리성 원리에 대한 논술을 '자연은 인류를 고통과 쾌락이라는 두 주권자의 지배 아래 두어왔다. 우리가 무엇을 해야만 하는지를 지시하고, 또한 우리가 무엇을 할 것인지를 결정하는 것은 오직 고통과 쾌락뿐이다'라는 기술로부터 시작한다. 여기서는 우리의 행동이 어떻게 결정되는가 하는 심리학적 사실에 관계되는 문제와 우리가 어떻게 행동해야만 하는가 하는 규범에 관계되는 문제가 고통과 쾌락에 의해 결부되어 있다. 그러나 이것들은 성질이 서로 다른 문제일 것이다. 개개인의 쾌락과 고통에 의해 우리 각 사람의 행동이 동기 지어져 있다고 한다면, 개인적인 쾌락과 행복이 아니라 최대 다수의 최대 행복을 추구해야 한다는 공리주의를 도덕규범으로 받아들이기는 어려울 것이다. 벤담이 양자를 어떻게 결부시키고자 했는지를 보기 위해 조금 더 벤담의 논의를 확인해보자. 설명의 편리를 위해 이하에서의 용어 설명 순서는 『서설』에서의 그것과는 일치하지 않는다.

우선 이미 말한 행복의 덧셈을 공리 계산이라고 부르기로 하자. 그리고 어떤 행위나 정책에 관련되는 공리 계산에서 그 행복의 증감이 고려되고 덧셈의 대상으로 되는 개인을 당사자라고 하자. 공리성은 행위와 정책이 지니는 성질로 당사자에 대해 이익과 쾌락과 행복 등(이것들은 동일시된다)을 낳는다거나 위해나 고통이나 불행 등(이것들도 동일시할 수 있을 것이다)이 생기는 것을 방지한다거나 하는 경향을 지니는 성질이라고 생각된다.

공리성의 원리는 어떤 행위나 정책이 당사자 전체의 행복을 증대시키는 경향을 지니는 경우에 시인하고 감소시키는 경우에 부인한다는 원리이다. 어떤 행위나 정책이 지니는, 당사자 전체의 행복을 증대시키는 경향이 감소시키는 경향보다 큰 경우, 공리성의 원리에 적합하다고 말한다. 그리고 공리성의 원리에 적합한 행위나 정책은 언제라도 해야만 하는, 또는 올바른 것 — 적어도 해서는 안 되는 것이 아닌 것 — 으로 생각된다. 이리하여 공리성의 원리는 행위나 정책의 옳고 그름의 보편적인 판정 기준이라고 주장된다.

곤혹스럽게도 벤담에 따르면, 이 주장에는 아무런 증명도 없을 뿐만 아니라 그와 같은 증명은 불필요하며 불가능하기도 하다. 공리성 원리는 다른 모든 것을 증명하기 위한 출발점이 되는 원리인바, 그것 자체의 올바름은 다른 것에 의해 증명되는 것이 아니라는 것이다.

증명 대신에 벤담은 좀 더 간접적인 방식으로 공리주의를 정당화하고자 시도한다. 우선 그는 어떠한 사람이라 하더라도 자신과 타인의 행위를 검토할 때, 대부분 공리성의 원리에 따를 것이며, 따라서 이 원리를 받아들이고 있다고 주장한다. 다음으로 공리성의 원리가 마음에 들지 않는 사람들에 대해 공리성의 원리를 받아들이지 않는다면 어떻게 될 것인지 생각해보아야 할 일련의 물음을 제기한다. 이 물음들에 대해 생각해보게 되면 필연적으로 공리주의 이외의 입장은 받아들일 수 없다는 결론에 도달할 것이라고 벤담은 기대하고 있다.

그의 마지막 물음은 공리성 원리 이외의 원리를 취하는 사람은 그런 원리의 명령을 추구하기 위해 인간이 지닐 수 있는 동기가 있는지를 자문해보라는 것이다. 그러나 라자리-라덱Katarzyna de Lazari Radek(1946~)과 싱어의 저작에서도 지적되고 있지만, 이 물음은 이 소절의 처음 단락에서 말했듯이 벤담 자신의 공리성 원리에 대해서도 제기되는 물음이다.

『서설』에서의 벤담은 쾌락과 고통, 그것들의 원천인 제재를 행위나 정책의 기준에 동기를 부여하는 것으로서 논의하고 있지만, 이것도 옳고 그름의 기준으로서의 공리성 원리의 정당화로 직접 이어지는 논의라고는 할 수 없을 것이다. 덧붙이자면 다음 절에서 다루는 밀도 그의 잘 알려진 논의를 가지고서 이 물음에 대답하려고 하고 있다.

대립하는 원리의 반박

간접적인 정당화로서 벤담은 공리성 원리에 대립하는 두 가지 원리, 즉 금욕의 원리와 공감과 반감의 원리 쌍방을 반박하려고 하기도 한다. 금욕주의 원리는 공리성 원리와 마찬가지로 당사자의 행복을 증대시키는가 감소시키는가에 따라 행위를 시인하거나 부인하거나 하지만, 공리성 원리와는 반대로 행복을 감소시킬 때에 시인하고 증가시킬 때에 부인하는 입장이다. 벤담은 이와 같은 입장이 근본적으로 공리성 원리의 착란된 적용에 지나지 않으며, 개인의 행위 규범으로서는 받아들일 수 있는 것이라 하더라도, 사회 통치에 대해 철저하게 적용된 일은 없다고 하여 물리친다.

공감과 반감의 원리는 어떤 경우에는 공리성 원리와 대립하고 어떤 경우에는 대립하지 않는 입장으로 생각된다. 벤담에 따르면, 이 원리는 공리성의 원리에 반하는 원리들 가운데서도 통치 문제에 가장 큰 영향을 준 것으로 보이며, '단지 어떤 사람이 그 행위를 시인 또는 부인하려고 생각하는 까닭에 시인 또는 부인하고, 그 시인이나 부인을 그 자체로서 충분한 이유라고 생각하여 무언가의 외부적인 이유를 탐구할 필요를 부정하는 것과 같은 원리'라고 설명된다. 여기서 이 설명이 제1절에서 제시된 '행위의 귀결에 대해 생각하는 과정을 거치지 않고서도 행위를 보면 곧바로 그 올바름이나 올바르지 않음을 알 수 있다는 사고방식'이라는 직관주의의 간단한 정의와 합치한다는 점에 주의하기를 바란다. 외부적인 이유, 즉 행위의 귀결이라는 근거를 검토하지 않고서 도덕 판단을 내려버리는 독단적인 입장으로서 벤담은 공감과 반감의 원리(그리고 직관주의)를 비판하는 것이다. 그리고 도덕의 기준에 관한 다양한 사상은 공감과 반감의 원리로 환원할 수 있다고 하여 샤프츠버리Anthony Ashley Cooper, 3rd Earl of Shaftesbury(1671~1713)나 허치슨Francis Hutcheson(1694~1746)이나 흄과 같은 도덕 사상가들과 자연법을 가지고 나오는 사람들 등의 입장을 차례차례 거론해 간다.

공리 계산의 절차

그런데 벤담은 후에 공리성 원리에 대해 최대 행복의 원리 등으로 바꿔 말한다. 이렇게 바꿔 말한 이유는 공리성이라는 용어가 행복만큼 쾌락이나 고통과의 관련을 나타내지 않고, 또한 옳고 그름의 기준으로서의 원리에 크게 이바지하는 당사자의 숫자라는 요인을 보여주기 위해서라고 설명된다.

그러면 공리성 원리에 기초한 옳고 그름의 판단을 가져오는 공리 계산은 어떻게 행해지는 것일까? 벤담은 그것을 알고리즘과 같은 절차로서 말하고 있다. 단순화하여 설명하자면, 각 당사자에 대해 쾌락과 고통을 각각 덧셈하고, 그 줄어든 차이를 구한다. 그것을 당사자 전원에 대해 되풀이하고, 그 결과를 집계하는 절차로 이루어지는 것이다.

여기서 밀과는 달리 벤담은 쾌락과 고통의 크고 작음만을 논의하고 그것들의 질은 구별하지 않는다는 일반적인 이해와 관련해 독자의 주의를 촉구하고자 한다. 실제로 벤담은 각 당사자의 쾌락과 고통의 크고 작음에 관계되는 조건으로서이기는 하지만, 그 쾌락과 고통의 강함, 지속성, 확실성, 원근성, 다산성, 순수성과 같은 요인을 공리 계산의 절차에 짜 넣고 있다.

3. 밀의 공리주의

존 스튜어트 밀

존 스튜어트 밀John Stuart Mill(1806~1873)은 런던에서 태어나 자기 집에서 아버지로부터 교육을 받았다. 아버지 제임스 밀James Mill(1773~1836)은 벤담의 친우이자 그의 사상의 보급자이기도 했다. 존 스튜어트 밀은 세 살부터 그리스어를, 여덟 살부터 라틴어를 공부하고, 열세 살 때는 당시 출판된 리카도David Ricardo(1772~1823)의 『경제학 및 과세의 원리』를 읽었다. 그 밖에도 그는 역사, 수학, 논리학 등도 공부했다. 그리고 열네 살 때는 벤담의 동생 새뮤얼의 초청으로 1년간 프랑스에 체재하는 경험도 했다. 프랑스에서 귀국한 후에는 벤담의 『민사 및 형사 입법론』을 읽었다.

그에 의해 자신은 다른 인간이 되었다고 후에 말할 정도로 벤담의 영향을 받는다. 17세 때에 아버지도 근무하고 있던 동인도회사에 취직하며, 회사가 인도 통치권을 상실한 1858년까지 근무했다. 1826년 가을에 심각한 정신의 위기에 빠졌지만, 마르몽텔Jean-François Marmontel(1723~1799)의 『회상록』을 읽은 것을 계기로 그 위기를 벗어났다. 이 위기를 극복함으로써 그는 아버지와 벤담의 압도적 영향으로부터도 벗어나게 된다. 1830년에 해리엇 테일러Harriet Taylor와 만나고, 그녀의 남편이 죽은 2년 후인 1851년에 두 사람은 결혼했다. 해리엇은 밀의 사상에 커다란 영향을 주었다고 알려진다.

저작으로서는 1859년에 간행된 『자유론』 외에 『논리학 체계』(1843년), 『경제학 원리』(1848년), 『여성의 예속』(1869년)이 있다. 『공리주의』는 1861년에 발표되었다.

밀의 견지에서 본 벤담

밀이 벤담의 강한 영향을 받고 후에 그 영향에서 벗어나 스스로의 공리주의 사상을 전개했다는 것을 생각하면, 밀이 벤담의 사상을 어떻게 생각했는지를 확인하는 것에서 시작하는 것이 좋을 것이다. 그리하여 이 소절에서는 1838년의 논고 「벤담」의 내용을 간단히 살펴보고자 한다.

밀은 우선 벤담을 잉글랜드 개혁의 아버지로서 찬양한 후, 그의 철학에 대한 공헌은 그의 견해가 아니라 그가 사용한 방법에 놓여 있다고 지적한다. 예를 들어 공리성을 도덕의 기초로 삼는 이론에 특히 신기한 것은 없다. 벤담 자신이 그 생각을 흄과 엘베시우스Claude-Adrien Helvétius(1715~1771)에게서 얻었다고 말하고 있으며, '어느 시대의 철학에서도 하나의 학파는 공리주의적이었다'라는 것이다. 벤담의 공헌에 대해서는 다음과 같이 말하고 있다.

> 그는 과학이라는 관념에 대해 본질적인 사고 습관과 연구 방법을 도덕론과 정치학에 받아들였다. (…) 견해 그 자체에 대해서는 확실히 그 대부분을 물리쳐야만 하며, 설사 그 전체를 물리치게 된다고 하더라도, 그의 방법은 둘도 없는 가치를 지닌다.

그러면 둘도 없는 가치를 지닌다고 하는 벤담의 방법이란 어떠한 것일까? 밀은 그것이 세분법이라고 부를 수 있는 것이라고 말한다. 문제를 풀고자 하기 전에 전체를 부분으로 분할하고 추상적 개념을 사물로 환원하여 취급하는 방법이다. 여기서 밀은 자연 과학의 방법과 베이컨, 홉스, 로크의 이름을 듦으로써 방법 그 자체로부터 벤담이 이 방법을 적용한 주제와 이 방법의 엄격한 적용으로 벤담의 독창성에 관한 강조점을 옮기고 있다.

벤담은 이 방법을 윤리학과 정치학에 적용하고 그 분야들에서 사용되는 추론이 많은 경우에 성구(상투적인 문구)에 귀착한다고 생각했다. 그러한 성구의 예는 자유, 사회 질서, 자연법, 사회 계약 등이다. 공감과 반감의 원리에 관해 설명한 단락에서 언급한, 벤담에 의해 열거된 논자들은 바로 이러한 성구를 논의에서 사용한다고 여겨지는 사람들이다. 그러한 논의를 볼 때마다 벤담은 '그것이 무엇을 의미하는지, 그것은 무언가의 기준에 호소하고 있는지, 그렇지 않으면 해당 문제에 관계하는 무언가의 사실문제를 암시하고 있는지를 알기를 고집하고', 그것들이 발견되지 않을 때는 '논자가 근거를 제시하지 않고서 스스로의 개인적인 감정을 다른 사람들에게 밀어붙이고자 한다'라고 간주했다.

밀은 이와 같은 태도를 벤담의 결점이기도 하다고 생각한다. 벤담은 자기 자신의 수중에 있는 재료로 체계적인 사상을 구축해가는 능력에서는 타고났지만, 자신의 것 이외의 사상에 대한 정확한 지식을 갖고 있지 않으며, 소크라테스나 플라톤마저 정당하게 평가할 수 없어 경멸했다는 것이다. 이에 더하여 밀은 벤담의 두 번째 결점으로서 감정과 정신과 같은 인간 본성을 이해하는 능력이 없다고 말하고 있다.

벤담의 공리주의에 대한 언급은 이 논고의 끝 즈음에서 이루어진다. 공리성 원리에 관해서는 벤담과 거의 같은 의견이라고 하여 '행위의 도덕성은 그것이 만들어내는 경향에 놓여 있는 귀결에 좌우되며', '이러한 귀결의 좋고 나쁨은 오로지 쾌락과 고통으로써 판정된다'라고 하고 있다.

그러나 여기서도 밀은 벤담의 문제점으로 그가 생각하는 것을 두 가지 지적한다. 우선 앞 단락에서 말한 결점으로 인해 성격

형성과 행위가 행위자 자신의 정신 구조에 주는 영향에 대해 벤담은 이해하지 못했다고 말한다. 다음으로 벤담은 도덕적 관점을 행위와 성격을 관찰하는 유일한 방식으로 생각하고 있었지만, 밀은 인간의 행위에는 도덕적 측면, 심미적 측면, 공감적 측면의 세 가지가 있으며, 각각 행위의 옳고 그름, 행위의 아름다움, 행위의 사랑스러움에 관련되어 있다고 한다.

『공리주의』에서의 논의

다음으로 밀 자신의 공리주의론을 살펴보자. 우선 제1장에서는 직관주의에 대해 언급하고 있다. '도덕의 원리는 선험적으로 분명하며, 말의 의미가 이해되기만 하면, 그 이외에는 어떠한 승인도 필요하지 않은' 입장으로서 직관주의를 규정한 다음, 그것과 대비되는 입장에서는 옳고 그름에 관한 문제는 관찰과 경험에 관한 문제라고 말한다. 그리고 선험적 도덕론자의 예로서 칸트를 언급하고 그의 입장에서조차 행위 귀결의 바람직함에 관계된다고 논의하고 있다.

제2장에서 공리성이란 쾌락과 고통의 회피 이외에 다른 것이 아니라고 말한다. 그리고 공리성의 원리 또는 최대 행복 원리를 도덕의 기초로서 승인하는 이론, 즉 공리주의에서는 '행위는 그것이 행복을 증진하는 경향에 비례하여 옳고, 행복과 반대의 것을 만들어내는 경향에 비례하여 옳지 않다'라는 것이 확인된다.

그 뒤에 쾌락의 질에 관한 논의가 이루어진다. 밀의 말로서 널리 알려졌지만, 정확하게 인용되는 일은 적은 부분을 인용하자면, '만족한 돼지보다 불만을 지닌 인간 쪽이 좋으며, 만족한 어리석은 자보다 불만을 지닌 소크라테스 쪽이 좋다. 어리석은 자나 돼지가 이와 다른 생각을 지니고 있다면, 그것은 어리석은 자나 돼지가 이 논점에 관해 자신들 측의 것밖에 알지 못하기 때문이다. 비교되는 상대방은 쌍방 측을 알고 있다.' 이 부분에 관해 두 가지 점을 말해둘 필요가 있다. 우선 돼지와 소크라테스는 비교되고 있지 않다. 다음으로 인간과 소크라테스는 각각 돼지와 어리석은 자의 쾌락도 알고 있는 까닭에 양적으로는 적어도 질적으로 높은 쾌락을 선택한다고 생각된다는 점이다. 두 가지 쾌락의 질의 높고 낮음은 쌍방의 경험자에 의해 판단되게 된다.

우리는 벤담을 다룬 절에서 공리성 원리의 정당화라는 문제에 관해 확인했었다. 밀은 이 문제에 대해 어떻게 생각했던 것일까? 우선 밀은 벤담과 마찬가지로 일반적인 의미에서의 증명의 여지는 없다고 말하고 있다. 그 대신에 행복이 유일한 목적으로서 바람직하다고 하는 공리주의의 주장에 설득력을 부여하려고 시도한다. 그러나 밀이 제출한 논의는 불만족스러운 것에 지나지 않는다.

우선 그는 바람직함의 증명을 보인다는 것의 증거와의 유비에서 설명하고자 한다. 요컨대 어떤 사물이 보인다는 것의 증거는 사람들이 실제로 그것을 보고 있다는 것 이외에는 없는 것이므로, 무언가가 바람직하다는 것에 대해 제출할 수 있는 증명은 사람들이 그것을 실제로 바라고 있다는 것밖에 없다. 그리고 사람들은 실제로 행복을 바라고 있으리라는 것이다. 이것은 받아들일 수 있는 논의가 아닐 것이다.

이에 이어지는 논의도 의심스럽다. 공리주의를 옹호하기 위해서는 행복이 바람직할 뿐만 아니라 당사자 전체의 최대 행복이 바람직하다는 것도 제시할 필요가 있다. 밀은 각 사람의 행복이 당사자에게 바람직하다는 것으로부터 전체의 행복은 모든 사람의 총체에 대해 바람직하다는 주장으로의 이행이 가능하다고 말하고 있지만, 이것도 그대로 받아들일 수 없는 주장이다. 라자리-라덱과 싱어가 고언을 드리고 있듯이 '가능한 한에서 관대하게 독해했다고 하더라도 밀이 쓰는 방식은 산만하고 그 의미하는 바는 자주 불명확'한 것이다.

4. 나가며

이 장에서 확인했듯이 벤담도 밀도 도덕의 제1원리로서의 공리성의 정당화에 증명을 주고 있지 않으며, 본래 직접적인 증명이 주어질 수 있는 것이 아니라고 하고 있다. 그들이 제시하는 간접적인 논의도 만족스러운 것이라고는 할 수 없다. 다른 한편 당사자 전체의 최대 행복이 옳고 그름의 기준이라는 주장에는 어느 정도의 직관적인 설득력이 있는 것으로 생각된다. 그러나 그것은 의무론 등의 다른 도덕론도 마찬가지이다. 그러면 어떠한 논의가 생각될 수 있을까?

하나의 안은 다윈이나 그린처럼 진화론적·생물학적인 기반이라는 좀 더 하위의 층위를 도덕론에 삽입하고, 그로부터 도덕의 제1원리를 검토하는 방침일 것이다. 이러한 방향의 연구가 얼마만큼이나 성공할 것인지는 알 수 없지만, 적어도 유한한 인간에게 어울리는 도덕론을 찾게 될 것은 틀림없다.[※]

[※] 본문 중의 다윈 인용은 『인간의 유래 상(人間の由來 上)』, 하세가와 마리코(長谷川眞理子) 옮김, 講談社学術文庫, 2016년판에서 인용했다. 벤담의 경우는 『벤담, J. S. 밀(ベンサム, J. S. ミル)』, 세키 요시히코(關嘉彦) 책임 편집, 中央公論社, 제7판(1997년)에서 인용한 것이다.

☞ 좀 더 자세히 알기 위한 참고 문헌

— 마쓰나가 도시오松永俊男, 『찰스 다윈의 생애 — 진화론을 낳은 젠틀맨의 사회チャールズ·ダーウィンの生涯 — 進化論を生んだジェントルマンの社会』, 朝日新聞出版, 2009년. 다윈의 사상 배경을 알기 위해 입수하기 쉽고 비교적 읽기 쉬운 책.

— 카타지나 데 라자리-라덱Katarzyna de Lazari Radek · 피터 싱어Peter Singer, 『공리주의란 무엇인가?功利主義とは何か』, 모리무라 스스무森村進 · 모리무라 다무키森村たまき 옮김, 岩波書店, 2018년. 현대를 대표하는 공리주의자인 싱어를 저자의 한 사람으로 하는 입문서. 벤담과 밀의 입장은 물론 오늘날의 공리주의의 유용성과 그린의 논의 등 공리주의에 관련된 화제 전반을 알 수 있다. 다만 그린의 논의에 관해서는 소개를 너무 간결하게 하고 있는 까닭에 원저작을 읽는 쪽이 알기 쉬울지도 모른다.

— 고다마 사토시児玉聡, 『공리와 직관 — 영미 윤리 사상사 입문功利と直觀 — 英米倫理思想史入門』, 勁草書房, 2010년. 공리주의와 직관주의의 대립에 대해 벤담과 밀의 직관주의에 대한 비판을 포함한 사상사 및 현대적 화제라는 두 가지 관점에서 논의하고 있다. 또한 그린의 논의는 이 책의 마지막 장에서도 다루어진다.

— 필립 스코필드Philip Schofield, 『벤담 — 공리주의 입문ベンサム — 功利主義入門』, 가와나 유이치로川名雄一郎 · 오바타 슌타로小畑俊太郎 옮김, 慶應義塾大学出版会, 2013년. 벤담의 사상에 대해 스스로 검토해보고자 할 때 좋은 안내가 될 수 있는 책. 권말의 독서 안내와 오바타 씨에 의한 역자 해석도 살펴볼 수 있을 것이다.

— J. S. 밀John Stuart Mill, 『공리주의 논집功利主義論集』, 가와나 유이치로川名雄一郎

·야마모토 게이이치로山本圭一郎 옮김, 京都大学学術出版会, 2010년. 이 장 제3절에서 다룬 「벤담」, 「공리주의」가 수록되어 있다. 본문 중의 밀의 인용은 이 저작에서 가져온 것이다. 또한 권말의 해설도 유익하다.

칼럼 3

스펜서와 사회 진화론

요코야마 데루오横山輝雄

허버트 스펜서Herbert Spencer(1820~1903)는 사회 진화론의 대표자로서 알려져 있다. '사회 진화론' 또는 '사회 다윈주의'라면 다윈의 생물 진화론을 받아들여 그것을 인간과 사회에 '적용'하거나 '확장'한 것으로 생각된다. 스펜서의 생존 시에 이미 그러한 이해가 있었던 듯한데, 자신은 다윈보다 앞서 독자적으로 진화론을 주장했다고 만년의 저작에서 말하고 있다. 다윈의 『종의 기원』(1859년) 이전부터 라마르크Jean-Baptiste de Monet, chevalier de Lamarck(1744~1829)의 진화론 등, 다양한 진화론이 있었다. 스펜서의 진화론은 라마르크적인 발달·발전의 진화론이자 '진화=진보'이다. 일본어의 '진화'는 메이지 시기에 스펜서적인 진화 이해에 의한 것이며, 현재에도 일상적으로는 진보와 혼동되는 일이 많지만, 그것은 자연 선택을 기본으로 하는 다윈의 진화론과는 논리의 근본이 다른 또 하나의 것이다.

스펜서는 생물만이 아니라 인간·사회·문화가 진보 발전한다고 생각하고 그것을 다양한 영역에서 제시하려고 방대한 저작을 남기며, 당시 형성 도상에 있던 고고학·인류학 등에 커다란 영향을 주었다. 또한 그것은 서유럽의 백인 문화를 정점으로 하는 문화의 서열화와 인종의 우열론 등으로 이어졌다.

스펜서의 사회 진화론·문화 진화론이라는 큰 도식은 형편이 좋은 사실만을 자의적으로 연결한 것에 지나지 않는다고 비판받으며, 20세기에 들어서자 인류학에서는 문화 상대주의가 유력해지고 단선적인 발전 도식으로 다양한 문화를 서열화하는 것은 부정되었다. 나아가 인종 우열론과 우생학 등이 특히 제2차 세계대전 후에 규탄되자 사회 진화론은 과거의 잘못으로서 매장되었다. 스펜서는 19세기 후반에는 메이지 시기 일본을 포함하여 대사상가로 여겨졌지만, 20세기에 들어서면 점차 평가가 낮아지고, 다윈의 아류, 통속가이자 논의도 무책임하다는 평가가 정착했다. 다윈의 진화론은 제대로 된 과학이지만, 스펜서의 사회 진화론은 단순한 이데올로기에 지나지 않는다고 생각되었다. 인문 사회 과학에 생물학 등 자연 과학적인 것을 가지고 들어오는 것이 터부시되던 때라는 배경이 놓여 있었다.

그러나 1970년대 이후, 생명 과학의 시대에 들어서자 상황이 변했다. 에드워드 O. 윌슨Edward O. Wilson(1929~2021)의 『사회 생물학』(1975년) 이후, 생물학적인 견식으로부터 인간과 문화를 논의하는 것이 적극적으로 이루어지게 되고, 인류학과 고고학에서 다시 진화론적인 논의가 등장하며, 자연주의적 인간관도 널리 퍼졌다. 그러나 그러한 논의는 나쁜 이미지를 부여받은 사회 진화론의 부활로 여겨지는 것에 경계를 보내며, 자신들은 과학으로서의 다윈 진화론의 정통한 후계자이지 사회 진화론과는 관계없다고 주장한다.

제6장

수학과 논리학의 혁명

하라다 마사키原田雅樹

1. 들어가며

수학과 철학

19세기 서양에서 수학에 커다란 변화가 생기고 그것을 계기로 하여 논리학도 변용을 이루었다. 20세기 철학의 한 분야로서 과학 철학과 분석 철학이 크게 발전했는데, 그 요인의 하나로 19세기의 수학과 논리학에서 혁명이라고도 불릴 수 있는 사건이 있었다는 것은 의심할 수 없다. 그 사건은 일반적으로는 기하학에서의 비유클리드기하학과 그 일반화로서 리만Georg Friedrich Bernhard Riemann(1826~1866)에 의해 도입된 미분 기하학의 등장과 집합론에서의 무한론의 전개, 나아가서는 집합론을 기초로 한 형식 논리학의 체계화로 이해되는 경우가 많다. 이것들이 왜 '혁명'적인가 하면, 이들에 의해 19세기 전반에는 가장 정통적인 철학적 이해라고 여겨지던 칸트의 수학에 관한 설명이 근저로부터 뒤집혔기 때문이다.

칸트는 『순수 이성 비판』을 대표작으로 하는 그의 이론적 이성의 분석에서 논리학의 명제를 선험적인(모든 경험에 앞선) 분석 판단(동어 반복적인 판단)이라고 하는 한편, 기하학과 산술의 명제들을 각각 공간과 시간에 관한 직관에서 기능하는 선험적 종합 판단의 명제(단순한 동어 반복이 아닌 명제)라고 주장했다. 그러나 비유클리드 기하학의 탄생은 직관에서 주어지는 기하학적 공간의 유일성을 부정하게 되었다.

또한 집합론에 기초하는 형식 논리학의 체계화는 논리학과 수학의 연속성을 주장함으로써 종합 판단으로서의 산술 명제의 특이성을 부정하게 되었다. 프레게Gottlob Frege(1848~1925)로부터 러셀Bertrand Russell(1872~1970)로 계승된 논리주의에서는 수학의 명제를 모두 논리학의 명제로 환원하는 것이 목표가 되며, 그 결과 선험적 종합 판단으로서의 수학적 진리라는 논리학에 대한 독자성은 전면적으로 부정되었다. 서양에서 19세기에 이루어진 수학의 혁명적인 변화에 대해서는 이처럼 칸트 철학과의 커다란 단절이라는 형태로 이야기하는 경우가 많지만, 이 장에서는 마찬가지로 칸트의 사상을 기본적인 참조항으로 하면서도 다른 방식으로 19세기부터 20세기 초에 걸친 수학적 사유의 도정을 더듬어보고자 한다.

러셀의 철학에 대한 비판적 분석과 푸앵카레Henri Poincaré(1854~1912)의 과학 철학에 대한 해설로도 알려진 프랑스 에피스테몰로지epistemology(인식론)의 대표적 철학자 쥘 뷔유맹Jules Vuillemin(1920~2001)은 저서 『대수학의 철학』에서 피히테의 철학이 감성이라는 수동성에 얽혀 있는 칸트 철학의 어려움을 극복하고 유한한 자아의 조작 그 자체에 의해 개념을 구성하는 방법을 발견했다는 점에 착안한다. 그리고 그는 피히테 철학의 이러한 사상적 혁신이 라그랑주Joseph-Louis Lagrange(1736~1813)로부터 갈루아Évariste Galois(1811~1832)에 이르는 대수 방정식론에서 유래하는 군론群論의 탄생에서 구체적인 형태로 실현되어 있다는 것을 더듬는다. 뷔유맹은 더 나아가 갈루아 이론의 미분 방정식론으로의 확장을 목표로 하는 가운데 탄생한 연속군으로서의 리군, 그리고 그러한 군들에 의한 기하학의 재구축이 관계 그 자체, 요컨대 '구조'를 드러내고자 하는 구조적 사유의 산물이라는 것을 해명하고 있다. 뷔유맹의 해석은 칸트와의 결정적 단절을 노래하는 일반적인 이해와는 달리, 오히려 철학 내부에서의 칸트 철학의 방법론적 전환이 결과적으로 수학의 진전을 가능하게 했다고 생각한다. 그리고 특히 칸트로부터 피히테로 향하는 철학적 진전과 평행을 이루는 사유의 추진이 수학 내부에서의 '구체적 추상화'의 진전을 촉진했다는 점에 주목한다. 이러한 해석들은 철학적 반성과 수학의 심화 사이의 동형성을 보여준다는 점에서 대단히 흥미로운 견해이다.

19세기의 수학

이상과 같은 관점에서 이 장에서는 우선 뷔유맹의 사유에 따르는 형태로 수학사와 관련되는 한에서의 칸트와 피히테의 사상을 간단히 소개한다. 그 후에 1770년의 라그랑주의 『방정식의 대수적 해법에 대한 성찰』로부터 1870년대의 클라인Christian Felix Klein(1849~1925)의 '에를랑겐 프로그램Erlanger Programm'과 리군의 탄생에 이르는 사이에서의 군론의 탄생과 그 전개를 더듬는다. 그러한 가운데 수학에서의 추상화 과정과 이론적 심화, 구체적인 장으로의 그 이론의 확대란 무엇인가에 대해 생각해간다.

① 대수 방정식에 대한 반성에서 탄생한 군 개념에 대하여

5차 이상의 대수 방정식에 대수적인 일반해를 줄 수 있는가, 줄 수 없는가? 만약 줄 수 없다면 그 이유는 무엇일까? 이하에서는 우선 이 문제를 중심으로 하여 전개된, 라그랑주로부터 가우스Carl Friedrich Gauss(1777~1855), 아벨Niels Henrik Abel(1802~1829)을 거쳐 갈루아 이론의 탄생에 이르기까지의 대수 방정식론의 역사를 개관한다. 특히 주목되는 것은 가우스의 기하학적 직관을 넘어서서 군이라는 대수 개념을 명확히 만들어냄으로써 성취된 갈루아에 의한, 5차 이상의 대수 방정식에는 대수적 일반해가 존재하지 않는다는 것을 증명한 것의 철학적 의미이다.

② 리만 면의 탄생과 그 엄밀화

그다음의 문제는 다가多價의 해석 함수를 기하학적 묘사에 의해 이해하기 위해 고안된 리만 면의 사고방식이다. 여기서 주의해야 하는 것은 우선 함수에 대해 리만이 기하학적 직관에 의해 풍요로운 수학 개념을 생성하는 리만 면이라는 장을 만들어냈다는 점이다. 두 번째는 리만의 뒤에 바이어슈트라스Karl Theodor Wilhelm Weierstraß (1815~1897)와 데데킨트Julius Wilhelm Richard Dedekind(1831~ 1916)에 의해 리만 면에서 발견되는 기하학적인 직관을 배제하고, 해석학과 대수학에 의한 개념의 엄밀화를 가능하게 하는 기호적 구성에 의해 리만 면의 재구성이 이루어졌다는 점이다. 세 번째는 리만 면의 대수학적 재구성이 가능하게 한 대수 함수론이 수 개념의 재구성을 촉진했다는 점이다.

③ 군의 미분 방정식론과 기하학으로의 확장

마지막으로 대수 방정식론을 통해 탄생한 갈루아 이론을 미분 방정식론에 응용하는 시도 중에 태어난 리의 연속군론, 군론을 기하학으로 확장하는 시도로서의 클라인의 '에를랑겐 프로그램'을 소개한다. 그리고 또한 함수를 불변으로 하는 보형 변환과 미분 방정식론 및 군론과의 관계에 관한 리만 면이라는 기하학적 묘사를 통한 이해를 소개한다. 거기서는 새롭게 탄생한 대수학과 해석학을 통해 수학 개념을 엄밀화하고 거기에 놓여 있는 구조를 명확화하는 과정을 거쳐 기하학이 재구성되어간다.

19세기 서양에서의 수학사를 더듬어가는 데서 중요한 것은 각각의 술어의 엄밀한 의미가 아니라 다양한 개념이 최초의 형성 후에 어떠한 방식으로 복수의 영역으로 전해지고 좀 더 세련된 것이 되는 한편, 새로운 구체적인 예를 만들어왔는가 하는 점에 있다. 그리고 이러한 구조들을 드러나게 하는 추상으로 향하는 개념 형성의 스타일이 칸트로부터 피히테로의 철학적 변환과의 유사성을 포함하면서도 그것에 머무르지 않고 수적, 기하학적인 직관으로 언제나 되돌리면서 그 구체성과도 연결되는 직관이 풍부한 개념을 산출해간다는 철학사적 문제에도 주의를 기울이고자 한다. 이 장에서 이야기의 중심은 철학사와 관련된 맥락에서 말해지는 경우가 많은 미분 기하학이나 집합론과 논리학이 아니라 그 근원에 놓여 있다고 생각되는 군과 대칭성 그리고 복소함수의 기하학적 묘사로서의 리만 면을 둘러싼 수학의 개념사와 그것에 얽힌 철학적 문제이다.

2. 칸트에서 피히테로

칸트의 수학론

잘 알려져 있듯이 칸트Immanuel Kant(1724~1804)의 철학 체계는 다양한 이원론을 포함한다. 그것은 자연 과학의 구성에 관계되는 이론적인 순수 이성과 도덕에 관계되는 실천 이성 그리고 순수 이성이 관계하는 현상 세계와 실천 이성이 관계하는 사물 자체의 세계, 나아가 순수 이성의 틀 내에서의 지성과 감성(감각에 대한 칸트적 용어) 등의 이원론이다. 순수 이성의 영역에서는 현상이 감성의 직관에 다양하게 주어지며, 지성이 그것을 범주에 의해 통제한다. 지성의 범주와 감성의 직관이라는 두 가지 형식을 매개하는 것은 칸트적인 특수 용어로 '도식'에서의 생산적 상상력의 역할이다. 칸트의 저서 『순수 이성 비판』은 뉴턴 물리학이 어떻게 정당화될 수 있을까 하는 문제도 작용 범위에 두고 있으며, 지성과 감성의 매개항인 도식에서 물리학에 적용 가능한 수학이 구성된다고 한다.

칸트는 인간의 지성이 감각의 도움 없이 과학적 앎을 직관적으로 얻는 것은 불가능하다고 생각한다. 그리고 사태를 직접 파악하는 직관의 장은 감성, 경험에 앞서 인간의 주체에 주어진 개념의 장은 지성으로서 규정된다. 그러한 감성과 지성의 쌍방에 의해 물리학을 비롯한 학문적 앎이 성립하지만, 개념을 직접적으로 직관에 적용할 수는 없다. 그리하여 개개의 것도 원리적인 보편도 아닌 그 중간이라고도 할 수 있는 일반에 관계되는 도식이 감성과 지성 내지 직관과 개념을 매개하는 장이 되는 것이다. 이 도식에서 물리학에 적용 가능한 수학이 생성되는 것이지만, 그것은 도식이 순수 개념(순수란 감각적인 것이 들어 있지 않은 것)을 직관화, 즉 감각적인 것을 수용할 수 있도록 하고, 수학에 관계되는 개념을 구성하기 위한 규칙이나 추론 규칙을 적용하기 때문이다.

칸트에서 시간과 공간이란 통상적으로 우리가 생각하는 것과 같은 이런저런 사건들이 생겨나는 '세계'의 시간과 공간이 아니다. 그것은 현상이 주어지는 장으로서의 주체 측이 보유하는 형식으로서의 시간과 공간이다. 심적 현상이 내적 감각을 통해 주어지는 장이 시간이며, 물리 현상이 외적 감각을 통해 주어지는 장이 공간이다. 칸트는 이와 같은 시간과 공간을 '직관의 순수 형식'이라고 부른다.

수학 개념의 구성에서 직관의 순수 형식인 공간과 시간은 감성과 지성을 매개하는 순수 형상화와 도식화(예를 들면 삼각형 일반의 형상·이미지를 만들어내는 것)에 대해 어떻게 관계하는 것일까? 기하학이나 산술과 같은 수학에서 수학적 개념이 구성되는 것은 지성에서 유래하는 개념이 생산적 상상력에 의해 산출되는 도식의 매개를 통해 순수 직관화되는 것에 의해서이다. 생산적 상상력은 시간에서 근원적으로 개념을 구성하는 규칙을 직관에 적용하고 직관을 도식화한다. 그리고 도식은 지성의 범주에서 유래하는 규칙을 적용하여 지성과 감성을 연결할 뿐만 아니라 역시 그것을 원천으로 하는 순수 개념을 대상에 결부시키기 위해서도 필요하다.

그렇다면 기하학과 산술의 차이는 무엇인가? 기하학적 도형도 수 개념도 시간에서 규칙이 적용됨으로써 구성된다. 그런 다음 기하학적 도형에 대해서는 공간에서의 형상화가 부가된다. 그에 반해 수 개념에서는 기하학과 달리 형상이 산출되는 것은 필요하지 않다.

이상과 같이 기하학이나 산술에서 수학적 대상이 구성되는 것이지만, 이와 같은 대상의 구성을 칸트는 '직시적 구성'이라고 부른다. 그에 반해 대수학에서와 같은 '기호적symbolisch 구성'이라는 구성도 있다고 칸트는 말한다. 산술에서 그 조작은 반드시 새로운 대상의 산출을 필요로 하지만, 대수학은 대상을 산출하는 것 없이 기호적인 조작을 주제화한다. 대수학의 대상은 관계적 구조를 만족하는 것이라면 어떤 것이더라도 좋다. 대수학을 가능하게 하는 직관 형식은 외적 감각에 관계되는 직관의 순수 형식으로서의 공간으로부터 순화된, 순수하게 내적 감각에 관계되는 직관 형식으로서의 시간이다. 대수학은 산술 이상으로 공간으로부터 순화된 것이다. 대수적 개념은 선험적인 순수한 생산적 상상력이 드러나게 되는 형태로 시간에서 순수한 규칙들이 적용됨으로써 구성된다.

피히테의 『전체 학문론의 기초』

그런데 칸트보다 약 40세 연하인 피히테Johann Gottlieb Fichte(1762~1814)는 칸트 철학 내부에서 생겨난 다양한 어려움을 극복하는 것을 자기의 사명으로 생각한 철학자이다. 그는 그것을 성취하기 위해 칸트 철학에 내재하는 이원론을 제거하는 것을 목표로 했다. 칸트는 현상의 세계와 인간의 자유로운 행위가 관계하는 '사물 자체'의 세계를 나누고 지성과 감성을 나누며, 나아가 직관의 순수 형식을 외적 감각에 관계하는 공간과 내적 감각에 관계하는 시간으로 나누었다. 피히테는 이와 같은 칸트의 철학 체계를 비판하고, 칸트적인 '사물 자체'를 제거하여 행위를 자아의 존재로 거두어들이고, 지성을 감성으로부터, 시간을 공간으로부터 순화하는 의식의 운동을 생각했다.

그로 인해 피히테는 감성의 수동성으로부터 해방된 지적 직관을 생각하고, 구성의 고유한 방법을 위해 감성을 필요로 하지 않는 이성의 순수 활동을 지향한다. 그는 칸트처럼 생산적 상상력에 의한 순수 직관의 도식화를 감성과 지성의 매개로서 생각하는 것이 아니라 생산적 상상력이 대립한 것의 종합을 불러일으키면서 유한한 자아의 조작 그 자체에 의해 개념이 구성된다고 생각한다.

피히테는 대표작인 『전체 학문론의 기초』에서 칸트의 철학 체계를 다시 더듬어나가는 데서 시작하며, 다양한 변증법을 거쳐 순수 자아에서의 근원적인 반성, 그것보다도 더 나아가 상위의 철학적 반성에 이른다. 피히테에게 순수 자아란 사상될 수 있는 것 모두를 사상함으로써 자아를 한정하는 능동성을 말하며, 그 판단의 대상은 사상될 수 있는 대상이 된다. 이처럼 자아가 대상을 사상하는 것이 근원적인 반성으로부터 상위의 철학적 반성으로의 이행을 불러일으키며, 거기에 자유가 자기 발생·자기 생성한다. 또한 그 과정에서 개념이 구체화함으로써 직관도 지적으로 되고,

개념과 직관이 일치하게 된다. 이와 같은 활동 자신이야말로 순수 자아의 존재이다.

3. 대수 방정식론으로부터 갈루아 이론으로

라그랑주로부터 가우스, 아벨을 거쳐 갈루아로

J.–L. 라그랑주Joseph–Louis Lagrange(1736~1813) 이전에 4차 이하의 대수 방정식의 대수적인 일반해, 즉 가감승제와 거듭제곱근으로 표현되는 해의 공식은 발견되어 있었지만, 5차 이상의 대수 방정식에 대해서는 발견되어 있지 않았다. 라그랑주도 마찬가지로 5차 이상의 대수 방정식의 대수적인 일반해를 발견하는 데 성공하지 못했지만, 그는 4차 이하 방정식의 해법을 분석하고 왜 5차 이상의 방정식에서 그것이 잘되지 않는지를 생각했다. 그 결과 해의 교체에 의한 대칭성에 방정식 해법의 본질이 있다는 것을 알아냈다. 라그랑주의 대수 방정식 이론은 『방정식의 대수적 해법에 관한 성찰』(1770)이라는 저작에서 전개되고 있다.

이 저작의 첫 번째 프로세스에서는 주어진 대수 방정식에서 출발하여 그 해를 찾고자 하는 데 반해, 두 번째 프로세스에서는 주어진 해로부터 출발하여 그 해를 지니는 대수 방정식을 찾는다. 세 번째 프로세스에서는 해의 교체에 의한 대칭성을 탐구함으로써 대수 방정식의 대수적인 일반해가 구해지는 짜임새를 드러낸다. 즉, 첫 번째, 두 번째 프로세스에서는 대수 방정식이라는 대상이 다루어지는 데 반해, 세 번째 프로세스에서는 그것이 사상되고 해의 교체라는 조작에 의한 대칭성 자신을 주제화하는 방향으로 향하는 것이다.

대수 방정식의 대수적인 일반해가 찾아지는 가운데 n차 대수 방정식은 중복을 포함하여 n개의 해를 복소수 중에 지닌다는 것이 가우스에 의해 증명되었다. C. F. 가우스Carl Friedrich Gauss(1777~1855)는 저서 『산술 연구』(1801년)에서 수론과 대수학의 문제에 대해 기하학(작도에 기초하는 구성적인 기하학)으로 증명을 준다. 그리고 5차 이상의 대수 방정식은 대수적인 일반해를 지니지 않는다는 것이 가우스의 평방 잉여의 상호 법칙이나 자와 컴퍼스에 의한 작도 가능 문제와도 관계되는 원분 방정식론에서 발상을 얻으면서 아벨과 이어서 갈루아에 의해 증명되었다.

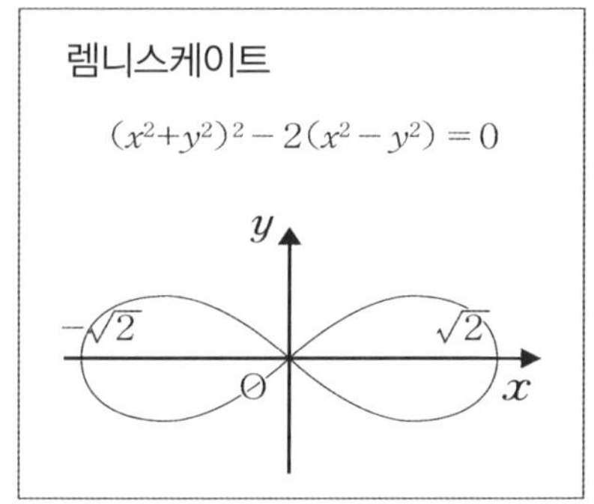

N. H. 아벨Niels Henrik Abel(1802~1829)은 가우스, C. G. J. 야코비Carl Gustav Jacob Jacobi(1804~1851)와 함께 19세기를 통해 수학적 발견의 커다란 원천이 되어가는 타원 함수론에서 큰 업적을 남긴 수학자이다. 타원 함수란 타원과 쌍곡선, 렘니스케이트(두 점으로부터의 거리의 곱이 일정한 곡선의 특별한 경우)의 호 길이의 계산에서 유래하는 타원 적분의 역함수이다. 아벨은 이 타원 함수를 대수 방정식론과 결부시키면서 5차 이상의 대수 방정식은 대수적인 일반해를 지니지 않는다는 것을 증명했다.

이어서 갈루아는 라그랑주에 의한 해의 교체에 의한 대칭성을 명확히 하면서 5차 이상의 대수 방정식이 대수적인 일반해를 지니지 않는다는 것을 증명했다. 갈루아는 해의 교체에 의해 변하지 않는, 오늘날 '체'라고 불리는 가감승제의 사칙 연산으로 닫힌 수의 체계를 드러냄으로써 대수 방정식의 대수적인 가해성에 관한 문제를 해결로 이끈다. 해의 교체에 의한 대칭성의 분해 방식과 원래 대수 방정식의 계수가 생성하는 수의 체계에 거듭제곱근을 첨가함으로써 산출되는 수의 체계와의 사이에 정확한 대응 관계가 있다는 것을 갈루아는 보여주었다. 교체의 조작 분해의 예와 그 조작에 의해 불변이 되는 거듭제곱근의 첨가에 의한 수의 체계 확대의 예 사이에는 포함 관계를 역으로 하여 정확한 대응 관계가 있는 것이다. 넷 이하의 것의 교체 조작은 어떤 단순한 규칙성을 지니고서 분해되지만, 다섯 이상의 교체 조작에는 그와 같은 분해는 존재하지 않는다. 그것을 가지고서 갈루아는 5차

이상의 대수 방정식에는 대수적인 일반해가 존재하지 않는다는 것을 보였다.

갈루아 이론이 성립하기까지의 방법적 변천

대수 방정식의 거듭제곱근을 사용한 일반해의 탐구에 관한 라그랑주 이전의 방법으로부터 라그랑주의 방법으로의 이행과 칸트 철학으로부터 피히테 철학으로의 이행 사이에는 일종의 유사성을 발견할 수 있다. 라그랑주도 피히테도 칸트처럼 대상 구성의 가능성을 경험의 가능성과 동일시하지 않는다. 라그랑주는 수학의 방법을, 피히테는 철학의 방법을 감성으로부터, 나아가 그것들을 대상으로부터도 해방하는 방향으로 향한다. 즉, 두 사람 모두 존재와 대상을 순수하게 지성에서 주제화할 뿐만 아니라 형식과 조작을 주제화하는 구조적 방법으로 향해 가는 것이다.

앞에서 기술한 가우스의 기하학적 직관에 의존하는 수학적 방법을 갈루아는 순수하게 대수학적인 것으로 전환하면서 대수 방정식의 가해성에 관한 문제를 푼다. 갈루아의 작업이 지니는 중요성은 대수 방정식의 가해성이 해의 교체의 대칭성 문제로 귀착되며, 대수 방정식 그 자체는 잊혀도 좋다는 것을 보여주었다는 점이다. 이 교체의 조작 그 자체는 수학적 대상으로서 주제화되며, 곱셈과 단위원에 대한 역원으로 닫힌 '군'으로서 파악되게 된다. 또한 가감승제의 사칙 연산을 만족시키는 수의 체계는 후에 데데킨트에 의해 '체'로 명명되게 되지만, 갈루아는 출발점이 되는 체(기초체)에 거듭제곱근을 첨가하여 확대된 체(확대체)를 구성하는 방법을 도입한다.

4. 갈루아 이론과 군론의 함수론과 기하학, 미분 방정식론으로의 확장

리만 면의 도입

19세기 중반까지 해석 함수론은 크게 발전했지만, 복소함수(복소수를 변수로 하는 함수로 일반적으로는 함숫값도 복소수)의 좋은 성질 '해석성'을 어떻게 정확히 정의할 것인가, 함수의 다가성을 어떻게 다루어야 하는가 하는 것 등은 커다란 문제였다. B. 리만Georg Friedrich Bemhard Riemann(1826~1866)은 학위 논문 「가변 복소함수 일반론의 기초」(1851년)에서 우선 복소평면(복소수를 실수의 축과 허수의 축으로 이루어진 2차원의 평면으로 파악하는 묘사)의 어느 방향에서 다가가더라도 같은 미분 계수를 취하는 복소함수를 해석 함수로 정의하고, 이와 같은 함수는 오늘날 코시-리만 방정식이라고 불리는 방정식을 만족시킨다는 것을 보였다.

이러한 해석성에 대한 조건 아래 리만은 다가의 복소함수를

타원곡선의 구성

변수 z의 대수 함수

$$R = \{(z,\ w) | w^2 = (z - a_1)(z - a_2)(z - a_3)\}$$

의 리만 면인 타원곡선을 구성하기 위해서는 두 개의 복소평면에 무한원점을 더하여 두 개의 구면을 만들고, 그것에 a_1과 무한원점 ∞, a_2와 a_3를 연결한 선으로 끊어진 곳을 넣고, 그것을 연속적으로 맞붙인다.

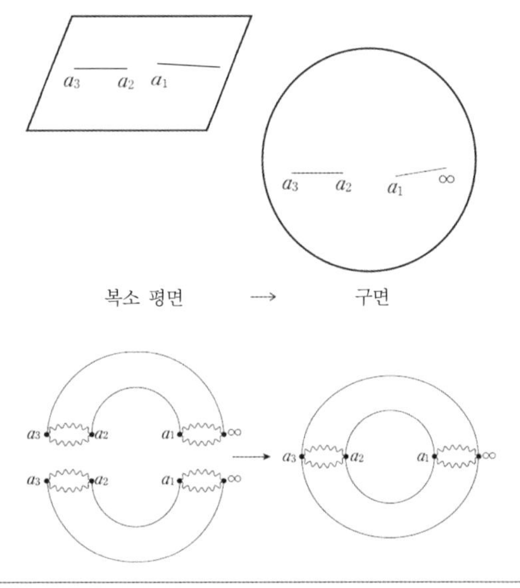

후에 리만 면이라고 불리는 기하학적 묘사를 사용하여 1가의 해석 함수로 하는 것을 생각한다. 리만 면에 대해 본질적인 것은 복소수에서의 다가 함수라는 것을 복소평면이 복수로 서로 겹쳐져

있는 것으로 해석하는 것이다. 복소평면에서의 변수 z를 점 a(통상적으로는 함숫값이 0이 되는 점)의 주위에서 연속적으로 회전이동시킬 때 같은 변숫값으로 돌아올 때마다 함수는 다른 값을 갖게 되는 경우, 변수 z가 한 번 회전할 때마다 다른 복소평면으로 옮아간다고 해석하는 것이다. 이와 같은 점 a를 분기점이라고 부르고, 모든 분기점의 주위에서 마찬가지 것을 생각한다. 이와 같은 해석을 기초로 하여 변수의 정의역이 있는 1차원 복소 공간과 함수의 치역이 있는 1차원 복소 공간으로 이루어진 2차원의 복소 공간, 즉 4차원의 실공간에 파묻힌 2차원의 실 곡면을 구성한다. 이와 같은 함수의 기하학적 묘사가 리만 면이며, 다가 함수는 1가의 함수로서 이해되게 된다.

이 리만 면 중에서 가장 단순한 것의 하나가 모든 분기점 주위에서 제곱근의 인자를 지니는 2가의 함수에 관한 것이다. 그중에서 제곱 인자를 포함하지 않는 1차 또는 2차 다항식의 제곱근을 취한 2가 함수의 리만 면은 구면이 된다. 또한 제곱 인자를 포함하지 않는 3차 또는 4차 다항식의 제곱근을 취한 함수의 리만 면을 타원 곡선이라고 부른다. 타원 곡선은 구멍이 하나(종수 1)인 토러스 면(도넛 모양의 표면)이 된다. 그리고 타원 적분은 이 타원 곡선, 즉 토러스 면에서의 경로에 따른 적분이 된다. 이 견해가 그때까지의 타원 적분의 파악 방식을 크게 변화시켜가게 된다.

그러나 K. 바이어슈트라스Karl Theodor Wilhelm Weierstraß(1815~1897)

와 같은 엄밀성을 수학의 기초에 놓고자 하는 수학자는 리만이 사용하는 '면'이라는 모호한 개념은 수학에서 사용해서는 안 된다고 생각한다. 그리고 그는 타원 적분의 역함수와 등가인 ℘(페) 함수로 불리는 무한급수를 사용하여 타원 적분의 이론을 전개해 간다. 그리고 후에 다양한 함수와 군론의 관계가 리만 면이라는 개념을 통해 분명하게 되어간다.

리만 면의 '면'이란 무엇인가? 가우스에 의한 복소평면과 3차원 실공간 내의 곡면 기하학에 대해서는 2차원 내지 3차원의 물리적 공간과의 유비 아래 감각 표상적으로 시각화할 수 있다. 그러나 겹겹이 서로 겹쳐진 복소평면 내지 4차원의 실공간(복소 2차원)에 파묻힌 2차원의 면으로서의 리만 면은 3차원의 실공간 속에서 엄밀한 의미에서는 시각화 불가능하다. 이와 같은 이유에서 리만 면의 '면'이라는 기하학적 대상을 수학적 대상으로서 기초 지을 필요성에 리만은 압박받게 된다. 그와 같은 맥락 속에서 리만은 곡면 기하학(삼각형의 각도의 합이 180도보다 커지는 기하학)이나 쌍곡 기하학(삼각형의 각도의 합이 180도보다 작아지는 기하학)과 같은 비유클리드 기하학을 일반화하는 미분 기하학을 구축하기 시작하는 「기하학의 기초를 이루는 가설에 대하여」(1854년)라는 제목의 교수 자격 취득 강연의 서두에서 공간 개념의 근거 짓기를 위해 현대의 집합과 위상으로 이어지는 '다양체' 개념(현대 수학의 다양체 개념과는 다르다)을 도입한다.

데데킨트에 의한 대수 함수론과 대수학의 추상화

대수 함수란 다항식 함수를 계수로 지니는 대수 방정식의 근으로서 정의할 수 있는 함수이며, 타원 함수도 그것에 포함되지만, 리만의 제자인 J. W. R. 데데킨트Julius Wilhelm Richard Dedekind(1831~1916)도 리만 면에 의한 대수 함수에의 접근에 만족하지 않았다. 한편 1870년대 무렵부터 갈루아 이론이 수학계에서 수용되기 시작한다. 데데킨트는 '체'라는 개념을 도입하면서 갈루아 이론에 대해 본질적인 사고방식, 즉 '체'란 유리수처럼 가감승제의 사칙 연산으로 닫힌 계이지만, 어떤 체(기초체)에 대해 그것 자신에 포함되지 않는 원元을 첨가함으로써 확대체를 생성할 수 있다는 사고방식을 표현했다. 그리고 이와 같은 체의 확대(갈루아 확대)에 대응하여 그것을 고정하는 군(갈루아 군)이 존재한다고 했다.

유리수와 정수의 개념이 확대되고 수의 집합이 구성되어 점차 커진다. 갈루아가 그 이론을 구축하는 가운데 도입했듯이 대수체(대수적 수)란 정수를 계수로 하는 대수 방정식의 해로서 나타낼 수 있는 복소수를 말하며, 그 대수 방정식의 가장 고차적인 계수가 1인 경우에 그것을 대수적 정수라고 말한다. 이것들은 각각 통상적인 유리수와 정수의 개념을 확대한 것이다. 데데킨트와 H. 베버Heinrich Martin Georg Friedrich Weber(1842~1913)는 그것을 더욱 확장하여 대수 함수체의 이론을 유리수체의 확대체인 대수체의 이론과의 유사성으로 이끌면서 구축했다. 이리하여 데데킨트는 대수 함수론을 대수적 수론으로 이끌면서 구축해 가는데, 그것을 통해 대수학은 임의적 대상의 집합에서 정의된 대수적인 구조의 과학으로 변용해간다. 함수의 집합이 생성하는 체계는 수의 집합이 생성하는 체계의 확장으로서 이해되게 된다. 어떻게 보면 대수 함수론 속에서 수 개념이 확대되었다고도 말할 수 있다. 그리고 이러한 것들이 커다란 동기가 되어 데데킨트는 실수의 근거 짓기, 자연수의 근거 짓기, 나아가 집합론의 구축으로 향해 가게 된다.

리만 면은 유비적인 의미에 지나지 않을지도 모르지만, 함수의 행태를 '눈으로 볼 수 있게' 했다. 리만에 이어서 바이어슈트라스가 해석적인 방법으로, 이어서 데데킨트가 대수적인 방법으로 리만 면을 재구성했다. 그에 의해 리만 면에 내재하는 구조가 드러나게 되었다. 여기서 구조란 함수적 대응 관계로 순화된 동형성에 의해서만 정의되는 것이다. 그리고 이 대응 관계를 드러나게 하는 것이야말로 수학적 상징과 대수학의 본질적 역할이다. 여기에는 칸트 철학으로부터 피히테 철학으로의 이행과 유사한 이행이 관찰된다. 또한 그것은 칸트 철학 내부에서의 '직시적 구성'으로부터 '기호적 구성'으로의 피히테 철학을 매개로 한 전환으로 이해할 수도 있다.

에를랑겐 프로그램과 리군의 탄생

F. 클라인Christian Felix Klein(1849~1925)은 그의 에를랑겐 프로그램

(1872년)에서 교환군 하에서의 불변량, 즉 군이 드러내는 대칭성이야말로 기하학의 기초에 놓여 있다고 주장하고, 그 견지에서 대수 방정식론을 정다면체의 대칭성과 결부시킨다. 예를 들어 4차 대수 방정식의 일반해는 거울상을 포함한 정사면체 내지 정육면체의 대칭성과 결부되어 있다. 또한 5차의 대수 방정식은 대수적인 일반해는 지니지 않지만, 그 해의 공식은 정이십면체의 대칭성과 결부되어 타원 적분에 의해 쓸 수 있다. 클라인은 그러한 연구들에 의해 갈루아군의 기하학적 의미를 드러나게 하고, 보형 변환(함수를 불변으로 하는 변수 변환)에 의한 리만 면을 구성하며, 그러한 가운데 쌍곡 기하학과의 결합을 분명히 한다. 한편 H. 푸앵카레Henri Poincaré(1854~1912)는 리만 면에 미분 방정식론과 갈루아 이론에 깊이 관계된 군론(모노드로미군)을 결부시키면서 미분 방정식론의 기하학적 묘사를 얻어간다.

S. 리Marius Sophus Lie(1842~1899)는 상미분 방정식이 풀리는 조건을 갈루아 이론과 유사한 방법을 사용하여 탐구하는 것을 1870년대에 자기의 과제로 삼았다. 리 자신은 이 시도에 성공하지 못했지만, 유한 차원 연속군의 개념을 낳았다. 리는 미분 방정식에서 나타나는 연속군에 관한 일반 이론으로부터 오늘날 리군으로 불리는 기하학적으로도 대단히 중요한 연속군을 만들어냈다. 그리고 이것이 대수 방정식의 대수적 해법과 미분 방정식 시스템의 일반적 적분의 탐구 사이에 완전한 유사가 있다는 것을 보여준 C. E. 피카르Charles-Émile Picard(1856~1941)와 E. 베시오Ernest Vessio(1865~

1952)의 작업에 길을 열었다.

그런데 클라인은 '길이'와 공간의 구부러짐의 크기를 보여주는 곡률을 일정하게 유지하는 변환군의 차이에 의해 기하학적 공간의 차이가 생긴다고 생각하고, 양의 곡률의 곡면 기하학과 음의 곡률의 쌍곡 기하학과 같은 비유클리드 기하학을 에를랑겐 프로그램 속에 포섭한다. 덧붙이자면, 곡률 0의 공간은 유클리드 기하학의 공간이다. 그에 반해 그는 위치에 의해 다른 곡률을 지니는 공간으로부터는 그와 같은 불변량은 추출될 수 없다고 하여 리만에 의해 도입된 미분 기하학을 중요한 것으로 인정하지 않았다. 그러나 미분 기하학은 물리학자 아인슈타인Albert Einstein(1879~1955)에 의해 1915년에 발견된 일반 상대성 이론이라는 물리적 시공의 묘사에 사용되었다. 나아가 수학자 H. 바일Hermann Weyl(1885~1955)과 E. 카르탄Élie Joseph Cartan(1869~1951)이 미분 기하학에 내재하는 리군에 의해 그 공간의 대칭성을 드러냈다. 이처럼 미분 기하학은 에를랑겐 프로그램의 변환군에 의한 기하학이라는 관점에 포섭되어간다.

5. 나가며

19세기 수학이란 무엇이었던가?

이 장에서는 군의 개념을 둘러싸고 수학에서의 추상화, 구조의 현재화에 대해 살펴보았다. 그러나 그와 같은 추상화는 일방적인 것이 아니라 언제나 수적 내지 기하학적 직관과 결부된 수학적으로 풍요로운 개념을 재구성해가는 계기를 함축한다. 즉, 수학에서의 추상화는 그런 의미에서 구체적 추상화인 것이다. 이 점을 다시 한번 되돌아보자.

19세기 중엽까지 가우스와 리만 등이 수론적이고 기하학적인 직관과 결부된 수학을 만들어내고, 타원 함수와 리만 면과 같은 개념이 모호한 점을 남기면서도 다양한 수학 개념을 낳는 풍요로운 토양으로서 존재하고 있었다. 한편 갈루아 이론은 19세기 초에 탄생한 것이지만, 오랫동안 파묻혀 있었다. 그와 같은 상황 속에서 19세기 중반이 지나면서 수학이 그 자율성을 얻기 위해 개념의 명확화와 증명의 엄밀화가 요구되고, 모호한 직관적인 것이 들어올 여지가 없는 공리화된 수학의 구축 시도가 시작되었다.

리만은 공간 개념을 위해 '다양체'라는 현대의 집합과 위상으로 이어지는 개념을 도입하고, 비유클리드 기하학을 일반화하여 내재적으로 구부러진다거나 일그러진다거나 하는 공간을 다루는 미분 기하학을 구축하기 시작했다. 또한 점차로 데데킨트 등이 갈루아 이론의 중요성도 깨닫기 시작하고, 새로운 대수적 개념이 생겨나기 시작한다. 그와 같은 상황에서 바이어슈트라스와 데데킨트에 의한 수학적 증명의 엄밀화와 해석학의 대수학화·산술화라는 흐름이 생겨난다. 데데킨트는 하나하나의 함수를 생각하는 것이 아니라 덧셈과 곱셈과 같은 대수 연산에 의해 닫힌 집합을 생각했다. 즉, 대수 함수의 집합에 체와 환, 아이디얼과 같은 대수 구조를 집어넣고, 대수 함수체와 대수 함수환 등의 개념을 정의한 것이다. 그와 같은 것이 데데킨트 등에 의해 집합론이 산출되어가는 동기가 되었다. 한편 G. 칸토어Georg Cantor(1845~1918)는 삼각 함수의 무한급수 연구에서 유래하는 해석적인 수법을 취하여 무한 집합에 관해 깊은 통찰을 주는 데 성공했다.

그와 같은 맥락에서 G. 프레게Gottlob Frege(1848~1925)는 기호 논리학을 만들어내고 수학을 논리학으로 환원하고자 한다. 프레게가 1879년에 도입한 '개념 표기법'은 논리학 위에 산술을 근거 짓는 것으로 향하며, 추론의 연쇄에서 모든 직관적인 것을 배제하기 위한 것이었다. 또한 D. 힐베르트David Hilbert(1862~1943)는 1899년에 출판한 『기하학의 기초』에서 기하학의 무모순성이 산술의 무모순성으로 귀착될 수 있다는 것을 보인 후, 수학의 근거 짓기를 산술의 무모순성의 증명에 놓고 계 안의 모든 참된 명제를 공리계로부터 유한한 단계로 형식적으로 증명하는 것을 목표로 하는 형식주의를 내걸었다.

이러한 추상적 형식화의 작업들은 확실히 눈부신 것이었지만, 동시에 가우스나 리만 등이 만들어낸 수적 직관과 기하학적 직관에 의거한 수학 개념의 중요성이 잊혀서는 안 된다. 수학 개념이 엄밀하게 되면 될수록, 개념이 지니는 일종의 풍요로움은 빈약해지는 일도 일어난다. 그로 인해 푸앵카레처럼 수학의 엄격한 형식화와 공리화로 기울어지는 것에 대해 경종을 울리는 수학자도 나타났다. 실제로 수학의 다양한 영역에서 개념의 복잡한 뒤얽힘과 간섭으로부터 언제나 새로운 개념이 태어난다는 것이 실제의 수학이다. 19세기의 수학 그리고 논리학과 같은 형식 과학의 혁명은 이와 같은 상황 속에서 20세기로 인도되어간 것이다.

☞ 좀 더 자세히 알기 위한 참고 문헌

— 가나모리 오사무金森修 편, 『에피스테몰로지エピステモロジー』, 慶應義塾大学出版会, 2013년. 제2장의 하라다 마사키原田雅樹 저, 「뷔유맹에게서의 '대수학의 철학'」에서 이 장에서도 거론한 철학자 쥘 뷔유맹의 저작을 소개·해설하고 있다. 이 책에는 이밖에 카바이에스와 그랑제 등, 프랑스 에피스테몰로지의 대표적인 철학자가 수학과 철학에 대해 어떠한 형태로 사유를 전개했는지에 관한 저작이 여럿 포함되어 있다.

— 시모무라 도라타로下村寅太郎, 『과학사의 철학科学史の哲学(시모무라 도라타로 저작집 I. 수리철학·과학사의 철학下村寅太郎著作集 I. 數理哲学·科学史の哲学)』, みすず書房, 1988년. 저자는 교토학파에 속한 철학자로 수학과 과학을 주제로 하여 변증법을 구축했다. 이 책에서는 수학사, 자연 과학의 역사와 철학사의 진전이 지니는 관계, 특히 근대 수학에 관해서는 미분기하학 및 군론과 철학적 관념론의 관계에 관한 저자의 사유가 전개되고 있다.

— 앙리 푸앵카레Henri Poincaré, 『과학과 방법科学と方法』, 요시다 요이치吉田洋一 옮김, 岩波文庫, 1953년. 20세기의 과학 철학, 프랑스 에피스테몰로지에도 커다란 영향을 준 프랑스인 수학자 푸앵카레가 수학과 자연 과학에 관한 사상을 서술한 저작. 19세기 말부터 20세기 초의 수학 상황을 잘 알 수 있으며, 동시에 산술에 관해서는 직관주의, 기하학에 관해서는 규약주의라는 저자의 철학적 입장도 잘 이해할 수 있다.

— 가토 후미하루加藤文元, 『이야기 수학의 역사物語數学の歴史』, 中公新書, 2009년. 고대 바빌로니아·이집트·그리스로부터 20세기의 수학자 그로텐디크Alexander Grothendieck(1928~2014)에 이르는 수학사를 개관하는 책이지만,

수학자인 저자의 수학에 대한 사고방식이 잘 나타나 있다. 갈루아 이론과 리만 면과 같은 19세기에 만들어진 수학 이론이 어떻게 '구조'를 기초에 놓고서 공간 개념을 재구축한 20세기의 수학에 영향을 주었는지 잘 알 수 있다.

— 이언 해킹Ian Hacking, 『수학은 왜 철학의 문제가 되는가?數学はなぜ哲学の問題になるのか』, 가네코 히로시金子洋之 · 오니시 다쿠로大西琢朗 옮김, 森北出版, 2017년. 저자는 영미 분석 철학과 프랑스 에피스테몰로지, 특히 미셸 푸코 쌍방으로부터의 영향을 받은 철학자. 저자는 이른바 분석 철학 계열의 수학 철학과 실제의 수학과의 사이에는 커다란 거리가 있다고 생각하고, 다양한 스타일의 수학을 기술하면서 새로운 수학 철학의 가능성을 찾고 있다.

칼럼 4

19세기 러시아와 동고의 감성

다니 스미谷 壽美

서유럽권에서는 언제나 변경 취급받아온 러시아, 18세기부터의 그 역사는 서유럽에의 지향과 대치를 빼고서 성립하는 것이 아니었다. 모방으로 시작하여 사상 도입으로 서로의 차이를 알고, 흡수 동화와 비판에 흔들리면서 독자적인 사상들이 형성되어갔다. 표트르 대제의 유럽화 정책보다 거의 한 세기 반이 늦은 일본의 개국도 어쩔 수 없었던 것이긴 하지만, 서유럽 문명 이입 이후와 관련해서는 러시아와 다르면서 유사한 면도 있다.

러시아에서는 서유럽으로 파견되어 공부하고 귀국한 청년들 가운데 예를 들어 라디셰프Aleksandr Nikolayevich Radishchev(1749~1802)는 계몽사상에 눈뜬 입장에서 조국의 농노의 참상을 바라보며, 충심에서 나오는 동정을 지니고 그 사회적 부정을 규탄하는 글을 썼다. 즉각 유형에 처해져 목숨을 끊지만, 그로부터 사반세기 후에는 데카브리스트라고 불린 청년 장교들이 역시 농노제의 폐기와 정치적 변혁을 요구하며 봉기했다. 시베리아로 보내진 자가 121명. 뒤를 따라 유형지로 가서 근처에 살게 된 데카브리스트의 아내들로부터 페트라셰프스키 사건에 연좌하여 쇠고랑을 차고 옴스크에 도착한 28세의 도스토옙스키Fyodor Mikhaylovich Dostoyevsky(1821~1881)는 성서를 받아든다. 5년에 걸친 유형 생활 속에서 그 한 권의 책이 작가에게 어떠한 의미를 지니는지는 말할 필요도 없다.

학대받는 사람들에 다가가는 감성이 작가의 출발점이었다. 그것은 러시아 인텔리겐치아에 공통된 감성이기도 하며, 19세기 후반에는 민중의 비참을 변혁하는 것은 안으로부터라는 나로드니키가 활동을 개시했다. 운동은 분열하여 테러리즘으로 이행하고 1881년의 황제 암살에 이르지만, 이때 암살자의 사형에 대해 용서하자고 말한 이가 철학자 솔로비요프Vladimir Sergeyevich Solovyov(1853~1900)이다. 도스토옙스키의 장례식 후 곧바로 이어진 강연회에서 황제는 그리스도의 가르침을 체현하여 용서할 수 있다고 말하고, 시베리아행을 경고하고 있다. 러시아는 그 후 동란의 시기를 달려나가고, 큰 전쟁과 함께 시대는 지옥의 양상을 드러냈지만, 여기서는 한 가지 점만 지적하고자 한다.

결국 혁명기의 배척으로 끝난 결말이 어떠하든, 본래의 변혁 의지는 타자의 고통을 함께하는 감성에서 시작했다고 말할 수 있다. 서유럽 정신은 자유와 자율의 계몽 사회를 말하고, 공감의 중요성도 충분히 이해하고 전해왔다. 그러나 타자의 고통을 내 일처럼 느끼고 곧바로 실천에 나서는 사람들이 과연 계속해서 세대를 이어갔는가? 자비와 무아를 불교로부터 가르침 받아온 일본도 그러하다. 적어도 메이지 시기 이후 서유럽을 접하여 구축된 철학 분야에서 타자를 생각하고 타자를 우선하는 사상이 분출했는가? 개인의, 나만의 깨달음 따위는 전혀 문제가 되지 않는다고 솔로비요프는 말한다. '모두가 고통받고 멸망해가는 가운데 자기 한 사람만이 행복을 향유할 수 있는 것인가?' 법화경 정신에서 같은 말을 한 미야자와 겐지宮澤賢治처럼 그리스도교 정신에서 서유럽 철학을 비판하고 모두가 하나인 세계를 지향한 러시아의 철학자도 감성의 계승에서 혼자라도 혼자가 아니다.

아메리카 합중국의 발전

----- 주 경계 흰 선 매수 또는 획득의 경계

① 유니언-센트럴-패시픽 철도(1869)

② 서던-패시픽 철도(1883)

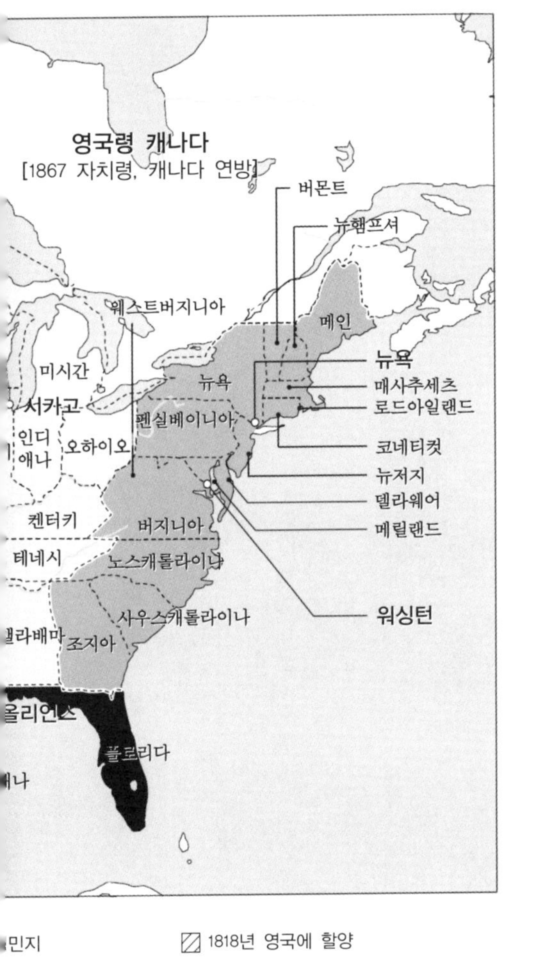
영국령 캐나다
[1867 자치령, 캐나다 연방]
버몬트
뉴햄프셔
웨스트버지니아
메인
미시간
뉴욕
뉴욕
매사추세츠
서카고
로드아일랜드
펜실베이니아
인디
애나
오하이오
코네티컷
뉴저지
델라웨어
켄터키
버지니아
메릴랜드
테네시
노스캐롤라이나
사우스캐롤라이나
워싱턴
앨라배마
조지아
올리언스
플로리다
애나
민지
1818년 영국에 할양
년 파리 조약에 의해
으로부터 획득
1803년 프랑스로부터 매수
1819년 스페인으로부터 매수
년 독립/45년 병합
아메리카-멕시코 전쟁으로
획득

제7장

'신세계'라는 자기의식

오가와 히토시小川仁志

1. 프래그머티즘이란 무엇인가?

신세계 아메리카에서 탄생한 철학

새로운 세계에는 새로운 사상이 생겨난다. 18세기, 아메리카라는 '신세계'가 탄생하고 거기서 새로운 사상 프래그머티즘이 자라났다. 또한 그것은 구세계인 유럽에 대한 새로운 자기의식의 싹틈이라고 해도 지나친 말이 아니다.

예전에 유럽도 신의 세계로부터 인간의 세계로 전환하는 근세 초에 새로운 세계에 어울리는 사상을 낳았다. 프랑스의 철학자 르네 데카르트로 상징되는 확실한 지식관이다. 탐구의 결과 인간은 확실한 지식에 이를 수 있다고 하는 주장이다. 어떤 의미에서 프래그머티즘은 그러한 데카르트에서 발단하는 유럽의 철학을 넘어서고자 하는 시도였다고 해도 좋을 것이다. 프래그머티즘의 커다란 특징 가운데 하나가 반데카르트주의라는 것도 결코 우연이 아니다.

그리고 실제로 20세기에 마침내 아메리카는 유럽을 넘어섰다. 겨우 이백몇십 년 전에 건국되었을 뿐인 나라가 아무것도 없는 곳에서 정치적 경제적으로 세계 제일의 나라가 될 수 있었던 것은 왜인가? 그것은 이 나라에 프래그머티즘이 탄생하고 격동하는 신세계 속에서 실천되어왔기 때문이라고 볼 수 있지 않을까?

그렇다, 프래그머티즘은 실천을 위한 철학 이외에 다른 것이 아니다. 물론 다른 철학과 마찬가지로 프래그머티즘에도 다양한 입장이 있으며, 일의적인 정의가 존재하는 것은 아니다. 그러나 프라그마라는 말이 그리스어의 '행위'와 '실천'이라는 의미의 단어에 기초하는 것인 한에서 이것이 무언가의 실천을 중시하는 철학이라는 것은 틀림없다.

따라서 '실용주의'라고 번역되기도 한다. 요컨대 실천함으로써 실용적으로 사용하는 철학인 것이다. 종래의 철학이 지식과 진리의 탐구를 목적으로 해온 것에 반해, 프래그머티즘은 오히려 문제 해결의 실천을 위해 기존의 지식과 진리를 수단으로 사용하고자 하는 영위라고도 말할 수 있다. 그런 점에서는 동기와 과정보다 결과를 중시하는 귀결주의이기도 하다.

아메리카는 바로 아무것도 없는 곳에서 계속해서 다양한 문제를 해결하고 결과를 내왔기 때문에, 프래그머티즘을 실천함으로써 성공했다고 하는 앞의 가설도 반드시 틀린 것은 아닌 것으로 생각된다.

프래그머티즘의 역사

학문의 세계에서 사상으로서의 프래그머티즘이 첫 울음소리를 터뜨린 때는 19세기 말이라고 해도 좋을 것이다. 그로부터 몇 개의 단계를 거쳐 프래그머티즘은 지금도 계속해서 발전하고 있다. 그 역사는 크게 셋으로 나눌 수 있다.

우선 19세기 말부터 20세기 초에 아메리카에서 구축된 이를테면 '고전적 프래그머티즘'이다. 찰스 샌더스 퍼스Charles Sanders Peirce(1839~1914), 윌리엄 제임스William James(1842~1910), 존 듀이John Dewey(1859~1952) 등이 그 중심인물로서 거론된다. 다음으로 20세기 후반에 아메리카를 중심으로 서양 세계에서 전개된 '네오프래그머티즘'이다. 이쪽은 윌러드 반 오만 콰인Willard Van Orman Quine(1908~2000), 리처드 로티Richard Rorty(1931~2007), 힐러리 퍼트넘Hilary Putnam(1926~2016) 등이 중심인물로서 제시된다.

나아가 21세기의 지금 '뉴프래그머티즘'이라고도 불러야 할 새로운 조류가 싹트고 있다. 여기서 누가 중심인물로서 거론될 수 있는지는 아직은 확실히 평가가 정해진 것은 아니지만, 예를 들어 체릴 미삭Cheryl Misak(1961~)과 로버트 브랜덤Robert Boyce Brandom(1950~) 등의 이름을 들 수 있을 것이다. 미삭은 이 사상의 바로 지금의 특징인 퍼스의 재평가를 추진하면서 프래그머티즘을 세계적으로 전개하고 있는 인물이며, 브랜덤은 로티의 직접적인 제자인 동시에 그의 비판적 계승자라고도 할 수 있는 인물이다. 그런 의미에서 그들은 새로운 단계를 상징하는 연구자라고 할 수 있다.

본래 프래그머티즘이라는 계속해서 진화하는 사상의 전모를 알기 위해서는 위에서 언급한 네오프래그머티즘과 21세기 지금의 조류에도 눈을 돌려야 할 것이다. 그러나 그것은 이 장의 취지에서 벗어나는 까닭에 그 점에 대해서는 마지막에 조금 전망하기로 하고 여기서는 프래그머티즘의 원형을 확립하고 신세계에 새로운 자기의식을 가져온 고전적 프래그머티스트들에 초점을 맞추어 그 개요를 소개하고자 한다. 실제로 그 후의 프래그머티즘의 논의는 이 고전적 프래그머티스트들의 사상을 둘러싸고 펼쳐지는 재평가의 공방이라고 해도 지나친 말이 아니다.

종래 구세계 철학과의 차이

퍼스, 제임스, 듀이와 같은 고전적 프래그머티스트들의 각각의 사상을 개관하기 전에 본래 프래그머티즘의 도대체 무엇이 구세계 유럽에서 자라난 종래의 철학과 다른 것인지 확인해두자. 여기서는 그 어떤 프래그머티즘에도 최대 공약수로서 해당할 수 있는 두 개의 커다란 차이에 주목한다. 첫 번째는 조금 전에 언급한 반데카르트주의이다. 또 하나는 사실과 가치의 구별을 부정한다는 점이다.

반데카르트주의가 데카르트의 철학으로 상징되는 확실한 지식관을 부정하는 것이라는 점은 이미 말한 대로이다. 요컨대 탐구의 결과 인간은 확실한 지식에 이를 수 있다고 하는 주장에 이의를 제기하는 것이다. 특히 퍼스의 경우 그 확실한 지식에 이르는 과정으로서 데카르트가 상정하는 것과 같은 과도한 회의, 즉 스스로의 신념을 전면적으로 백지 철회하는 것과 같은 것은 있을 수 없다고 단언한다.

듀이도 반데카르트주의에 선다고 말할 수 있지만, 그의 경우 데카르트로 대표되는 유럽의 철학이 인식하는 자를 단순한 방관자로서 자리매김하고 있는 점을 비판한다. 우리는 마치 세계를 밖으로부터 방관함으로써 지식을 얻는 것이 아니라 오히려 세계 속으로 들어감으로써 지식을 산출한다는 것이다.

그러면 또 하나의 특징인 사실과 가치의 구별을 부정한다는 것은 어떠한 것일까? 종래의 유럽 철학에서는 사실과 가치는 엄격히 구별되고 있었다. 이것은 사실을 진리로 치환하고 가치를 유용성으로 치환하면 잘 알 수 있을 것이다. 무엇이 올바른 것인가 하는 것과 그것이 도움이 되는가 아닌가는 다른 사항이었다.

그러나 프래그머티즘에 따르면 그렇지 않다. 예를 들어 제임스의 말을 빌리자면, 진리란 신념에서의 사실과의 대응이 아니라 어디까지나 행위를 이끄는 데 도움이 되는 도구이다. 요컨대 유용성의 유무야말로 진리를 결정하는 것이다. 이것은 듀이에게도 마찬가지이다. 그는 문제를 해결할 수 있는 앎이야말로 진리라고 하여 도구주의Instrumentalism를 주창하기에 이르렀다.

이와 같은 반데카르트주의와 사실과 가치의 구별을 부정한다는 두 가지 특징에서 떠오르는 것은 프래그머티즘이 올바름 그 자체보다 바로 올바름을 확인하는 방법을 더 중시하고 있다는 점이라고 할 수 있을 것이다. 그 방법론이 어떻게 발전하고 확립되어갔는가? 시계열적으로 뒤쫓아가 보자.

2. 퍼스

프래그머티즘의 아버지

이 장의 서두에서 프래그머티즘이 신세계에서 싹 튼 자기의식의 선물이라고 소개했다. 그 의식이 최초로 구체적인 형태로 되어 나타난 것은 19세기 후반의 뉴잉글랜드에서다. 당시의 아메리카에서는 구세계 유럽의 과학을 따라잡아 추월하고자 하는 기운이 강해져 있었다. 또한 동시에 사상 분야에서도 구세계를 상징하는 신학교 전통에 대항하는 새로운 사고방식이 추구되고 있었다.

그 중심을 짊어진 것이 하버드대학이다. 프래그머티즘의 아버지가 되는 찰스 퍼스는 거기서 과학과 철학을 공부하고 마침내 프래그머티즘의 원형이 되는 이론을 제창하게 된다. 물론 그것은 그 한 사람의 갑작스러운 착상으로 태어난 것이 아닐 것이다. 모든 사상이나 발명이 그렇듯이 거기에는 동시대에 절차탁마하는 연구자들의 교분이 영향을 미치고 있다. 프래그머티즘의 경우 메타피지컬 그룹이라는 독서회가 그 교분의 장이었다. 실제로 제임스도 이 독서회의 회원 가운데 한 사람이었다.

그러한 교분을 거쳐 퍼스는 우선 데카르트로 상징되는 구세계의 철학에 이의를 제기했다. 요컨대 데카르트가 주장하는 것과 같은 완전한 회의 따위는 불가능하다는 것이다. 말하자면 데카르트는 진리를 발견하기 위해 일단 모든 것을 완전히 의심해야 한다고 했다. 이에 따라 절대적인 확실성의 기초에 코기토를 정립했다. '나'를 의미하는 개념이다. 이리하여 토대가 이루어지면 후에는 그 위에 지식의 층을 겹쳐가면 된다고 말하려는 듯이 말이다.

그러나 퍼스는 본래 인간은 그와 같은 방식의 의심을 하지 않는다고 생각했다. 그러한 것이 아니라 진짜 회의란 오히려 인간이 어떤 종류의 신념을 지니고 그에 기초하여 행동하고자 할 때 생기는 문제의 제기가 아닐까 하는 것이다. 그리고 인간이 다양한 행동에 대한 욕구에 사로잡혀 계속해서 행동하는 생명체인 이상, 신념과 그에 대한 회의, 그에 의한 새로운 신념의 창출은 내내 되풀이된다.

그렇다면 모든 신념이 확실할 수 없는 까닭에 그에 기초하여 성립하는 진리라는 개념도 존재하지 않게 된다. 이 물음에 대답하기 위해 퍼스는 마침내 방법으로서의 프래그머티즘을 발표하기에 이르렀다.

프래그머틱한 준칙

여기서도 퍼스는 데카르트가 내세운 준칙을 비판한다. 데카르트는 명석 판명한 관념을 진리의 기준으로 하라는 준칙을 내걸었지만, 이것은 단순한 개인의 주관에 지나지 않는다는 것이다. 본래 진리의 기준이 되어야 할 명석 판명한 관념 그 자체가 이상하다는 것이다. 그 대신에 퍼스는 다음과 같은 '프래그머틱한 준칙'이라는 것을 제창한다.

> 우리가 지니는 개념의 대상은 무언가의 효과를 미친다고 우리가 생각하고 있다고 하고, 만약 그 효과가 행동에 대해서도 실제로 영향을 미칠 수 있다고 상정된다면, 그것은 어떠한 효과라고 생각되는지 확실히 음미하라. 이 음미에 의해 얻어지는 이러한 효과에 대해 우리가 지니는 개념이야말로 해당 대상에 대해 우리가 지니는 개념의 모든 것을 이룬다. (퍼스, 「우리의 관념을 명석하게 하는 방법」, 『프래그머티즘 고전 집성プラグマティズム古典集成』, 우에키 유타카植木豊 편역, 제7장, 182쪽)

핵심은 대상이 행동에 대해서도 영향을 미칠 때의 효과를 음미하라는 점이다. 퍼스에 따르면, 사고가 명석 판명하다는 것과 행동의 지침이 된다는 것은 밀접하게 결부되어 있다. 즉 우리의 사고 내용은 행동에 있어서의 유의미성이라는 관점에서 명석하게 되어야만 한다는 것이다. 예를 들어 어떤 물건이 '굳다'라는 것은 그것을 '세게 긁는' 행동에 즈음하여 '상처가 나지 않는다'라는 효과가 있다는 것을 의미한다.

이리하여 무엇이 정말로 명석한 관념인지를 분명히 한 다음, 퍼스는 그로부터 도출되는 진리의 내용으로 논의를 밀고 나간다. 그러면 퍼스에게 사고의 명석화에 어울리는 진리의 탐구 방법이란 어떠한 것일까?

여기서 퍼스가 제안하는 것이 과학적 탐구라는 방법이다. 그는 인간에게 과학이 가장 신뢰성이 높은 것이라고 믿고 있었다. 왜냐하면 과학은 귀납적 추론과 가설 형성적 추론, 나아가 연역적 추론이라는 복수의 추론에 의해 서로 보강함으로써 답을 도출하는 것이기 때문이다. 게다가 그것을 한 명의 인간의 이성에만 맡기는 것이 아니라 복수의 연구자가 공동으로 행하는 것이 보통이다. 과학의 세계라는 것은 연구자들의 동아리를 의미하듯이 말이다.

결국 퍼스에게 진리란 탐구 공동체라는 이념적인 조직에서 탐구의 무제한적인 계속 끝에 발견되는 수렴 지점으로서의 최종적 신념이라는 것이 된다. 요컨대 퍼스의 진리 개념 이미지는 가류적인 인간 신념의 확실함을 탐구자가 공동으로 높여가고, 그 끝에 발견되는 합의와 같은 것이었다고 말할 수 있을 것이다.

이리하여 구세계 유럽에서 마치 거기에 놓여 있는 것처럼 논의되어온 진리의 개념은 신세계 아메리카에서 말하자면 만들어지는 존재로 변해갔다. 그것은 이미 있는 세계 유럽으로부터 만들어지고 있는 세계 아메리카로의 주역의 교체를 알리는 사건이기도 했다.

3. 제임스

유용성으로서의 진리

퍼스가 세상에 내놓은 새로운 철학으로서의 프래그머티즘은 그가 과학을 신봉하고 있었던 측면도 있고) 비교적 좁은 영역에서밖에 활용되지 않는 사상이었다는 느낌이 부정될 수 없다. 만약 프래그머티즘이 그 최초의 형태대로 계승되었다면, 어쩌면 그 후의 커다란 발전도 없었을지 모른다.

그러나 역사는 그렇게 되지 않았다. 왜냐하면 이 프래그머티즘이 첫 울음소리를 터뜨린 이른 단계에 이미 대폭적인 재정의가 이루어졌기 때문이다. 프래그머티즘은 좀 더 수비 범위가 넓은 사상이어야 한다고 말이다. 그리고 그렇게 재정의된 프래그머티즘 쪽이 오히려 정통한 프래그머티즘인 것처럼 커다란 영향력을 지니게 되었다.

어떤 의미에서 그것은 그 재정의를 한 인물 쪽이 퍼스보다 영향력이 있었기 때문이다. 그가 바로 윌리엄 제임스이다. 그는 퍼스의 맹우이자 퍼스의 프래그머티즘을 세상에 보급하고자 노력했다. 다만 제임스 자신은 심리학과 종교학도 전공하고 있었던 까닭에, 프래그머티즘을 좀 더 인간 과학에 가까운 형태로 폭넓게 활용할 수 있는 것으로서 파악했다.

게다가 제임스가 하버드대학의 교수로서 당시 아메리카를 대표하는 철학의 제1인자가 되었던 것에 비해, 퍼스는 많든 적든 대학에서 강사를 맡은 적이 있는 정도였다. 따라서 당연히 일반 사람들은 바로 제임스가 말하는 프래그머티즘을 정당한 것으로서 받아들였다. 퍼스의 사상이 그 잠재성에도 불구하고 제임스나 듀이의 그것에 비해 중시되지 못했던 것은 분명 그러한 이유 때문이라고 말할 수 있을 것이다.

퍼스 자신도 이러한 상황을 받아들이지 못하고 후에 스스로의 프래그머티즘을 '프래그머티시즘Pragmaticism'이라고 부르게 된다. 제임스의 재정의 아래 인구에 회자한 프래그머티즘과 구별하고자 한 것이다. 제임스의 주장이 퍼스와 크게 달랐던 것은 조금 전에도 지적했듯이 신념을 문제로 하는 영역을 반드시 과학적 탐구에 한정하고자 하지 않는 점이다. 이것은 퍼스의 견지에서 보면, 프래그머티즘의 존재 이유를 부정하는 것으로 이어질 수도 있는 확대 해석이었다. 왜냐하면 본래 퍼스가 프래그머티즘을 주창한 것은 종래의 철학과 달리 과학과 같은 명석함을 탐구할 필요성을 느끼고 있었기 때문이다.

하지만 제임스는 무언가를 믿고자 하는 마음의 움직임은 특별히 과학에 한정된 것이 아니라고 생각했다. 그로부터 제임스는 그의 철학자로서의 최초의 저서인 『믿고자 하는 의지』에서 인간에게는 분야를 가리지 않고 '믿는 권리'가 있다고 주장하기에 이른다. 설사 그 믿는 대상이 어떤 것이든 말이다. 그러면 그 대상을 진리라고 부른다고 할 때, 도대체 그것에 어떠한 의미가 있는 것일까?

제임스의 말을 빌리자면, 그것은 뒤에 의미를 지니게 된다. 요컨대 신념은 처음부터 진리라고 알려지지 않더라도 좋은 것이다. 그러한 것이 아니라 실제 운용 과정에서 나중에 그 유용성의 유무를 확인함으로써 진리라고 확인될 수 있다는 것이다. 이리하여 제임스는 다음과 같이 신념이 진리라는 것은 그것이 유용하기 때문이라고 결론짓는다.

> 그때 여러분은 그 진리에 대해 '그것은 진리이기 때문에 유용하다'라고도 말할 수 있으며, 또한 '그것은 유용하기 때문에 진리이다'라고도 말할 수 있다. 이러한 두 표현은 정확히 같은 것을, 즉 이것이야말로 충족되고 진리화될 수 있는 관념이라는 것을 의미한다. (W. 제임스, 『프래그머티즘プラグマティズム』, 마스다 게이자부로桝田啓三郎 옮김, 岩波文庫, 203쪽)

물론 이러한 제임스의 진리관에 대해서는 많은 비판이 제시되었다. 왜냐하면 제임스에 따르면, 진리와 유용성을 같은 차원에서 파악하게 되지만, 그것은 다름 아니라 사실과 가치를 혼동하는 것이기 때문이다.

이에 대해 제임스는 본래 종래의 철학이 전제로 하는 사실과 가치의 엄격한 구별 자체에 문제가 있다는 반론을 전개했다. 요컨대 종래의 철학은 사실과 가치를 엄격히 구별하고 그 이항 대립을 바탕으로 다양한 생각의 대립에 대해 논의해왔지만, 결국 결론이 나오지 않는다고 한다. 따라서 오히려 거기에는 이성을 넘어선 기질적인 대립이 존재하는 데 지나지 않는다는 것이다.

순수 경험

그렇다면 이미 사실과 가치의 구별은 절대적인 것이 아니게 된다. 다시 말하면 인간은 무언가의 사실을 파악하여 그에 대해 가치를 부여해가는 존재가 아니게 되는 것이다. 보통 우리는 이 영위를 경험이라 부르지만, 그런 의미에서의 경험도 없어지게 될 것이다. 오히려 경험이란 개별적인 질質의 감수感受에 지나지 않는 것이다. 따라서 제임스는 『근본적 경험론』 등의 저서에서 그 경험의 개념을 '순수 경험'이라는 새로운 이름으로 불렀다.

말하자면 경험 그 자체를 의식하는 것에 앞서 그것만으로 존재하는 경험이다. 우리가 경험하는 세계는 본래는 그러한 순수 경험으로 이루어져 있다. 거기에는 사실과 가치의 구별도 없을 뿐만 아니라 주관과 객관의 구별도 없다.

달리 표현하자면, 순수 경험이란 세계의 모든 것을 구성하는 유일한 소재라고도 말할 수 있다. 예를 들어 무언가를 안다는 경험을 예로 취하자면, 순수 경험은 그 경험에 의해 무언가를 아는 측의 의식으로 될 수도 있고, 반대로 알려지는 측의 내용으로 될 수도 있는 것이다. 사실 양자는 같은 사태의 두 가지 항과 같은 것에 지나지 않는다.

덧붙이자면, 이 순수 경험 개념은 일본을 대표하는 철학자 니시다 기타로西田幾多郎(1870~1945)에게도 커다란 시사를 주며, 당시 일찌감치 그의 주저인 『선의 연구』에서 논의되었다. 신세계의 자기의식의 영향은 정치와 경제 분야뿐만 아니라 사상 면에서도 이미 일본에 미치기 시작했다고 말할 수 있을 것이다.

그런데 그러한 새로운 개념인 순수 경험은 그것이 무수히 모여 경험의 범위라고도 해야 할 전체를 형성한다고 한다. 각각의 순수 경험이 보여주는 변화의 총체라고 표현할 수도 있을 것이다. 따라서 그것은 언제나 변화하고 흐르고 있다. 경험들이 서로 연결된다거나 접합한다거나 하면서 말이다.

요컨대 우리가 평상시 경험하는 것은 세계의 일부에 지나지 않는다. 이로부터 제임스는 다원론을 주장하기에 이른다. 우리의 경험이 부분에 지나지 않는다면, 세계 전체를 일원론적으로 통일된 것으로서 그리는 것은 도저히 불가능하기 때문이다. 경험들이 다양하게 연결되고 접속함으로써 만들어내는 세계. 제임스는 스스로 만들어낸 그러한 세계관을 '다원적 우주론'이라고 명명했다.

이리하여 프래그머티즘은 바로 다원적으로 전개되고 이론으로서는 모든 것이 가능한 것과 같은 형태가 되었다. 따라서 20세기의 프래그머티즘은 이러한 제임스가 제기한 테제들을 둘러싸고서 논의하는 장이 된다.

4. 듀이

프래그머티즘의 실천

이미 살펴보았듯이 퍼스가 프래그머티즘이라는 이름을 발견하고, 제임스가 그 가능성을 최대한 넓혔다고 말할 수 있다. 다만 그 가능성은 어디까지나 논리상의 것이었다. 행위와 실천이라는 말에서 유래하는 프래그머티즘이 참된 의미에서 완성을 보기 위해서는 아무래도 그것을 실천하는 것이 요구되고 있었다. 그렇게 해서야 비로소 프래그머티즘은 살아 있는 철학이 될 수 있기 때문이다.

그 주역이 다름 아닌 바로 존 듀이였다. 그는 프래그머티즘을 실천함으로써 동시에 그 철학의 완성자가 되기도 했다. 듀이와 프래그머티즘의 만남은 학생 시절로 거슬러 올라간다. 그는 학생 시절 퍼스의 논리학 강의에 출석했다. 그 영향도 있어 듀이는 퍼스의 탐구 논리를 발전시킬 것을 시도한다.

듀이는 퍼스의 반데카르트주의를 이어받아 종래의 철학이 인식하는 자를 단순한 방관자로서 자리매김해왔다는 점에 이의를 제기했다. 그것은 듀이가 일본에 체재했을 때의 강연을 바탕으로 한 저작 『철학의 개조』에 상세하게 기록되어 있는 대로이다. 우리는 마치 방관자처럼 사태를 밖으로부터 인식함으로써 지식을 얻는 것이 아니라 오히려 세계 속으로 들어감으로써 지식을 낳는다는 것이다.

예를 들어 무언가의 문제에 직면했을 때, 우리는 스스로 탐구를 통해 그 상황을 타개하고자 할 것이다. 그렇게 해서 신념을 형성해 갈 것이다. 이러한 전제 아래 듀이는 어떻게 해서 사람은 신념을 형성할 수 있는지, 그 이론을 확립해나간다. 그때 듀이는 퍼스와 마찬가지로 신념이 객관적으로 신뢰할 수 있는 것이 되어 비로소 확고히 된다고 생각했다. 그리하여 과학적 탐구에 의해 추론하기 위한 방법을 제안한 것이다.

구체적으로 듀이가 탐구의 발걸음으로서 『사고의 방법』과 『논리학 — 탐구의 이론』 등의 저작에서 제기한 것은 ① 불확정한 상황, ② 문제의 설정, ③ 가설의 형성, ④ 추론, ⑤ 가설의 테스트라는 다섯 개의 단계이다. 즉 자신의 몸 주위에 무언가 변화가 일어나고, 그에 대해 어떻게 해야 좋은지 알지 못할 때, 우리는 그것이 문제 상황이라는 것을 인식할 것이다. 그리하여 그 문제 상황을 어떻게 처리해야 하는지 문제 해결의 단면을 설정하게 된다. 그런 다음 관찰에 의해 해결책의 예측을 행한다. 말하자면 가설을 형성하는 것이다. 그 뒤에는 그 가설을 연역적인 추론으로 수정하고 실제로 테스트하면 된다.

목적한 대로 이 테스트에 성공하면, 본디의 상황은 불확정이 아니라 확정적인 것이 된다. 다시 말하면 이 경우 가설이 '보증된 것'이 되는 것이다. 따라서 듀이는 이 상태를 '보증된 언명 가능성 warranted assertibility'의 획득이라고 부른다. 굳이 신념이라고 부르지 않는 것은 주관적인 심리 상태를 가리키는 것으로 들릴 수도 있기 때문이다.

다만 듀이에 따르면 그러한 보증된 언명 가능성은 어디까지 가더라도 절대적인 것이 될 수 없다. 왜냐하면 이러한 탐구들은 언어에 의해 이루어지는 것인 한에서, 거기에는 불가피하게 사회적 관습적인 요소가 반영되는바, 영원히 불변의 것이라고는 할 수 없기 때문이다.

따라서 우리는 탐구의 결과를 공동체의 토의에 부쳐서 그 평가를 검증해나가지 않으면 안 된다. 이리하여 듀이의 프래그머티즘은 교육 그리고 그 끝에 놓여 있는 민주주의에의 적용으로 향해 간다. 여기에는 분명히 제임스가 전개한 프래그머티즘의 영향이 보인다고 할 수 있을 것이다. 제임스는 프래그머티즘의 적용 영역을 폭넓게 인간 과학 일반으로 확대한 인물이었기 때문이다.

문제 해결

듀이는 좀 더 적극적으로 프래그머티즘을 사회에서의 도덕적 판단과 정치적 판단으로 들여오고자 했다. 실제로 이러한 판단들도 실험을 통해 검증하는 것이 가능하다고 생각했기 때문이다. 듀이에게는 그러한 탐구의 자세야말로 다름 아닌 민주주의라고 불리는 것의 내실이었다.

이를 위해 먼저 학교 교육에 프래그머티즘을 적용할 수 있도록 시카고대학에 실험적인 소학교를 개설한다. 그는 여기서 학교에서 배우는 지식 자체에 의미가 있는 것이 아니라 배운 것을 사회에서 유용하게 쓰는 것이야말로 중요하다고 생각했다. 그렇다면 배우는 내용 자체가 좀 더 실사회에서 요구되는 것에 가까이 다가갈 필요가 있다. 그 결과 요리와 재봉, 목공 등도 적극적으로 과목에 받아들이게 되었다.

또한 교육의 방법과 관련해서도 단지 이야기를 들을 뿐인 수동적인 것으로부터 스스로 작업하고 생각하게 하는 능동적인 것으로 변해갔다. 듀이가 '문제 해결형' 교육의 선구자로 생각되는 까닭이다. 이를 위해 교사를 향해 같은 방향으로 나란히 배열된 작은 청강용 책상을 폐지하고 아이들이 서로를 향해 앉을 수 있는 커다란 작업대를 도입했다. 이에 의해 작업도 하기 쉽게 되고 서로 이야기를 나눌 수 있기 때문이다. 이리하여 교육은 민주주의에 대해 불가결한 과정이 되어간다.

> 민주적 사회는 외적 권위에 기초한 원리를 부인하기 때문에, 그것을 대신하는 것을 자발적인 성향과 관심 속에서 발견해야만 한다. 그것은 교육에 의해서만 만들어낼 수 있다. (듀이, 『민주주의와 교육 상民主主義と教育 上』, 마쓰오 야스오松野安男 옮김, 岩波文庫, 142쪽)

이리하여 듀이는 학교를 '소형 공동체, 맹아적인 사회'로 파악하고, 민주주의를 기르는 장으로서 자리매김했다. 그는 이를테면 교육을 통해 민주주의를 재구축하고자 기도하고 있었다. 따라서 사회의 문제에 대해서도 어디까지나 공중the public에 의한 민주적인 해결에 기대를 걸었다. 그 기대는 가치관이 다양화하는 가운데 더 나아갈 수 없게 된 사회를 타개하는 비장의 카드로서 지금도 계속해서 높아지고 있다고 할 수 있을 것이다.

실제로 지식을 도구로 파악하는 듀이의 도구주의는 바로 그것 자체가 문제 해결을 위한 도구로 이용되고, 사회 과제와 비즈니스에서의 과제 해결에 적용하는 시도까지 나오고 있다. 아메리카가 혁신의 나라인 것과 듀이의 프래그머티즘 사이에는 깊은 관계가 있다고 생각하지 않을 수 없다.

5. 계속해서 진화하는 프래그머티즘

네오프래그머티즘

이상과 같이 '신세계'라는 자기의식을 명확화하는 것에 공헌한 사상, 프래그머티즘의 개요에 대해서는 어느 정도 이해할 수 있었을 것으로 생각한다. 그러나 이 장의 처음 부분에서 약간 언급했듯이 프래그머티즘의 진화는 그 후에도 멈추는 일 없이 계속되고 있다.

구체적으로는 20세기 후반에 융성하게 된 '네오프래그머티즘'의 조류와 나아가 21세기의 '뉴프래그머티즘'의 조류이다. 본래 아메리카에서는 20세기 초에 프래그머티즘이 정점에 이르자마자 이번에는 유럽에서 들어온 논리실증주의라는 사상이 그것을 삼켜 버리는 듯한 형태로 퍼져간다.

논리실증주의에 관해 여기서 자세하게 쓸 여유는 없지만, 한마디로 말하자면 언어에 관한 논리 분석을 중시하는 동시에 경험에서 실제로 관찰되고 검증된 것만을 유효한 인식으로 파악하는 입장이다. 네오프래그머티즘은 이 논리실증주의에 대항하는 형태로 전개해갔다고 말할 수 있을 것이다.

실제로 중심인물로 여겨지는 콰인, 로티, 퍼트넘 모두 어떤 형태로든 논리실증주의와의 관계를 지닌다. 논리실증주의와 프래그머티즘의 가장 큰 차이는 전자가 진리에 가치적인 것을 포함하려고 하지 않는다는 점이다. 그러나 제임스의 프래그머티즘에서 보았듯이 그러한 사실과 가치의 이분법이야말로 프래그머티즘에서는 받아들이기 어려운 전제이다. 특히 로티와 퍼트넘의 주장에서는 그 점이 강하게 드러난다.

이리하여 로티는 객관적 진리란 사람들이 연대라는 형태로 공유할 수 있는 신념에 지나지 않는다고 하여 '객관성이란 연대의 별명이다'라는 테제를 내걸기에 이른다. 다른 한편 퍼트넘 역시 몇 차례의 사상적 변천을 거친 후, 사실과 이론과 가치 판단의 3자는 서로 결부되어 있다고 하여 과학주의를 부정하고 자연적 실재론이라는 입장을 내세우기에 이른다.

이리하여 그들은 '신세계'에서 싹튼 자기의식을 논리실증주의로부터 지킴과 동시에 더 나아가 정교한 것으로 만들어나갔다고 할 수 있을 것이다. 21세기의 지금도 프래그머티즘이 살아 있는 사상으로서 연구되고 계속해서 진화하고 있는 것은 네오프래그머티즘에 의한 프래그머티즘의 정교화 과정의 선물이라고 말할 수 있다.

뉴프래그머티즘

다른 한편 최근의 '뉴프래그머티즘'의 조류 역시 그 정교화 과정의 연장선상에 놓여 있다고 말할 수 있을 것이다. 덧붙이자면 이 명칭은 2007년에 옥스퍼드대학 출판국에서 출판된 『새로운 프래그머티스트*New Pragmatists*』라는 논문집에서 유래한다. 그 편집을 맡은 미삭은 바로 로티 등의 네오프래그머티즘을 도마 위에 올리고 그것을 비판적으로 검토할 것을 선언했다. 이때 주목해야 할 것은 그것이 퍼스, 제임스, 듀이와 같은 고전적인 프래그머티스트를 재평가하고자 하는 관점을 지니고 있다는 점이다.

21세기는 위기의 시대이다. 테러, 경제 격차, 금융 위기, 환경 문제, 팬데믹 등등. 초대국 아메리카조차 그 위기의 한가운데 있다. 그때 우리는 사태를 어떻게 파악하고 어떻게 설명하며 나아가서는 그것들을 토대로 어떻게 행동에 나서야 할 것인가 하는 것으로 내몰린다. 프래그머티즘은 그러한 위기에서야말로 힘을 발휘한다. 앞에서 언급한 미삭은 그 점을 날카롭게 지적하고 있다.

> 프래그머티즘의 핵심이 되는 사상은 인간이 처하는 어려운 상황에 관한 것이다. 우리는 자신의 인식론적인 규범과 기준을 포함한 실천과 개념을 설명해야만 하며, 바로 그것들의 실천과 개념, 규범, 기준을 사용해야만 한다. 이것이야말로 프래그머티스트의 책무이며, 지금까지 살펴본 대로 프래그머티즘의 전통 속에는 이 책무를 완수하고자 하는 다양한 방법이 있다. (체릴 미삭, 『프래그머티즘의 걸음걸이 하권プラグマティズムの歩き方 下巻』, 가토 다카후미加藤隆文 옮김, 勁草書房, 224쪽)

정말이지 실천으로서의 철학인 프래그머티즘은 우리를 구하기 위한 책무를 수행하고자 하고 있다. 이때 특히 아메리카에서는 위기에 빠질 때마다 건국의 정신으로 되돌아가는 것과 마찬가지로 아메리카를 뒷받침해온 정신적 지주인 프래그머티즘 역시 위기에 빠질 때마다 고전적 프래그머티즘으로 되돌아가고자 하는 것인지도 모른다. '신세계'라는 자기의식은 지금이야말로 다시 바라볼 필요가 있다고 할 수 있을 것이다.

☞ 좀 더 자세히 알기 위한 참고 문헌

— 이토 구니타케伊藤邦武, 『프래그머티즘 입문プラグマティズム入門』, ちくま新書, 2016년. 역사적 변천을 의식하면서 프래그머티즘이라는 사상 전체를 망라하여 해설한 가장 좋은 입문서. 네오프래그머티즘과 뉴프래그머티즘에 관해서도 상세하게 소개하고 있다.

— 가가 히로오加賀裕郎·다카토 나오키高頭直樹·아타라시 시게유키新茂之 편, 『프래그머티즘을 공부하는 사람을 위하여プラグマティズムを学ぶ人のために』, 世界思想社, 2017년. 각각의 인물 소개만이 아니라 현대적 주제에 따라 프래그머티즘의 전개를 논의하고 있는 입문서. 문헌 안내도 붙어 있으며 정보가 풍부하다.

— 체릴 미삭Cheryl Misak, 『프래그머티즘의 걸음걸이 상·하プラグマティズムの歩き方 上·下』, 가토 다카후미加藤隆文 옮김, 勁草書房, 2019년. 뉴프래그머티즘을 견인하는 저자에 의한 체계적인 프래그머티즘을 해설한 책. 21세기의 관점에서 프래그머티즘을 이해하기에는 가장 적합한 책이다.

—『현대사상 특집. 지금 왜 프래그머티즘인가現代思想特集いまなぜプラグマティズムか』 7월호, 青土社, 2015년. 어느 정도 고차적이긴 하지만, 프래그머티즘의 현대적 의의를 잘 이해할 수 있는 논고가 모여 있다. 조금 어려운 내용에 도전하고자 하는 사람들에게 추천한다.

제8장

스피리추얼리즘의 변천

미야케 다케시三宅岳史

1. 스피리추얼리즘의 역사적 배경

프랑스 혁명이 남긴 것

프랑스 혁명은 신분제와 봉건제라는 구체제ancien régime의 타도, 종교에 의한 정신적 지배로부터의 해방을 내걸고서 자유와 평등과 같은 빛을 가져왔지만, 그에 못지않게 깊은 어둠을 초래했다. 특히 심각했던 것은 이성에 기초해야 할 혁명이 공포 정치와 독재를 이끌고, 프랑스에 평화와 안정보다 살육과 동란을 가져왔다는 점이다.

그 후 프랑스는 전통적 가치를 지키는 세력(왕당파와 가톨릭 교권파)과 혁명의 성과를 계승하는 세력(공화파와 반교권파)이라는 '두 개의 프랑스의 싸움'으로 분열되며, 그 분열로 거의 1세기 동안 계속해서 고통받게 된다. 프랑스 혁명이 남긴 사회의 불안정화에 어떻게 마주할 것인가 하는 문제가 19세기 프랑스 철학의 대전제가 된다. 이 장에서 다루는 스피리추얼리즘도 예외가 아니며, 그 변천에는 이 문제가 언제나 가로놓여 있다.

'스피리추얼리즘'이라는 말을 둘러싸고

그런데 스피리추얼리즘spiritualisme이라는 말에는 '이즘'(…isme/영어로는 …ism)이라는 어미가 붙어 있으며, 이것은 '~주의'와 '~론'이라는 사상적 입장을 제시한다. 이 말은 '유심론'으로 번역되기도 하는데, 그 경우에는 '실재하는 것은 정신뿐'(정신일원론)이라는 의미가 된다. 확실히 이 입장은 정신을 물질로 환원하는 것에는 반대하지만, 거기에는 정신과 함께 물질 등도 실재로서 인정하는 입장(이원론이나 다원론)도 포함되므로, 최근에는 '스피리추얼리즘'이라는 표기가 적용되는 경우가 많아졌다.

이처럼 철학과 사상의 역사에는 '~주의', '~론'이라는 말이 자주 등장한다. 여기서 주의해야만 하는 것은 이것들은 자신의 생각이나 주장을 보여주기 위해 사용되는 일도 있지만, 많은 경우 상대를 비판하기 위해 사용되기도 한다는 점이다. 또한 후세에 '~주의'라는 말이 과거의 역사에 대해 회고적으로 적용되는 일도 있으며,

자주 이 말은 철학자 본인의 의도를 넘어서서(의도에 반하여) 유포되는 일도 있다(좀 더 상세한 것은 가와구치川口, 「19세기 프랑스 철학의 조류一九世紀フランス哲学の潮流」를 참조).

여기서 다루는 스피리추얼리즘도 그러한 경향을 다분히 지니고 있다. 철학사에서 스피리추얼리즘이라고 하면, 멘 드 비랑Marie-François-Pierre Maine de Biran(1766~1824)으로부터 베르그송Henri-Louis Bergson(1859~1941)을 포함한 19세기부터 20세기까지의 프랑스의 사상적 계보로 정리되어왔다. 그러나 이것은 편의적인 정리일 뿐이며, 그 시대에 따라 또는 입장과 맥락에 따라 '스피리추얼리즘'이라는 말은 상당히 다른 의미 내용으로 사용되어왔다. 근간의 연구에 따르면, 거기에서는 확고한 사상의 단선적 발전보다는 다양한 움직임이 인정되며, 그것들의 분지와 단절, 병렬적 발전, 때로는 후세로부터의 견강부회와(나) 다른 사상적 운동과의 교차점이 지적되고 있다. 이 장에서 스피리추얼리즘의 '변천'으로서 소개하고자 하는 것도 이러한 사상적 풍부함이다(그와 같은 맥락을 토대로 한 연구로서 스기야마 나오키杉山直樹, 『베르그송. 청진하는 경험론ベルクソン. 聴診する経験論』, 創文社, 2006년 등이 있다).

과학과 종교의 틈새에서

다양한 움직임을 포함한 집합체인 스피리추얼리즘은 그런 까닭에 명확하게 정의하기가 어렵긴 하지만, 여기서는 그 대략적인 입장을 파악하고자 한다. 19세기의 프랑스가 크게 둘로 분열한 것은 조금 전에 살펴본 대로이지만, 이 점은 철학과 사상에도 영향을 주었다. 한편에는 전통을 지키는 세력이 있으며, 메스트르 Joseph de Maistre(1753~1821), 보날Louis Gabriel de Bonald(1754~1840), 라므네Hugues-Félicité-Robert de Lamennais(1782~1854) 등의 전통주의자들은 사회 통합의 원리를 신과 성스러운 것에서 찾았다. 거기서는 전통적 가치를 유지하면서도 현실에 맞추어 가톨릭과 전통적 사회를 개혁하고자 하는 사상적 운동이 전개된다.

다른 한편 생시몽Saint-Simon, Claude Henri de Rouvroy(1760~1825)과 콩트Auguste Comte(1798~1857)는 이성에 기초한 사회 통합을 목표로 하는데, 그들이 기치로 내건 것은 과학과 기술이었다. 콩트가 사회학을 구상한 것은 바로 사회에 질서와 진보를 주기 위해서이며, 이 흐름은 르낭Joseph-Ernest Renan(1823~1892)과 텐느Hippolyte-Adolphe Taine(1828~1893) 등의 과학주의로 계승되어간다.

스피리추얼리즘은 종교와 과학 사이에서 대립하는 두 개의 프랑스 가운데 어디에도 편들지 않고서 양자의 융화를 도모하는 입장이다. 거기에서는 과학에 기초하면서 과학으로는 해명할 수 없는 정신과 생명 차원을 해명한다는 기본적 경향이 보인다. 특히 실증 과학과의 관계에서는 심리학이나 생물학과의 관계가 중요한 것이 될 것이다. 그러나 당시 생물학이라는 말은 이제 막 등장했을 뿐이며, 심리학은 아직 과학으로서 성립하지 않았다. 과학으로서의 심리학의 형성 과정과 스피리추얼리즘의 변천에도 대립과 상호 침투가 존재한다.

칸트 철학과의 거리

그러나 과학과 종교 사이라는 것은 너무나 대략적인 자리매김이라고밖에 말할 수 없을 것이다. 실제로 19세기 프랑스에는 스피리추얼리즘과 유사한 입장에 있지만, 스피리추얼리즘과는 구별되는 사상적 조류가 존재한다. 예를 들어 르누비에Charles-Bernard Renouvier(1815~1903), 아믈랭Octave Hamelin(1856~1907) 등의 신비판주의와 라슐리에Jules Lachelier(1832~1918), 라뇨Jules Lagneau(1851~1894) 등의 반성 철학 등이 그것들이다.

이러한 유파들과 스피리추얼리즘의 차이는 칸트 철학을 보조선으로 그으면 이해하기 쉽다. 칸트는 순수 이성의 이율배반 등의 논의에 의해 과학적 지식이 성립하는 것은 현상뿐인바, 그 배후에 있는 사물 자체를 논의하는 형이상학과 실재론의 가능성을 부정했다. 신비판주의와 반성 철학은 칸트의 인식론적 틀에 따르고 있으며, 르누비에와 브룅슈빅Léon Brunschvicg(1869~1944)은 현상에 머물러 사물 자체로 거슬러 올라가는 것을 피한다.

일반적으로 스피리추얼리즘은 이와 같은 칸트의 귀결을 회피하여 실재(특히 정신과 생명)에 관한 형이상학의 성립을 지향하고자 한다. 과학에서는 다 해명할 수 없는 정신과 생명 차원의 탐구라는 주제가 여기에 겹쳐진다. 이러한 스피리추얼리즘의 관심은 독일 관념론과 겹쳐지는 점이 있으며, 실제로 일부 영향을 받았다. 그러나 스피리추얼리즘은 독일 관념론과는 또 다른 길을 통해 칸트의 극복을 꾀하고자 한다.

2. 멘 드 비랑

관념학(이데올로지)과 생물학의 영향

멘 드 비랑은 혁명기로부터 제정기를 거쳐 왕정복고의 혼란 시대에 지방과 나라의 의원 등을 맡았다. 이러한 일들 짬짬이 비랑은 철학적 사유를 계속하고, 그것들은 현상 논문과 일기, 서간 등의 형태로 남아 있다. 생전에 출판한 저작은 『습관론』(1802년) 등 소수로 한정되며, 현상 논문의 간행을 권유받아도 많은 원고는 미완인 채로 출간에는 이르지 못했다.

그의 시대에는 콩디야Étienne Bonnot de Condillac(1715~1780)의 철학이 융성했고, 그의 방법론은 라부아지에Antoine Laurent de Lavoisier(1743~1794)의 화학과 라마르크의 동물학 등 당시의 과학에 널리 사용되고 있었다. 그것은 인간이 태어나면서부터 지니는 생득적인 관념을 부정하고, 로크의 경험론을 더욱 철저하게 하여 인간의 능력마저 감각이라는 단순한 경험으로부터 발생시켜 설명하는 것이었다.

콩디야의 뒤에는 데스튀트 드 트라시Antoine-Louis-Claude, Comte Destutt de Tracy(1754~1836)와 카바니스Pierre Jean Georges Cabanis(1757~1808)가 이어지는데, 트라시는 이 방법론을 관념학Idéolgie이라고 명명한다. 관념학의 내용은 심리학과도 겹치는 점이 많지만 거기에 머물지 않으며, 모든 것을 감각 경험으로 분해하고 감각 경험으로부터 모든 것을 구성하는 방법론적 기반을 제공하여 모든 학문의 통일을 도모하는 야심을 지니고 있었다.

비랑은 스스로의 철학 형성 과정에서 이 관념학의 영향을 받는 동시에 생물학과 의학의 식견도 받아들였다. 당시 바르테즈와 비샤Marie-François-Xavier Bichat(1771~1802)는 물리화학으로 환원되지 않는 생명의 독자성을 실증적으로 연구하고, 생기론에 기초한 생물학을 새로운 학문으로서 확립했다. 이것들을 참조하면서 카바니스는 인간의 사고를 생물학 측면에서 분석하고 생리학적 관념학을 전개했다.

자아의 의지와 신체의 저항

일반적으로 비랑의 철학은 세 개의 시기로 나누어진다. 관념학의 영향이 강하게 남는 『습관론』까지의 전기, 비랑 독자적인 철학이 확립되는 중기 ― 『사유의 분해』, 『직접적 통각』 등의 논문이 있고, 『심리학의 기초』의 집필이 중단되는 1812년경까지 ―, 『인간학 신론』 등의 종교적 요소가 강해지는 후기이다. 중기는 특히

'비라니즘biranisme'으로 불린다.

전기에 비랑은 관념학의 영향 안에 있지만, 이미 『습관론』에서는 그의 독자적인 견해가 나타난다. 그는 인간의 경험을 수동적인 감각과 능동적인 운동이 관여하는 지각으로 구별한다. 이 구별은 일본에서도 '들리다聞く'와 '듣다聽く'(귀 기울여 듣다)의 다름에서 인정될 것이다. 시끄럽다고 느낀 거리의 소음에 익숙해지는 등, 감각은 반복으로 좀 더 약해지는 경향이 있는 한편, 같은 작곡가의 비슷한 곡을 귀 기울여 듣는 가운데 곡명을 구별할 수 있게 되는 등, 지각은 반복에 따라 명석함이 강해지는 경향이 있다.

인간을 밖으로부터 관찰하는 데 머무르는 관념학은 비랑이 주목하는 인간의 능동성과 의지의 활동을 해명할 수 없다. 비랑은 능동적인 의지를 자아의 내적 사실의 관찰에 관련짓게 되며, 그의 독자적인 철학(비라니즘)이 형성되게 된다.

비랑에 따르면 수동적인 감각과 능동적인 의지는 구별되어야만 하며, 전자로부터 후자를 발생하게 할 수 없다. 외적인 감각 기관을 통하지 않고서 의지적으로 운동하는 나의 존재를 느낄 수 있으며, 비랑은 이것을 '내밀감sens intime'이라고 명명했는데, 거기에서는 반드시 나의 신체(고유 신체)가 의지에 저항하는 것으로서 나타난다. 나의 의지가 신체를 움직이고자 할 때, 그 노력 속에서는 나의 의지와 신체의 저항이 구별되지만 분리될 수 없다. 비랑은 이것을 '원초적 사실'이라고 부르고 경험의 기본적인 형식으로 간주한다.

심리학에서 형이상학으로

이와 같은 의식의 사실 속에서 나의 의식은 원인, 나의 신체는 결과로 여겨진다. 흄이 논의하는 것과 같은 외적인 사실 속에서는 인과 관계가 관찰되지 않는다고 하더라도, 비랑은 내적인 사실에서는 산출 원인으로서의 나를 인정하는 것이다. 비랑은 그와 마찬가지로 내가 근원적 사실 속에서는 다양한 것에 대해 '동일'한 것으로서 나타난다는 것을 제시한다. 그는 이리하여 의식의 사실에 관한 반성으로부터 '원인', '실체', '동일', '시간', '공간' 등과 같은 원리적 개념들의 형성을 논의한다. 비랑은 친우인 앙페르와 칸트 철학에 대해 논의하고 있는데, 그의 칸트 지식은 단편적이었던 듯하지만, 이미 여기에서는 칸트의 논의를 회피하면서 자연과 유기체, 정신의 실재에 다가가고자 하는 형이상학의 형성을 볼 수 있을 것이다.

후기에 이르면 비랑은 생물학적인 유기적 삶과 심리학적인 인간적 삶의 구별 위에 더 나아가 종교적인 정신적 삶을 더한다. 자아의 능동성을 중심으로 한 심리학 위에 인간학이 놓이며, 의지하는 나로부터 파생되는 실체로서의 혼이 신앙의 대상으로서 탐구된다. 여기서 의지하는 나는 신의 관점에서 보면 유한하고 신의 은총에 대해 수동적인 존재로서 나타난다.

비랑은 생전에 거의 저작을 출간하지 않은 점도 있어, 그의 영향은 사후에 조용히 퍼져 나간다. 스피리추얼리즘만이 아니라 현상학과 반성 철학에서도 그는 후세의 철학자에 의해 여러 번 돌아보고 다시금 재조명하는 참조점이 되는 것이다.

심리학과 생물학을 토대로 하여 정신의 독자성을 강조하는 스피리추얼리즘적인 주제는 비랑에서도 볼 수 있지만, 그는 '스피리추얼리즘'이라는 말을 사용하지 않았다. 스피리추얼리즘의 시조 비랑이라는 자리매김은 후세의 빅토르 쿠쟁Victor Cousin(1792~1867) 이후에 의한 것이다(비랑에 대해서는 무라마쓰 마사타카村松正隆, 『'나타남'과 그 질서'現われ'とその秩序』, 東信堂, 2007년을 참조).

3. 쿠쟁

왕정복고와 7월 왕정 — 프랑스의 입헌 왕정

빅토르 쿠쟁은 혼란이 그치지 않는 시대였던 왕정복고와 7월 왕정의 시대에 철학자 및 정치가로서 활약한다. 나폴레옹의 퇴장에 따라 왕정이 부활했지만, 그것은 예전의 절대 왕정이 아니라 입헌 왕정이었다. 여기서 더 나아가 혁명 이전의 구체제로 돌아가고자 하는 강경 왕당파(울트라)와 혁명의 이념을 계승하는 공화파가 격렬하게 대립했다. 쿠쟁은 그 대립의 중간에서 입헌 왕정을 뒷받침하고, 철학자로서는 두 개의 프랑스를 융화하는 사상 — 에클렉티즘ecclectisme, 후에 스피리추얼리즘— 을 제시하며, 정치가로서는 교육의 비종교성Laïcité을 추진하는 입장을 취한다.

출발점으로서의 심리학

쿠쟁은 자신의 철학을 심리학에서 출발하여 존재론과 철학사에 이르는 것으로서 묘사한다. 출발점으로 생각되는 심리학은 철학자이자 정치가인 르와예-콜라르Pierre Paul Royer-Collard(1763~ 1845)가 프랑스에 도입한 스코틀랜드학파, 특히 토머스 리드Thomas Reid (1710~1796)를 토대로 한 것이었다. 리드는 근세 철학의 전제를 이루는 관념의 이론을 비판한다. 관념의 이론에 따르면, 직접적으로 인식할 수 있는 것은 외적 사물이 아니라 외적 사물을 의식으로 매개하는 관념뿐이다. 그러나 외계의 실재성과 자아의 동일성 등의 상식은 이성이 정상적으로 활동하기 위한 전제 조건이며, 상식에서 분리된 이성은 이 조건을 결여하는 까닭에 흄의 회의론 등의 파괴적 귀결을 초래한다.

쿠쟁에게서는 이러한 상식학파의 논의와 원초적 사실의 관찰로부터 원인, 실체, 동일과 같은 원리적 개념들을 도출하는 비랑의 철학이 서로 포개진다. 쿠쟁의 후계자 가운데 한 사람인 주프르와Théodore Simon Jouffroy(1796~1842)는 이러한 내관의 심리학을 자연과학과 마찬가지의 엄밀한 과학으로서 자리매김하고 있다.

쿠쟁학파의 심리학은 당시 융성하고 있던 실증주의로부터 격렬하게 비판되었다. 콩트는 심리학 자체를 과학적이지 않다고 여겨 실증주의 속에 자리매김하지 않으며, 대뇌에 심리적 기능을 두는 브루세François-Joseph-Victor Broussais(1772~1838)의 생리학을 중시한다. 브루세는 갈Franz Joseph Gall(1758~1828)의 골상학의 영향을 받아 정신이 뇌의 여러 기능으로 환원된다고 하여 쿠쟁을 비판했다. 쿠쟁학파로부터는 주프르와와 가르니에Adolphe Garnier(1801~1864)가 정신은 전체적으로 기능하고 뇌로 환원되지 않는다고 반론한다. 정신의 독자성과 뇌를 둘러싼 논쟁은 후에 베르그송을 거쳐 현대에도 계속해서 중요한 철학적 문제이다.

비인칭적인 이성의 자발성

그런데 쿠쟁은 심리학과 존재론을 중개하는 것은 의식 속에 놓여 있는 이성적 사실이라고 논의한다. 여기서는 비랑과 달리 이 이성이 개인적인 이성이 아니라고 생각된다. 개인에 앞서 모든 인간에게 공유되는 비개인적(비인칭적)인 이성 그 자체의 '자발성spontanéité'이 작용하고 있으며, 개인의 반성적 이성은 그 후에 오는 것이다.

이 자발성은 쿠쟁 철학의 중요 개념이며, 이것이야말로 이성적 사실로부터 실체와 인과의 보편적인 법칙을 도출하는 것이다. 또한 이성적 사실 속에서 유용성(과학과 산업), 정의(국가), 미(예술), 완전성(종교)이라는 관념이 발견되며, 그것이 역사 속에서

확인된다. 철학도 역사 속에서 형성되며, 감각주의·관념론·회의주의·신비주의라는 네 가지 유형의 연쇄가 세계 역사의 곳곳에서 발견된다. 쿠쟁은 『철학적 단편』(1826년)에서 이러한 대립들을 조정하는 사상을 에클렉티즘(절충주의)으로 자리매김하고 자기 철학의 기치로 내세운다. 또한 쿠쟁의 영향에 의해 철학사와 번역이 프랑스의 전통에 뿌리내리게 된다(르프랭, 『19세기 프랑스 철학十九世紀フランス哲学』을 참조).

이처럼 이성이 동적으로 역사 속에서 전개된다는 발상에는 특히 헤겔 철학의 영향이 놓여 있다고 할 수 있을 것이다—쿠쟁의 생애에 대해서는 지면을 할애할 여유가 없지만, 독일을 여행할 때 그는 헤겔과 만나며, 서신 교환을 계속한다. 다만 쿠쟁은 사실로서의 심리학에서 출발한다는 점에서 존재론에서 시작하는 독일 관념론과 자기 철학의 차이를 보고 있다. 이성적 사실에 의한 심리학과 존재론의 접속으로 칸트가 알 수 없다고 한 사물 자체(실재)의 파악이 가능해진다. 칸트의 철학은 반성적 이성에 뿌리박고 있지만, 그 이전에 존재하는 비개인적 이성의 동적인 자발성을 보지 못하고 있으며, 이것이 실재의 파악을 가능하게 한다고 쿠쟁은 생각한다.

교육의 비종교적 정책의 추진과 강단 철학의 형성

7월 왕정기에 쿠쟁은 정치가로서 수많은 중요한 제도를 시행한다. 프랑스는 현재도 고교에 철학 과목이 존재하는 드문 나라이지만, 이것은 쿠쟁에 의한 것이다. 또한 19세기 프랑스에서는 교육의 주도권을 둘러싸고서 가톨릭 세력과 공화파가 격렬하게 투쟁했는데, 쿠쟁은 공립 초등학교를 모든 행정 단위에 설치하는 '기조법'(1833년)의 제정에 힘썼다.

나아가 그는 사범학교 — 1847년에 고등사범학교Ecole normale supérieure로 개칭 — 제도를 개혁한다. 문학과 과학에 교수 자격시험Agragation이 시행되는데, 이것은 일시적인 중단을 제외하고는 현재까지 존속하고 있다. 이것도 비종교적인 교육 정책의 일환임과 동시에, 쿠쟁은 이 시험의 위원장을 맡아 강력한 인사권을 휘두르며, 그 후에도 고등사범학교는 쿠쟁학파 강단 철학의 아성이 되어 간다. 예를 들어 실증주의 인맥은 오랫동안 아카데미즘에서 배제되어 있었는데, 이 점도 양파가 대립하는 한 요인이 되었다.

그런데 격렬한 변동의 19세기 프랑스에서는 쿠쟁의 권세도 영속하지 못했다. 1848년 2월의 혁명에서 제2공화정이 성립한 데에 이어서 그보다 4년 후에 제2제정이 성립했지만, 제정에 대한 충성의 선서를 요구받은 쿠쟁의 제자들은 이것을 거부하고 망명하는 자도 많으며, 쿠쟁은 은퇴를 강요받는다(사실상의 해임). 그리고 쿠쟁학파의 퇴조에 따라 그 기치였던 에클렉티즘 대신에 스피리추얼리즘이 사용되기 시작한다.

4. 라베송

전환기로서의 제2공화정 및 제2제정—대두하는 물질주의

제2제정의 성립은 쿠쟁학파의 몰락을 초래했다. 그뿐만 아니라 나폴레옹 3세의 제정을 승인한 인류교人類教의 콩트와 과학주의로 향하는 리트레Emile Littré(1801~1881)를 비롯한 콩트의 제자들은 서로 갈라서서 실증주의의 내부 분열도 불러온다. 이처럼 제2제정 및 그 원인이 된 1848년의 혁명은 하나의 전환점이 되는데, 이것은 프랑스뿐만 아니라 유럽에서도 마찬가지였다.

독일에서는 이미 1830년대에 독일 관념론과 자연 철학, 낭만주의가 서서히 쇠퇴하고, 포크트Carl Christoph Vogt(1817~1895), 몰레쇼트Jacob Moleschott(1822~1893), 뷔히너Ludwig Büchner(1824~1899)의 유물론적 자연 과학과 1848년의 맑스 『공산당 선언』으로 상징되듯이 유물론이 대두한다. 또한 다윈 『종의 기원』(1859년)의 진화론은 자연 과학뿐만 아니라 그리스도교 세계관을 크게 뒤흔들었다.

제2제정에서는 산업 혁명이 프랑스에서 비약적으로 진전되고, 철도망의 정비와 도시 정비, 만국 박람회의 개최 등 물질적 번영이 사람들을 매료시키며, 산업이 사회 질서를 뒷받침해간다. 그에 따라 생시몽 교회와 콩트의 인류교 등 19세기 전반의 새로운 종교 운동은 사그라져간다.

이 결과, 실증주의와 과학주의는 세력을 확대한다. 스피리추얼리즘도 이와 같은 정세 속에서 그 변천을 계속하게 된다. 쿠쟁 때는 교육 정책 등을 둘러싸고 가톨릭과 스피리추얼리즘은 강한 긴장 관계에 놓여 있었다. 그러나 이 시기에 이르면 가톨릭과의 긴장 관계는 배경으로 물러나든가 다른 성질의 것이 되며, 실증주의나 유물론과의 긴장이 강해진다. 덧붙이자면, 19세기 후반은 국민 국가의 의식이 강해지는 시기이기도 하며, '프랑스 스피리추얼리즘'이라고 나라 이름을 붙인 용법도 이 무렵부터 늘어난다.

스피리추얼리즘의 세대교체?

펠릭스 라베송Jean-Gaspard-Félix Lacher Ravaisson-Mollien(1813~1900)은 명문 귀족 가계로, 정신과학·정치 과학 아카데미의 현상 논문을 22세 때에 수상하며, 그것을 바탕으로 2년 후에는 『아리스토텔레스 형이상학 시론』 제1권(1837년)을 출판했다. 그 전해에는 23세에 교수 자격시험을 수석으로 통과하고, 25세에 박사 논문 『습관론』(1838년)을 제출했다.

그의 재능에 쿠쟁도 주목했지만, 양자는 뜻이 맞지 않아 결별하며, 라베송은 교수직에 나가지 않고서 도서관 총감독관 등의 행정직으로 나아간다. 제2제정 성립으로 쿠쟁학파가 쇠퇴했을 때, 이번에는 비-쿠쟁파의 라베송이 교수 자격의 심사와 같은 강력한 인사권과 영향력을 행사할 수 있는 입장이 된다. 그러한 그가 만국 박람회의 보고 『19세기 프랑스 철학』(1868년. 일역에 대해서는 이 장 말미의 참고 문헌을 참조)에서 자신의 스피리추얼리즘과 구별하여 쿠쟁을 '어중간한 스피리추얼리즘'으로 비난하고, 나아가 '스피리추얼리즘적인 실재론 내지 실증주의'라는 새로운 세대의 도래를 예견한다. 당파적 내용을 포함하는 이러한 비난을 액면 그대로 받아들일 수는 없지만, 주위에는 세대교체의 인상을 주는 사건이 된다. 쿠쟁과 라베송의 사상이 실제로 얼마만큼이나 다른지는 좀 더 고찰해야 할 문제일 것이다.

습관과 비반성적 자발성

라베송이 연구의 출발점으로 삼은 아리스토텔레스의 형이상학은 그에게 계속해서 중요했다. 그가 거기서 중시하는 것은 신으로부터 인간을 거쳐 동물, 물질로 하강하는 가장 높은 자리로부터 가장 낮은 자리에 이르는 존재의 연쇄라는 관점이며, 또한 실체는 공허한 관념이나 무규정적인 질료가 아니라 살아 있는 개체 속에서 작용하는 활동이라고 하는 관점이다. 다만 이러한 아리스토텔레스 이해에는 라이프니츠의 철학(연속의 원리와 역동론)이 서로 겹쳐져 있다.

『습관론』에서는 멘 드 비랑의 논의가 이러한 아리스토텔레스 및 라이프니츠의 존재론에 접속된다. 비랑의 습관이 능동성(지각)과 수동성(감각)의 이원성을 지니고 있었던 데 반해, 라베송은 이것을 일원적으로 이해한다. 능동성을 강화하고 수동성을 약화하는 것은 별개의 원리가 아니다. 그는 습관의 근저에서 의지나 인격에서 벗어나 유기 조직의 수동성 속으로 점차 침투하는 '비반성적 자발성'이 작용하고 있다는 것을 본다. 이러한 수동적인 동시에 능동적인 자발성은 자연으로 침입·정착하고, 광물의 결정과 단순한 유기체로부터 좀 더 복잡한 유기체를 거쳐 진선미와 신의 은총에 이르는 동적인 동시에 목적론적인 전개로 파악된다.

여기서는 자발성이 심리학으로부터 존재론에 이르는 중개 역할을 한다는 쿠쟁의 반칸트적인 틀이 답습되고 있다. 다만 쿠쟁 존재론의 내실이 철학사적이었던 데 반해, 라베송의 존재론은 자연 철학의 색깔이 짙은데, 여기에서는 쿠쟁은 헤겔에게서, 라베송은 후기 셸링의 적극 철학에서 영향을 받았다고 하는 다름을 볼 수도 있을 것이다.

'스피리추얼리즘적 실증주의'에 담긴 것

그런데 『19세기 프랑스 철학』의 결론에서 말해지는 '스피리추얼리즘적 실증주의'에는 쿠쟁학파에 대한 비판이 담겨 있었을 뿐만 아니라 제2제정이 되어 융성하고 있던 실증주의와 유물론에 대한 대항 또는 과학적 세계관과 종교적 세계관의 조화가 위탁되어 있었다고 생각된다. 전기 콩트에게서 볼 수 있듯이 실증주의는 유물론이나 기계론과 친화적인 일면이 있긴 하지만, 인류교의 후기 콩트나 셸링의 자연 철학에서 볼 수 있듯이 종교나 스피리추얼리즘과 친화적인 실증주의나 실증 과학과 같은 것도 가능할 것이다. 스피리추얼리즘적 실증주의란 하나의 확고한 이설을 제시했다기보다는 오히려 이제부터 풀려야 할 하나의 문제 설정을 제시한 것이라고 이해할 수 있을지도 모른다.

5. 베르그송

제3공화정 — 두 개의 프랑스의 대립으로부터 안정으로

제2제정은 프로이센-프랑스 전쟁의 패배로 1870년에 와해한다. 그 후 성립한 제3공화정은 불안정했지만, 1880년대에는 서서히 안정된다. 1890년대 후반은 프랑스 육군 대위인 유대인 드레퓌스가 억울하게 뒤집어쓴 간첩 의혹을 둘러싸고 다시 국론이 양분되지만, 결국은 '정교분리법'(1905년)의 성립으로 오랜 세월에 걸친 두 개의 프랑스의 싸움은 진정된다.

과학적 세계관이 생활에 침투함과 동시에 모든 것이 기계처럼 결정되어 있다면 인생에 의미가 있을 것인가 하는 결정론과 자유의 문제가 19세기 후반의 유럽에서 초점이 된다. 생리학자 뒤 부아-레몽Emil Heinrich du Bois-Reymond(1818~1896)은 1872년의 강연에서 모든 것을 정확히 관측하고 모든 법칙을 안 정신을 '라플라스의 영'이라고 부르고 결정론적 세계관의 문제를 제기하고 있었다.

시간과 자유

베르그송은 유대계 폴란드인인 음악가 아버지와 영국인 어머니 사이에서 태어났는데, 그는 1889년의 박사 논문 『의식에 직접 주어진 것에 관한 시론』(영역 제목은 『시간과 자유』)에서 이 결정론과 자유의 문제를 다루게 된다. 우선 그도 비랑이나 쿠쟁과 마찬가지로 심적인 사실에서 출발한다. 다만 그가 거기서 발견하는 것은 습관이나 노력이 아니라 멜로디를 들을 때 음이 연속적인 흐름 속에서 서로 융합하는 것과 같은 질의 경험이다. 베르그송은 질의 흐름으로서의 시간의 존재 방식을 '지속durée'이라고 부른다. 이것은 베르그송 철학의 가장 중요한 개념이며, 비랑의 원초적 사실과 마찬가지로 지속은 의식이 직접 체험하는 사실이다.

그는 지속을 좌표축에서 표현되는 것과 같은 양적인 공간과 구별한다. 우리는 시간도 공간의 길이와 마찬가지로 계측할 수 있다고 생각하지만, 그때 지속은 본질인 동적인 흐름을 잃고서 부동화되어 있으며, 이미 지속이 아니라 공간으로 변질해 있다. 정확히 계측할 수 있을 때 과학이 가능해진다면, 과학은 지속을 변질시키는 것에 의해서밖에 다룰 수 없다.

베르그송은 지속을 사용하여 자유의 문제를 논의한다. 자유론자는 내가 O에 있고 X로 갈 것인지 Y로 갈 것인지를 선택할 수 있는 까닭에 나는 자유라고 말할 것이다. 이때 결정론자는 모든 데이터와 법칙을 알고 있다면 나의 사고는 예견할 수 있고 결정되어 있다고 말할 것이다. 베르그송은 이러한 논의들은 OX나 OY의 갈림길의 선택을 전제하고 있지만, 이것은 의식의 사실인 지속을 부동화하고 공간화하고 있다는 점에서 잘못이라고 논의한다. 지속의 흐름 속에는 X나 Y는 존재할 수 없으며, 흐름과 함께 새로운 것이 창조될 수 있게 되고, 이것이야말로 자유인 것이다.

자연의 지속화

『물질과 기억』(1896년) 이후에는 의식만이 아니라 자연 속으로 지속이 확장되어간다. 물질은 대단히 이완된 리듬의 지속을 지닌다고 생각되며, 생물 중에서도 단순한 것은 물질에 가까운 이완된 지속을 지니지만, 인간에 가까워짐에 따라 좀 더 긴장된 지속이 된다. 이처럼 존재의 연쇄가 지속 리듬의 긴장과 이완으로 다시 파악되며, 존재론이 지속화된다. 심적 사실로부터 존재론으로의 통로는 지속에 의해 준비되는 것이다. 여기서도 칸트 철학과 달리 자유는 예지계로 격리되지 않고 직접 경험됨과 동시에 지속(시간)의 직관이 현상과 사물 자체를 구별하지 않고서 실재에의 접근을 가능하게 한다.

생명으로서의 지속

『창조적 진화』(1907년)에서는 지속에 의해 진화론이 설명되는데, 생명의 진화 원리인 지속은 엘랑 비탈élan vital(생의 약동)이라고 불리며, 이것은 쿠쟁과 라베송의 자발성과 유사한 개념이다. 베르그송은 이러한 논의를 함에 있어 실증 과학의 식견을 모으면서 그것들로는 설명 불가능한 점에 형이상학적 가설로서 스피리추얼리즘을 도입한다. 그는 이것을 실증적 형이상학이라고 부르기도 하는데, 여기에서는 라베송의 스피리추얼리즘적 실증주의의 전개를 볼 수도 있을 것이다. 다만 라베송의 예견 속에 이미 베르그송 철학이 포함되어 있었다고 말하면, 그것은 지나친 말이 될 것이다. 베르그송이 실증 과학과 형이상학을 접속하는 방법에서는 라베송에게서는 볼 수 없는 새로움이 보인다.

하나의 문제의 끝과 시작

『도덕과 종교의 두 원천』(1932년)에서는 닫힌 사회를 어떻게 열린 사회로 만들 것인가 하는 것이 과제가 된다. 사회의 안정화를 가져오는 연대는 닫힌 사회로 자리매김하며, 문제의 해결보다는 오히려 문제를 만들어내는 것으로 여겨진다. 제1차 세계대전을 경험한 베르그송에게 적을 전제로 한 닫힌 사회의 연대만으로는 전쟁을 회피하기에 불충분하며, 산업의 발전도 판로를 찾아 싸우면

평화가 아니라 세계 전쟁에 이른다. 문제는 국가의 안정에서 세계 전쟁에 의한 인류 절멸의 회피로 옮겨가고 있으며, 여기서 하나의 문제 단락을 볼 수도 있을 것이다.

맺는말

이 장에서는 스피리추얼리즘의 변천이라는 것에서 몇 사람의 철학자를 다루었지만, 지면 사정으로 인해 모두를 다룬 것은 아니다. 종래의 스피리추얼리즘 계보에서는 라베송과 베르그송 사이에 라슐리에를 넣는 경우도 있지만, 최근에는 반성 철학의 조상으로서 구별되는 경향에 있다. 그러나 본래 반성 철학과 스피리추얼리즘은 겹치는 점도 있으며, 어느 정도 구별되는지도 향후의 연구 동향에 따라 달라질 가능성이 크며, 아직 확정은 되어 있지 않다. 또한 여기서는 블롱델Maurice Blondel(1861~1949), 르 센느René Le Senne(1882~1954), 라벨Louis Lavelle(1883~1951)과 같은 베르그송과 동시대나 그 이후의 스피리추얼리즘 동향에 관해서도 대상으로 할 수 없었다.

이 장에서 다룬 것은 극히 한정된 논점이며, 어떤 학파만을 잘라내는 것은 어느 정도 인위적인 조작이 되지 않을 수 없다. 지금까지 말해왔듯이 19세기 프랑스 철학은 스피리추얼리즘만이 아니라 종교와 실증 과학 등과 상호 침투하고 있다. 그것들은 지금까지는 대부분 철학사에서는 무시되어온 존재였지만, 서서히 그 풍요로움에 빛이 비추어지고 있으며, 그것 자체의 흥미로움으로

인해 관심을 불러일으키고 있다(19세기 프랑스의 다른 계보에 빛을 비춘 것으로서 이토 구니타케伊藤邦武, 『프랑스 인식론에서의 비결정론 연구フランス認識論における非決定論の研究』, 晃洋書房, 2018년을 참조).

☞ 좀 더 자세히 알기 위한 참고 문헌

— 가와구치 시게오川口茂雄, 「19세기 프랑스 철학의 조류一九世紀フランス哲学の潮流」, 『철학의 역사哲学の歴史』 8, IV장, 中央公論新社, 2007년. 이 장에서 다룰 수 없었던 라슐리에와 라뇨, 그 밖에 좀 더 상세한 역사적인 배경과 각 철학자의 생애와 사상을 알 수 있다. 스피리추얼리즘을 깊이 알기 위해서는 필독해야 할 문헌이다.

— 펠릭스 라베송Félix Ravaisson, 『19세기 프랑스 철학十九世紀フランス哲学』, 스기야마 나오키杉山直樹 · 무라마쓰 마사타카村松正隆 옮김, 知泉書館, 2019년. 라베송의 독특한 견해와 객관적인 정리가 한데 뒤섞인 데다가 방대한 양의 정보를 포함한 까다로운 텍스트이지만, 역자의 용의주도한 주해, 인명 색인, 해설이 있어 이 시기 사상의 풍요로움을 보여주는 책이 되었다.

— 장 르프랑Jean Lefranc, 『19세기 프랑스 철학十九世紀フランス哲学』, 가와구치 시게오川口茂雄 · 하세가와 다쿠야長谷川琢哉 · 네무 가즈유키根無一行 옮김, 白水社, 文庫クセジュ, 2014년. 한 항목 당 설명량은 적지만, 쿠쟁학파 등에 대해 세세한 점까지 건져 올려 설명하며, 전체적으로 한눈에 내다보기 좋은 잘 정리된 해설이다.

— 마스나가 요조増永洋三, 『프랑스 스피리추얼리즘의 철학フランス·スピリチュアリスムの哲学』, 創文社, 1984년. 이 장에서 다루지 못한 블롱델, 라벨, 르센느의 철학에 대해 상세히 설명한다.

— 고노 데쓰야河野哲也, 「프랑스 심리학의 탄생フランス心理学の誕生」, 『에피스테몰로지의 현재エピステモロジーの現在』, 慶應義塾大学出版会, 2008년. 프랑스 심리학이 성립하는 과정을 독일·영국의 심리학도 시야에 넣어 다루고 있다. 스피리추얼리즘의 전개와 아울러 보면 시야가 좀 더 넓어진다.

키르키즈 스텝
코카서스
흑해
카스피해
서투르키스탄
히바 칸국
코칸트 칸국
부하라 칸국
오스만제국
아프가니스탄
카자르 왕조
페르시아만
와하브 왕국
1858~1914년의 획득지 (영)
아라비아해
1858년까지의 획득지 (영)

아시아(19세기 후반)

1855~1914년의
획득지 (러)
이칼호
헤이룽장
아무르
사할린
아이훈
블라디보스톡
내몽골
조선
일본
베이징
한성
황
해
도쿄
청
상하이
태
평
양
홍콩
타이완
타이
마닐라
남중국해
방콕
프랑스령
인도차이나 연방
필리핀
사이공
말레이 연합주
싱가포르
보르네오
수
마
트
라
네덜란드령 동인도
바타비아
티모르

제9장

근대 인도의 보편 사상

도미자와 가나富澤かな

1. '근대'와 인도 그리고 '종교'

인도의 근대란 무엇인가?

인도의 근대는 언제 시작되었을까? 이는 사실 어려운 물음이다. 다만 시대 구분의 적정함이 아니라 인도 주변에서 무엇을 가지고서 '근대'로 간주해왔는지에 초점을 맞추면, 그것은 역시 영국 지배가 가져온 것과 거기에서 생겨난 새로운 움직임이라는 것이 보인다. 즉 아무래도 서양의 근대와 동양의 전통이 맞짝을 이루는 기본 구도가 떠오르게 되는 것이다. 이로 인해 근대 인도 사상사는 영국이 가져온 근대화와 인도라는 '네이션'의 독자적인 전통문화의 좁은 틈에서 어떻게 자기를 자리매김했는가 하는 관점에서 파악되게 된다.

그리고 또 하나, 근대 인도 사상의 중요한 요소가 종교이다. 18세기 후반에 영국 동인도 회사가 인도 통치를 시작한 처음에 그들은 간편하고 마찰이 적은 통치 형태를 목표로 하여 인도의 종교 문화에 대한 개입을 피하고, 오히려 '존중'하는 방침을 취했다. 이 방침에 따라 윌리엄 존스 경Sir William Jones(1746~1794) 등의 인도 연구가 시작되고, 거기서는 산스크리트 문헌으로부터 읽어낼 수 있는 '오래되고 고차적인 종교 문화'로서의 인도상을 중시하게 되었다. 그리고 정치·경제적으로 지배 아래 놓인 인도인에게는 영국이 개입을 주저한 종교 문화만이 주체성을 발휘할 수 있는 특이한 영역으로서 남는 형태가 되고, 존스 등의 인도 연구가 형성한 인도상도 그 구도를 뒷받침했다. 그리하여 근대 인도의 사상과 운동은 사회 운동이나 독립운동도 모두 종교 문화와 관계하면서 전개되는 경향을 띠어왔다고 생각된다(우스다 마사유키臼田雅之, 「'세속의 사람'의 종교 개혁(람 모한 로이론)'世俗の人'の宗教改革(ラムモホン·ラエ論)」, 『근대 벵골에서의 내셔널리즘과 성성近代ベンガルにおけるナショナリズムと聖性』, 東海大学出版会, 2013년, 제4장).

이 장에서 다루는 것은 19세기부터 20세기 전반에 전개된 벵골 르네상스라고 불리는 움직임의 일면이다. 영국 지배하의 벵골에서는 수도 캘커타(현 콜카타)를 중심으로 영어 교육을 받아 새로운 지식의 힘으로 구래의 사회 계층으로부터 빠져나오는 브하드랄로크bhadralok(향신)라고 불리는 새로운 엘리트층이 나타나 이 움직임의 담지자가 되었다. 그것은 바로 전통의 복고와 근대화·합리화의 조합으로 볼 수 있는 현상이며(따라서 르네상스라고 일컬어진다), 앞에서 제시한 서양 근대와 동양 전통의 대치 구도의 교묘한 응용인 것으로 보인다. 그러나 그 내실을 살펴보면, 거기에서는 그와 같은 오리엔탈리즘적인 이원론으로는 설명할 수 없는 면도 볼 수 있다.

근대 비판과 근대적 종교 개념 비판의 딜레마

오리엔탈리즘론과 콜로니얼리즘론에 의해 당연히 보편적인 것으로서 사용되고 있는 다양한 개념이 사실은 서양 근대의 구축물이라고 분석되고, 그것을 무자각적으로 그 밖의 문화권과 시대에 적용하는 것의 문제성과 폭력성이 비판되어왔다. 종교에 관해서도 '종교'와 '신앙', '주술', '의례' 등, 종교 연구에서 사용되어온 기본 개념에 근본적인 의문이 드러나고, 근대적 종교 개념 비판이라고 불러야 할 논의가 되풀이되어왔다. 중요한 논의이지만, '서양 근대'의 지배력을 강조함으로써 근대 세계의 구축에서 비서양 세계가 수행한 역할이 수동적인 것, 피해자적인 것으로 왜소화될 수도 있다는 모순도 내포하고 있다.

'근대' 그 자체에 관해서도 서양을 핵으로 한 단일한 이미지가 아니라 다원적multiple인 이미지로 파악해야 한다는 논의가 이루어져 왔다. 많은 다양한 '근대'가 있다고 한다면, '근대'는 서양의 점유 상황으로부터 해방되는 것이지만, 그러나 지역과 문화에 각각의 '근대'가 있다는 발상은 문화 상대주의와 비슷하여 의도에 반해 세계를 뿔뿔이 흩어진 작은 단위로 나누어버리게 되는 것이 아닐까 하는 불안도 있다. 결국 동은 동, 서는 서로 될 수밖에 없는 것일까? 물론 '근대'의 존재 방식과 인식에 다양성이 있다는 인식은 중요하지만, 그에 더하여 '다원적'이라기보다 동도 서도 '서로 겹치는', 오버래핑한 형태로 동적으로 성립하는 '근대'의 전체를 볼 수는 없는 것일까?

이 장에서는 서양 근대와 동양 전통의 대치라는 구도에서 말해지는 벵골 르네상스의 계보에서 보이는, 그 대립 도식을 넘어서는 면을 살펴보고자 한다. 우선 '스피리추얼리티'라는 영어 어휘의 사용 방식에 주목하고, 그로부터 합리적인 서양 근대와 신비적인 동양 전통의 대립 도식으로 수습되지 않는, '서로 겹치는' 근대 사상의 일면을 찾아가고자 한다.

2. 정신성과 세속주의

스피리추얼리티spirituality(정신성 · 영성)와 세큘러리즘secularism(세속주의)으로 늘어놓으면, 그것은 이질적인 서로 대립하는 무언가처럼 보인다. 그러나 이 두 말은 오히려 두 개 한 세트가 되어 근대 인도 정체성의 근간에 관계해온 어휘이다. 그것은 어느 쪽이든 종교와 사상의 다양성 대립을 지양할 것으로 기대되는 보편화의 어휘로 볼 수 있다.

정신적이고 세속적인 나라

앞에서 지적했듯이 영국 지배하에서 이루어진 인도인의 활동은 정치와 사회에 대한 활동도 종교 문화와 관계하면서 전개되는 경향을 띠어왔다. 나아가 독립의 실현을 향해서는 영국의 분할 통치책에 대항하여 하나의 네이션을 형성하여 유효한 내셔널리즘을 실현하기 위해 인도인으로서의 정체성이 모색되고, 그것은 각각의 종교 전통의 인식과 자각을 높이는 것이 되었다. 그러나 그것은 자칫하면 종교의 차이를 두드러지게 하는 것이고, 이 시대에 특히 힌두와 무슬림은 때때로 협동하면서도 긴장과 대립을 오히려 높여가게 된다. 이러한 커뮤니티 사이의 차이에서 기인하는 대립·배제의 사고가 종파주의Communalism이다. 인도에서는 독립운동 시절부터 종파주의에 대항하여 '인도'를 통합하는 원리로서 세속주의가 추구되었다. 그 후 인도의 독립이 동서 파키스탄과의 '분리'의 비극을 수반함으로써 '무슬림 국가' 파키스탄과 '세속적 국가' 인도의 대립 도식이 이 말에 한층 무게감을 더했다.

세속주의는 인도의 국시라고 해야 할 것으로 1976년에는 헌법에도 명기되었다. 인도의 세속주의는 예를 들어 프랑스의 라이시테

Laïcité(비종교성)와는 아주 다르며, 정교분리라는 번역어로는 설명하기 어려운 것이다. 전형적인 예로서 인도의 휴일을 보면, 대부분이 종교의 축제일에 기초한다. 다만 거기에는 인구의 80%를 차지하는 힌두교로부터 1%도 안 되는 불교나 자이나교의 것까지 포함된다. 인도의 세속주의는 공적 공간으로부터 종교를 배제하는 것이 아니라 똑같이 서로 존중하는 것을 방침으로 한다. 그런 까닭에 종교적인 것과 세속적인 것이 전혀 모순되지 않는 관계에 있다. 거기서는 오히려 차이를 넘어서서 공유할 수 있는 종교성이 추구되는 것이다.

그리고 인도의 종교성을 보여주는 어휘로서 일종의 클리셰가 된 것이 스피리추얼리티·정신성이다. '인도의 정신성'과 '신비의 나라 인도'는 낯익은 이미지이다. 이것은 외부로부터의 오리엔탈리즘적인 인도 이미지로 볼 수 있지만, 인도의 정체성에 대해서도 중요한 요소라고 하여 다음과 같이 지적된다.

> 흥미로운 것으로 낭만주의적 인도관의 특징인 '신비'와 '정신성 spirituality'의 강조는 현대 서양의 인도관에 널리 퍼져 있을 뿐만 아니라 묘사의 대상인 바로서 인도인 자신의 자기 인식에도 커다란 영향을 가져다주었다. (…) 이와 같은 현상의 좋은 예가 비베카난다와 모한다스 K. 간디와 같은 인물일 것이다. 비베카난다는 (…) 이것이 근대 서양문명의 니힐리즘과 물질주의에 대한 처방전이 된다고 했다. (Richard King, *Orientalism and Religion: Postcolonial*

Theory, India and 'The Mystic East', London, New York: Routledge, 1999, pp. 92~93)

비베카난다Swami Vivekananda(벵골의 발음으로는 비베카논드[이하 병기는 벵골 발음], 1863~1902)는 종교적 사회봉사 단체 라마크리슈나 미션 및 라마크리슈나 마트(승원)의 창시자이며, 1893년의 시카고 만국종교회의에 출석하여 세계에 커다란 충격을 준 종교가이며, 벵골 르네상스를 대표하는 인물 가운데 한 사람이다.

위 인용 문장의 저자 리처드 킹은 그와 간디(마하트마 간디 Mohandas Karamchand Gandhi, 1869~1948)의 '정신성'의 중시에 대해 서양의 오리엔탈리즘을 긍정적으로 이용한 것으로 파악한다. '신비의 인도', '정신적인 인도'라는 오리엔탈리즘의 전형이라고도 해야 할 이미지를 역으로 이용하여 서양에 대한 대항에서 유효한 어휘로서 사용한, 이른바 '긍정적affirmative 오리엔탈리즘'이라는 이해이다. 중요한 지적이지만, 이 도식은 가치관의 반전이라는 전술은 이해하고 있더라도 서양 근대와 동양 전통의 대립 도식을 넘어서는 것은 아니다. 결국 인도의 정신성 개념은 이 틀로 수습되는 것일까? 또한 인도의 세속주의가 단순한 정교분리와 다르다는 점은 지적했지만, 그러면 그것은 세계의 다른 지역, 특히 유럽과 미국의 그것과는 이질적인 별개의 것일까? 세속주의도 정신성도 동서의 분리를 넘어서지 않는 개념일까? 그 점에 대해 의문이 생기는 것이다.

세속주의와 정신성은 모두 근대 인도의 정체성에 깊이 관계되는 개념이며, 각각에 많은 연구가 쌓여왔다. 그러나 사실은 이 어휘 그 자체가 언제 어떻게 사용되었는지와 관련해서는 밝혀지지 않았다. 그리하여 필자는 단순히 언어 화용을 헤아려 보는 것에서 그 용법을 생각하며 접근했다. 여기서는 비베카난다 주변의 '스피리추얼리티'의 용례를 개관하고자 한다.

비베카난다의 '스피리추얼리티' 이용을 살핀다

비베카난다의 스피리추얼리티의 용례를 살펴보면, 두 가지 경향이 간취된다. 하나는 다음과 같은 유명한 문언 유형이다.

> 일어서라 인도여, 그 정신성spirituality으로 세계를 정벌하는 것입니다. (…) 물질주의와 그 비참을 물질주의로 정벌할 수 없습니다. (…) 정신성이 서양을 정복해야만 합니다. (*The Complete Works of Swami Vivekananda*, 9 volumes, Calcutta: Advaita Ashrama, 1989–97, vol. III, p. 277)

서양 근대의 물질주의materialism와 동양 전통의 정신성spirituality을 대치시키고, 후자의 우위를 주장하는 구도이다. 이것은 바로 오리엔탈리즘의 역전된 이용, 긍정적 오리엔탈리즘으로 볼 수 있다. 그러나 다른 한편으로 비베카난다는 예를 들면 다음과 같이 말하고 있다.

> 힌두의 사람들은 정신의 연구, 요컨대 형이상학과 논리학을 통해 걸어왔습니다. 한편 유럽의 민족들은 외적 자연의 연구로부터 시작했으며, 양자는 지금 함께 같은 결론에 다다르고 있습니다. 정신의 탐구에 의해 우리는 마침내 저 일자, 보편적 일자, 모든 내적인 혼, 모든 본질과 실재, 영원한 자유, 영원의 축복 그리고 영원의 존재에 이릅니다. 그리고 물질과학을 통해 우리는 또한 그 같은 일자에 다다르는 것입니다. (Ibid., vol. II, p. 140)

이것도 동서의 대비 구도를 제시하는 것으로 볼 수 있지만, 앞의 발언과 크게 다른 것은 어느 쪽이 어느 쪽보다 우월하다는 인상을 지우고, 양자가 지향하는 것이 동일하다고 하는 보편주의적·다원주의적인 주장으로 되었다는 점이다. 여기서는 인도의 정신성과 유럽의 물질과학이 모순, 대립하는 관계가 아니라 함께 동일한 보편적인 무언가로 향하고 있다고 강조된다.

이러한 말투의 차이는 무엇에 기인하는 것인지 묻는다면, 그것은 그의 발언 맥락일 것이다. 첫 번째 발언은 1897년에 마드라스에서 행해졌다고 하는 강연 「우리가 해야 할 것The Work Before Us」의 것이고, 두 번째 발언은 1896년에 런던에서 행해진 강연 「절대자와 현현The Absolute and Manifestation」의 것이다. 사실 첫 번째 발언처럼 동서를 대치시킨 다음 동양의 정신성의 우위를 말하는 것은 그다지 많지 않으며, 그것은 바로 영국 지배의 압력 아래에서 스스로의 정체성을 모색하는 인도인을 고무하고자 하는 맥락에서 나타나는 경향이 있다. 그리고 또 한편의 서양 근대의 과학적 사유와 동양 전통의 종교적 사유와의 대립 구도를 스피리추얼리티라는 말을 사용하여 해소하고, 동일한 보편적 가치의 탐구라는 구도로 정리하고자 하는 논의 방식이 오히려 그의 기본적인 말투였다고 볼 수 있는 것이다. 물론 동서의 대립과 괴리를 넘어서는 보편적 가치를 다름 아닌 인도 고유의 정신성에서 퍼 올리려고 하는 것은 어려운 모순을 포함하는 시도이다. 그러나 이러한 보편성과 고유성의 희구야말로 근대의 각지에서 시도되었던 것이며, 특히 근대 인도에서 집중해서 행해진 것이었다고 생각된다.

이와 같은 보편화의 어휘로서의 '스피리추얼리티' 이용은 현대의 우리에게는 어떤 의미에서 친숙하다. spirituality라는 영어 어휘는 본래는 말할 것도 없이 그리스도교와 깊이 결부되어 있지만, 현대에서의 이 말은 그리스도교로부터 이탈하여 종교 다원주의 방향으로 열려 종파의 벽을 넘어서는 새로운 종교성을 보여주는 어휘로서 독립해왔다. 그것은 기존 종교의 틀을 넘어서며, 더 나아가서는 종교와 과학이나 세속적 가치관과의 오고 감도 이루어주는 것으로서 사용된다. 이와 같은 현대의 스피리추얼리티 개념은 비교적 새로운 것이지만, 스피리추얼리티가 대립 개념이나 서로 다른 틀 사이에서 다리를 놓는다는 발상 자체는 19세기 말의 비베카난다의 용법 안에 이미 완전하게 간취된다. 그러면 비베카난다는 어떻게 해서 이 어휘의 이와 같은 용법에 도달했던 것일까?

인도의 '스피리추얼리티'를 헤아리다

그것을 찾기 위해 이 말이 언제 얼마만큼 사용되었는지를 조사해 보았다. 그러자 아주 흥미롭게도 비베카난다의 앞 세대의 인도에서 이 어휘는 결코 일반적이지 않았을 가능성이 크다는 것을 알 수 있었다. 벵골 르네상스의 움직임을 대표하는 종교 사회 개혁 단체, 브라흐마 사마지(브람모 쇼마지)에 대해서는 뒤에서 언급하지만, 이 협회를 설립하고 벵골 르네상스의 막을 연 람 모한 로이Ram Mohan Roy(람모혼 라에, 1772/74~1833)의 영어 저작 전집에서 로이 본인은 한 번도 사용하지 않았다. 또한 19세기 후반에 브라흐마 사마지에서 커다란 역할을 한 케샤브 찬드라 센Keshab Chandra Sen(케쇼브 촌드로 센, 1838~1884)에 관해서는 네 개의 저작집에서 확인한 것에 지나지 않지만, 두 책에서 각 2건, 한 책에서 4건, 다른 한 책에서 가장 많은 9건이 확인되었을 뿐이다.

이에 반해 비베카난다의 영어 전집 전 9권에서는 약 1,400개의 텍스트 가운데 한 번이라도 이 어휘를 사용한 것이 약 140개 있었다. 선구자 두 사람에 비해 그의 이 어휘 용례가 훨씬 많다는 것을 알 수 있다. 그리하여 더 나아가 그가 이 말을 언제 많이 사용하는지를 찾아본 결과, 1896년과 1897년에 집중해 있다는 것을 알 수 있었다. 횟수와 빈도 모두 특히 집중해서 사용하고 있는 14문서, 11문서가 이 2년에 집중해 있었다. 이것은 비베카난다의 첫 번째 구미 여행의 마지막 해와 인도로 돌아온 해에 해당한다. 한편 그가 보편 종교론을 전개하고 세계에 그 이름을 알린 시카고의 만국종교회의가 개최된 1893년에는 거의 용례가 없었다. 그는 이 단계에서는 아직 이 말의 유용성을 느끼지 못했으며, 1896년경에 이르러 비로소 의도적으로 사용하기 시작한 것으로 보인다. 그러면 그는 왜 이 시기에 이 어휘를 유용한 어휘로서 인식한 것일까?

구미의 '스피리추얼리티'를 헤아리다

우선 생각해야 할 것은 유럽과 미국 체재의 영향일 것이다. 요컨대 당시의 구미에 보급되어 있던 용법을 흡수하여 이 단계에서 활용하기 시작했을 가능성이다. '긍정적 오리엔탈리즘'이라는 지적과도 합치하게 된다. 그러나 그렇게 되면 이 시점에 이와 같은 용법이 구미에 보급되어 있어야만 한다. 과연 그럴까? 몇 개의 예를 찾아본 결과, 사실 그 가능성은 그다지 크지 않다는 것을 알 수 있었다. 물론 19세기 말의 유럽과 미국의 종교 문화론 전체를 총람하는 것은 도저히 가능하지 않지만, 그 속에서 보편 종교론, 종교 다원론을 말하고, 후에 스피리추얼이라고 칭해지는 것이 많으며, 비베카난다와의 관계도 있을 수 있는 몇 개의 저작을 집어 들고 살펴보았다.

시카고의 만국종교회의는 종교 다원주의적·보편 종교적 사상이 서로 이야기를 나눈 바로 스피리추얼리티론에 어울리는 장이지만, 800쪽이 넘는 회의록에서 확인할 수 있었던 용례는 겨우 두 가지 예였다. 신지학 협회의 블라바츠키 부인Helena Petrovna Blavatsky(1831~1891)이나 올컷Henry Steel Olcott(1832~1907)의 저작에서는 용례는 있긴 하지만, 비베카난다와 비교하면 훨씬 적었다. 브라흐마 사마지 주변에 커다란 영향을 미친 유니테리언적인 종교자, 시어도어 파커Theodore Parker(1810~1860)의 저작집 전 15권에서도 확인할 수 있었던 것은 10건이었다. 역시 유니테리언에서 출발하여 초월주의 사상을 전개한 랠프 월도 에머슨Ralph Waldo Emerson(1803~1882)의 전집에서도 이 명사는 편자인 아들에 의한 주해에서의 한 군데에서밖에 발견할 수 없었다. 또한 종교들의 비교 연구로부터 비교에 기초한 종교의 과학인 종교학의 성립을 선언한 막스 뮐러Friedrich Max Müller(1823~1900)에 관해서도 상당수의 저작을 조사했지만, 이 말의 사용은 극히 적었다(도미자와 가나富澤かな, 「'인도의 스피리추얼리티'와 오리엔탈리즘 — 19세기 인도 주변의 용례 고찰'インドのスピリチュアリティ'とオリエンタリズム — 一九世紀インド周辺の用例の考察」, 『현대인도연구現代インド研究』 3호, 2013년).

물론 당시의 스피리추얼리즘(심령주의)의 고양 등을 생각하면, 19세기 후반의 서양 세계에서 머티리얼한 것과 맞짝을 이루는 스피리추얼한 것에 대한 경도도 그것을 과학과 모순되지 않는 것으로서 논의하는 경향도 이미 분명하다. 그러나 그 경우 거기서 spirituality라는 명사가 널리 사용되었는지는, 의외로 의심스럽다. 비베카난다 체재 시의 구미에서 이 어휘가 새로운 함의를 지니고서 보급되어 있었는지는 매우 의문이다. 그렇다면 비베카난다가 1896년경에 이 어휘의 새로운 용법의 유용함을 만나게 된 것은 구미의 오리엔탈리즘적인 판박이 표현을 받아들여 가치 부여를 전도시킨 것이 아니라 그 자신의 새로운 발견이었을 가능성이 있다. 그가 이 영어 어휘를 현재로 이어지는, 당시 새로운 언어 활용을 구미에 앞서 창출했는지도 모를 일이다. 요컨대 스피리추얼리티라는 '근대적 종교 개념'은 서양 근대가 구축하여 인도에 강요한 것이 아니라 동서가 어우러지는 가운데 인도인이 발견한 것이었다는 데 이르게 된다. 만약 그렇다면, 이것은 서양 근대와 동양 전통의 단순한 대립 구도로는 설명할 수 없는 현상이다. 서양=근대의 강고한 연결이 풀리고 '서로 겹쳐짐'으로써 성립하는 근대의 상이 떠오를 가능성이 기대된다.

3. 브라흐마 사마지의 계보 — 보편과 고유의 희구와 그 초점

비베카난다의 스피리추얼리티의 용법에서 보이는, 동서의 대립을 넘어서는 보편성을 인도 안에서 발견하고자 하는 노력은 벵골 르네상스 전체에 그 근저에서 공통된 것이기도 하다. 거기에는 영국 지배하에서 서양 문화와 날마다 마주 대하는 상황과 더불어 인도 자체가 지니는 다문화 상황이 깊이 관계된다. 인도 안의 다양성과 세계 문화의 다양성 쌍방을 넘어서서 제시, 공유할 수 있는 보편적 가치를 인도 안으로부터 추출하는 것, 여기서 벵골 르네상스를 포함한 인도의 근대 사상을 관통하는 커다란 주제를 간취할 수 있다. 그것은 전통과 근대 사이에 다리를 놓는 것과 더불어 인도를 분단할 수도 있는 복잡한 다원성을 붙들어 매는 영위이다. 그러나 그것은 모순을 내포한 어려운 시도이다. 그리고 그 어려움 속에서 보편적 통합점을 제시하는 데서 비베카난다가 선택한 새로운 기호가 스피리추얼리티라는 영어 어휘이고, 또한 독립운동기 이후의 많은 사람이 기대한 것이 세속주의secularism였다면, 로이에게서 시작되는 브라흐마 사마지 계보의 그것은 대단히 전통적·정통적인 어휘인 '브라흐만'이었다.

람 모한 로이와 브라흐마 사마지

로이와 브라흐마 사마지는 우상 숭배와 다신 숭배, 카스트, 수티(남편이 죽어 화장시킬 때 아내도 함께 화장시키거나 남편이 죽은 직후 아내 스스로 따라 죽는 인도의 옛 풍습), 유아 결혼 등을 비판하고, 여성의 지위 향상과 교육의 보급을 목표로 했다. 그 사상과 행동은 이성을 중시하고 근대화를 지향하는 것이라고 말할 수 있지만, 그들은 그 합리적 가치를 서양 근대가 아니라

고대 인도에서 발견하고자 했다. '브라흐마 사마지'란 브라흐만을 받드는 사람들의 협회를 의미한다. 브라흐만은 인도에서 고대부터 다양하게 말해온 궁극적 실재 개념 바로 그것이다. 그들 브라흐마가 그 합리적 사고와 운동의 근거로 삼은 것은 이 개념과 그 출처인 베다와 우파니샤드였다. 한편 후대의 푸라나 문헌 등이 말하는 신들의 분방한 활약 신화는 유일자의 속성을 비유적으로 표현한 것에 지나지 않는다고 하여 다신 숭배와 우상 숭배를 비합리적인 타락으로 보고 부정했다.

로이는 많은 언어를 공부하고 이슬람과 그리스도교, 자이나교도 연구하며, 그로부터 인간은 근본적으로 일신교를 추구하고 그 점에서 종교의 근본은 동일하고 모순된 것이 없다고 하여 유일신 신앙에 기초한 보편 종교론에 이르렀다. 그는 예수의 존재와 가르침을 인정하면서 예수의 기적 이야기와 삼위일체설 그리고 속죄론을 부정하고, 선교사들과 논쟁을 되풀이했다. 그는 합리성도, 역으로 부정해야 할 비합리성도 힌두교와 그리스도교, 인도와 서양 쌍방에서 발견하고 있다. 그것은 서양 근대와 동양 전통의 상극 도식에서 벗어난, 또는 그것을 의도적으로 비켜 놓는 사상으로 생각된다.

'마하리쉬' 데벤드라나트 타고르

로이의 죽음 약 10년 후에 사마지를 이끌게 된 데벤드라나트 타고르Devendranath Tagore(데벤드로나트 타쿠르, 1817~1905)는 또 다른 종교관을 보인다. 그는 기라성과 같은 타고르 패밀리의 한 사람으로, 로이의 친구로서 그 활동에 관계한 드와르카나트(다르카나트)의 아들이자 또한 라빈드라나트(로빈드로나트)의 아버지이고, 나아가 마하리쉬(모호리시, '위대한 성현')로 불렸다. 그는 로이와 마찬가지로 우상 숭배를 부정하고 무형 무상의 절대자를 베다에서 찾았지만, 그 후 베다의 무오류성이라는 전제를 다시 묻고, 삼히타가 아니라 우파니샤드야말로 지혜의 진수라고 생각하게 되었다. 더 나아가 우파니샤드를 연구하는 가운데 거기서 수용하기 어려운 내용도 발견하게 되고, 마침내는 명상과 직감에 의한 지혜를 중시하고 히말라야에서 명상에 몰입하며, 우파니샤드의 문언도 직감에 따라 취사선택하게 되었다.

로이는 유일신 신앙을 강력하게 주장하고 이신론과 무신론을 부정했지만, 그의 브라흐만 개념에는 어딘가 사변적인 귀결과 같은 인상도 있다. 그에 반해 타고르의 그것은 숭배와 명상의 대상이자 좀 더 명료한 '신'의 모습을 보여준다. 이 두 사람에 대해 우스다 마사유키臼田雅之는 다음과 같이 말한다. '람 모한과 데벤드로나트에게서는 종교에 대한 몰두 방식이 근본적으로 달랐다. 람 모한의 종교에 관한 관심은 오로지 지적·합리적으로 뒤쫓는 것이었지만, 데벤드로나트는 종교 체험의 내면적 파악, 즉 종교적 행함에 몰두하는 것을 지향하고 있었다. …… 그는 …… 사회적으로는 보수적이고 신중한 자세를 취하면서, …… 세속과 속세를 떠나는 것 사이에서 잊혀 있었던 고대의 종교를 내면적으로 발굴해 내고, 그 근대적 재편성을 꾀했다.'(『근대 벵골에서의 내셔널리즘과 성성』, 228쪽)

케샤브 찬드라 센의 변천

그리고 1857년 19세에 사마지에 참여하고 타고르의 애제자가 되어 두각을 나타낸 후, 1866년에 협회의 '첫 번째 분열'을 일으키고 브라흐마 사마지 오브 인디아를 이끌게 된 케샤브 찬드라 센Keshab Chandra Sen(1838~1884)은 또 다른 다양한 양상을 보인다.

'사회적으로는 보수적인' 타고르에 반해 센은 카스트 부정 등으로 좀 더 급진적인 사회 변혁의 방향으로 향하며, 또한 그리스도교와 유니테리어니즘을 열심히 연구하여 보편 종교적 방향성을 제시하고, 젊은 브라흐마들의 마음을 끌어당겼다. 그 점에서는 로이와도 가까운 인상을 주지만, 한편으로는 점차 그때까지의 사마지에서는 배제되고 있었던 벵골의 바이슈나바파의 바크티적 성질도 보이게 되며, 키르탄(찬가)의 영창 등도 행하게 된다. 거기에는 당시 사마지에 참여하고, 그 후 독자적인 종교 운동으로 전환해간 비자이 크리슈나 고스와미Vijay Krishna Goswami(비조이 크리슈노 고샤미, 1841~1899)의 영향도 컸다고 생각된다. 센과 소년 시절부터 친교가 깊었고 그 밑에서 특히 그리스도교 연구를 담당하고 시카고의 만국종교회의에도 참석한 프라탑 찬드라 마줌다르

Pratap Chandra Mazumdar(프로탑 촌드라 모줌다르, 1840~1905)는 센이 처음으로 사람들 앞에서 키르탄을 부르며 눈물을 흘린 모습을 극적으로 묘사하면서도 다른 한편으로는 센이 민중적인 바이슈나바이즘을 받아들인 것에 대한 위화감도 숨기지 않은 바가 있는데, 그 변화의 충격이 짐작된다.

나아가 센은 로이 이래로 계속해서 부정되어온 우상 숭배도 시인하게 되어간다. 바크티든 우상 숭배든 그때까지 사마지가 부정하고 있던 중세적, 프라나적인 신앙의 전개를 인정한 것이자 커다란 전환이다. 그 후 1877년에 두 번째 분열이 생겨나 사회 개혁을 중시하는 사다란(대중) · 브라흐마 사마지가 갈라져 나간다. 그리고 센 쪽은 사회 개혁 운동으로부터 점차 후퇴하며, 그 보편주의적 사상에 '새로운 섭리new dispensation'(노보비단)라는 이름을 부여하고, 예수와 소크라테스와 차이타냐로부터 뉴턴과 에머슨에 이르기까지 다양한 사상의 동일성과 조화를 이야기했다. 이성적 보편 종교론자로부터 정열적 바크타까지 다양한 모습을 보여주는 센이지만, 그의 바크티적 성격의 부활과 우상 숭배의 허용에는 비베카난다의 스승인 라마크리슈나의 영향이 컸다고 생각된다. 그리고 이 인물의 존재는 '브라흐만', '스피리추얼리티' 등의 개념과 마찬가지로 벵골 르네상스의 보편과 고유성을 희구하는 중요한 초점이었다고 생각된다.

4. 근대 인도에 뚫린 '구멍'—라마크리슈나와 신

벵골 지식인과 라마크리슈나

라마크리슈나Ramakrishna(라무크리슈노, 1834/36~1886)는 인도 근대사에 커다란 자취를 남긴 특이한 신비주의적 종교가이다. 어릴 적부터 트랜스 체험을 거듭하고, 청년기 이후에는 미친 사람처럼 신의 관조에 열중하게 되었다. 그 후 탄트리즘의 여성 요기와 베단타학파의 떠돌이, 또한 수피의 지도를 받으며, 그리스도교도 배우고 신을 감지하는 체험을 심화해갔다. 그는 쉽사리 신비적 삼매 상태에 들어갔다고 하며, 그 힘과 독특한 매력을 바탕으로 점차로 신봉자가 모여들었다. 그는 무학이고, 영어는 알지 못하며, 지방 사투리인 벵골어로 말하고, 인도 사회와 그 개혁에 흥미를 보이는 일도 없으며, 오로지 신만을 아주 가까이 보고, 수행과 신비 체험에 기초하여 행동하고 말했다. 그리고 이와 같은 그에게로 벵골의 지식인들이 서서히 이끌려 모여들었다. 그 가운데 한 사람이 라마크리슈나의 첫 번째 제자가 되고 그 자취를 이어서 라마크리슈나 미션과 승원 벵골 마트를 설립한 비베카난다이다.

캘커타의 대학에서 공부하며 대단히 우수한 성적을 남기고 있던 젊은 비베카난다, 나렌드라나트 다타 청년은 처음에 브라흐마 사마지에 참여했지만, 신을 제 눈으로 직접 보고 싶다는 소원을

강하게 지니게 되고 사마지의 종교성에 만족하지 않았다. 그는 1881년에 라마크리슈나와 처음으로 만나며, 그 후 초대되어 닥신네스와르의 사원을 방문했다. 그때 라마크리슈나의 이상한 모습에 편집광과 다르지 않다고 놀라고 두려워하면서, 그러나 '신은 마치 내가 당신을 보고서 이야기를 걸고 있듯이 볼 수도 이야기할 수도 있지요'라는 말을 듣고, 그 모습에서 그가 참으로 신을 보고 있는 위대한 존재라고 믿기 시작했다고 한다(스와미 사라다난다Swami Saradananda, 『라마크리슈나의 생애 — 그의 종교와 사상(하권)ラーマクリシュナの生涯 — その宗教と思想(下巻)』, 日本ヴェーダーンタ協会, 2007년, 328~334쪽). 그 후 이 스승과의 갈등을 거치면서 그의 특별한 제자로서 그 이름을 이어받는 활동을 해나가게 된다.

브라흐마들도 라마크리슈나에게로 많이 모여 있었다. 다만 '마하리쉬' 타고르와의 만남은 조금 미묘한 것이었던 듯하다. 라마크리슈나는 타고르에게서 속세에서 살아가는 '조금 존대'한 인간상과 신에게로 향하는 종교 생활을 하는 지자(쥬냐닌)의 상을 함께 보고, 그에게 '신의 일을 무언가 말씀해주십시오!'라고 요구했다고 한다. 로맹 롤랑Romain Rolland(1866~1944)은 두 사람의 만남을 다음과 같이 말한다.

> 데벤드라나트는 손님의 눈 속의 불꽃에 압도되었다. 그리고 그는 다음날 제사에 라마크리슈나를 초청했다. 그러나 제사에

참석하게 되면, '조금 몸을 가리도록' 그에게 청했다. 왜냐하면 그 젊은 순례객은 몸치장 등을 신경 쓰지 않았기 때문이다. 라마크리슈나는 예의 장난스러운 사람의 선함으로 그것을 기대하는 것은 곤란하다, 나는 그러한 사람인 까닭에 그대로 올 것이라고 대답했다. 그리고 대단히 친근하게 헤어졌다. 그러나 다음 날 아침 일찍 라마크리슈나에게 대귀족으로부터 아무쪼록 오지 말아 달라는 대단히 정중한 말이 전해졌다.

그것으로 끝났다. 부드럽고 우아한 거부로 귀족은 배제되고 그의 이상주의의 천국에 남겨졌다. (로맹 롤랑, 「라마크리슈나의 생애/비베카난다의 생애와 보편적 복음」, 『로맹 롤랑 전집 15. 전기 IIロマン・ロラン全集 15. 伝記 II』, 미야모토 마사키요宮本正淸 옮김, みすず書房, 1980년, 118~119쪽)

타고르에게는 조금 미안한 묘사일지도 모르지만, 양자가 서로 끌리면서도 서로 맞물리지 않는 모습이 보여 흥미롭다.

센과 라마크리슈나의 관계는 훨씬 친밀한 것이었다. 1875년에 만났을 때, 라마크리슈나가 칼리의 찬가를 부르면서 트랜스에 든 모습에 센이 특히 감명을 받은 것은 아니지만, 그 후의 라마크리슈나의 모습과 말로부터 그 삼매경이 명료한 의식과 지혜로 이어진다는 것을 느끼게 되어 그를 깊이 경애하게 되었다고 한다. 로맹 롤랑이 인용하는 어떤 전기의 말에 따르면, '단순하고 온화하며 귀여운 아이와 같은 라마크리슈나의 성질은 케샤브의 요가, 종교에 관한 그의 순진무구한 사상에 색깔을 부여했다.'(같은 책, 122~124쪽) 라마크리슈나는 센 등에게 다음과 같이 말했다고 한다.

> 어떻게 신의 다양한 힘에 대해 그렇게 혼란스럽게 말하는 것입니까? 아버지 앞에 앉아 있는 아이가 '아버지는 말과 소와 집과 땅을 얼마만큼 갖고 있을까?' 등으로 생각합니까? 아이는 다만 아버지가 정말 좋고, 자신도 사랑받고 있다는 것을 알며, 그것만으로 행복한 것입니다. 아버지가 아이의 입고 먹는 것을 보살피는 것에 무슨 불가사의한 것이 있습니까? 우리는 모두 신의 아이입니다. 우리를 보살펴주는 것이 그렇게 굉장한 것일까요? (『라마크리슈나의 생애(하)』, 293~294쪽)

센의 바크티bhakti(신애信愛)와 우상 숭배의 허용에는 라마크리슈나의 신과의 친밀한 관계 방식이 커다란 영향을 주었다고 생각된다. 센뿐만 아니라 앞에서 언급한 고스와미나 마줌다르 그리고 수많은 브라흐마가 라마크리슈나에게로 모여들었다. 라마크리슈나는 후에 아리야 사마지를 설립하는 서인도 출신의 종교·사회개혁자, 다야난다 사라스바티Dayananda Sarasvati(1824~1883)와도 1872년에 만났다. 또한 앞에서 막스 뮐러의 '스피리추얼리티' 용례는 조금밖에 확인할 수 없었다고 했지만, 그 얼마 안 되는 용례는 사실은 라마크리슈나에 관한 기술에 집중되어 있다.

인도 근대 사상에서의 라마크리슈나와 신

이처럼 라마크리슈나와 그의 신 체험은 근대 인도 사상의 움직임 중심에 깊이 뿌리를 내리고 있다. 그중에서도 서양 근대와 동양 전통의 대립 구도를 마주하고 다시 짜는 어려운 노력을 계속하고 있던 벵골 르네상스의 합리적, 보편적인 움직임 한가운데에 이 종교가가 커다란 위치를 차지하고 있는 것은 흥미로운 일이다. 브라흐마 등은 '브라흐만' 개념을 내걸고, 또한 비베카난다는 스피리추얼리티라는 이름 아래 다양한 사상과 문화의 도달점을 동일시하여 '저 일자, 보편적 일자, 모든 내적인 혼, 모든 본질과 실재, 영원한 자유, 영원한 축복 그리고 영원한 존재' 등으로 표현했지만, 라마크리슈나에게 그것은 날마다 친밀하게 눈앞에서 직접 보고 있는 신 이외에 다른 것이 아니며, 그와 같은 그를 근대 인도 주변의 지식인들은 계속해서 찾았다. 흥미로운 것으로 브라흐마들을 이끈 로이와 센은 반드시 브라흐만이라는 말을 많이 사용하지 않는다. 다양한 모순과 대립을 해소하는 중요한 개념이겠지만, 어쩌면 바로 그런 까닭에 그 내실을 되풀이해서 말할 수는 없는 것이 아닐까? 그들은 이성을 중시하고 보편적인 통일점을 말하면서 무신론과 이신론은 부정하고 '신'의 자리를 계속해서 보존하며, 거기에 '브라흐만'이라는 말하기 어려운 일종의 블랙박스를 놓았던 것으로 보인다. 그리고 그 '신'을 생생히 보고 있던 라마크리슈나의 존재 역시 근대 인도의 보편주의적 사상의 전개 안에서 말로 풀리지 않는, 따라서 다 소비될 수 없는 일종의 블랙박스로서 추구되고 있었던 것으로 보인다.

십자가의 요한 연구 등으로 알려진 종교학자, 쓰루오카 요시오鶴岡賀雄는 요즘 현대 세계에서의 '종교'가 제시하는 비전 가능성에 대해 '구멍'을 키워드로 논의하고 있다. 가령 종교를 내재 세계와 맞짝을 이루는 초월과 관계하는 영위로 보는 경우, 세속화론에 기초하면, 근현대 세계에서는 '이 세상 바깥', '초월'을 표제어로 하는 장은 서서히 사라지고 겨우 사적 영역에 둘러싸여 남아 있든가 하게 된다. 본래 내재 세계로부터 초월을 소망하는 것은 일종의 곡예이긴 하지만, 그것은 예를 들어 엘리아데Mircea Eliade(1907~1986)가 '히에로파니hierophany'(거룩함의 드러남)라고 부르며 분석한, 초월이 이 세상에 현현하는 틀로 볼 수도 있을 것이다. 그러나 그와 같은 이미지가 유지될 수 없고, 이 세상의 끝 지평을 바라는 이미지를 가질 수 없는 현재에는

> (…) 세계의 '끝'('저편')이 아니라 끝이 보이지 않는 세계 '속에서' 열리는, 오히려 '비어 있는' '구멍'이 현대의 (굳이 말하자면) 히에로파니의 장소 이미지가 아닐까 하는 것이 나의 실감이다. 통속적 현대 우주론을 참조하게 되면, '우주의 끝'으로부터 '블랙홀'로 '사태의 지평선'의 장소가 전환되고 있는 것이 아닐까 하는 것이다. (쓰루오카 요시오, 「현대세계에서의 '종교'의 비전 — 사생학과의 관계 속에서」, 『사생학 연보 2020. 사생학의 미래死生学年報2020. 死生学

の未來』, 35쪽)

라고 쓰루오카는 말한다. 쓰루오카 논의의 상세한 것을 여기서 논의할 수는 없지만, 어쨌든 필자는 근대 인도 사상의 담지자들의 합리적인 보편주의 한가운데서 추구되고 있던 것은 이에 아주 가까운 것이 아닐까 생각한다. 그들은 서양 근대와 동양 전통의 대립 구조에 도전하고, 인도 내외의 모순과 대립을 해소하고자 하여 공유할 수 있는 보편성을 추구했지만, 그 영위는 한가운데에 이 '구멍'이 되는 무언가를 놓고서야 비로소 성립한 것으로 생각된다. 그리고 지금 근대라는 것을 다원화, 다중화하고 공유할 수 있는 무언가로서 다시 파악하고자 하는 우리는 그저 그들을 분석할 수 있는 입장이 아니라 그들과 마찬가지로 자신들의 '구멍'의 문제로 향하지 않을 수 없을 것이다. '구멍'이 없는 세계를 살아갈 것인가 아니면 무언가의 '구멍'을 인정하거나 추구할 것인가? 우리는 실은 과거의 '근대인'의 노력과 같은 영위를 계속하고 있으며, 바로 이를 위해 지금 그것을 분석하고자 하는 것이다.

☞ 좀 더 자세히 알기 위한 참고 문헌

— 로맹 롤랑Romain Rolland, 「라마크리슈나의 생애/비베카난다의 생애와 보편적 복음ラーマクリシュナの生涯/ヴィヴェカーナンダの生涯と普遍的福音」, 『로맹 롤랑 전집 15. 전기 IIロマン・ロラン全集 15 伝記 II』, 미야모토 마사키요宮本正清 옮김, みすず書房, 1980년. '나는 10년 전부터 서양과 동양 사이에 서서 이를 위해 진력하고 있다. 나는 정신의 형태들—서양과 동양이 이성과 신앙으로 (잘못) 부르고 있는 것 사이에서도 그것을 시도하고자 한다'라고 하여 로맹 롤랑이 짓는 전기는 이야기의 매력으로 넘쳐나고 있다.

— 다케우치 게이지竹内啓二, 『근대 인도 사상의 원류—람모한 라이의 종교·사회 개혁近代インド思想の源流—ラムモホン・ライの宗教・社会改革』, 新評論, 1991년. 로이와 브라흐마 사마지의 사상과 활동 전체를 특히 로이의 유일신 신앙에 기초한 보편 종교 사상의 구축 경위와 의의에 초점을 맞추어 논의하는 귀중한 책.

— 우스다 마사유키臼田雅之, 『근대 벵골에서의 내셔널리즘과 성성近代ベンガルにおけるナショナリズムと聖性』, 東海大学出版会, 2013년. 동벵골의 궁벽한 시골에서의 한 인물과 민족 운동의 자세한 서술을 핵심으로 하여 '성성聖性'이 근대 인도 사회에 어떠한 형태를 취하고 무엇을 가져왔는지를 그려낸다.

— 카필 라지Kapil Raj, 『근대과학의 재정위—남아시아와 유럽에서의 앎의 순환과 구축近代科学のリロケーション—南アジアとヨーロッパにおける知の循環と構築』, 미즈타니 사토시水谷智·미즈이 마리코水井万里子·오사와 히로아키大澤廣晃 옮김, 名古屋大学出版会, 2016년. 서양 근대의 전유물로서의 과학상과 비서양 세계의 내셔널리즘적인 과학사가 대항하는 상황을 넘어서서 '서양 중심도 아니고 지역주의도 아닌' 근대적 앎을 '재정위'하는 책.

제10장

'문명'과 근대 일본

가루베 다다시苅部 直

1. '문명개화'의 행방

시빌라이제이션civilisation과 '문명'

'문명개화'라는 말은 메이지의 '어일신御一新' 이후 계속되는 시대의 문화 동향을 표현하는 말로 이미 익숙할 것이다. 바로 그 시대의 유행어였기 때문에 지금도 역사를 말할 때 사용되고 있다. 메이지 시대에 나가사키에서 창업한 카스테라 가게인 '분메이도文明堂' 그룹에 속해 있는 요코하마 분메이도의 인기 상품 중 하나는 '요코하마 개화開化 사브레'이다. 19세기 한 시대의 일본을 상징하는 말로서 '문명개화'는 지금도 살아 있으며 널리 알려져 있다.

원래 '문명'과 '개화' 양자 모두 유학 경서에서 유래하는 한자어이다. 하지만 이를 조합하여 '문명개화'라는 사자 숙어로 쓰게 되자 이는 더 이상 흔한 고전 속 표현이 아니게 되었다. 도쿠가와 시대에 오랫동안 계속된 '쇄국' 체제가 풀리고, 서양 문물의 섭취에 힘쓰게 되었던 이 시대에, 일본인이 새롭게 지향해야 하는 인간의 영위의 방향을 가리킨다. 이런 식의 키워드로 세상에 받아들여지게 된 것이다.

'문명개화'라는 사자 숙어를 만들어낸 것은 아마도 후쿠자와 유키치福澤諭吉(1835~1901)였을 것이다. 그의 저서 『서양 사정西洋事情』 외편이 1868년에 간행되었다. 이는 영국에서 간행된 정치·경제 교과서인, 존 힐 버튼(1809~1881)이 쓴 『정치 경제학 — 학교 교육 및 가정교육을 위해서』(John Hill Burton, *Political Economy: for Use in Schools and for Private Instruction*, London/Edinburgh, 1852)를 번역하고 거기에 '여러 책'의 '초역'을 더해 보완하여 한 권의 책으로 정리한 것이다.

이 책에서 후쿠자와는 원문의 시빌라이제이션civilisation을 '문명개화'라고 번역했다. 이미 같은 책의 초편(1866년)에서도 '문명'이라는 번역어를 사용하고 있다. 초편이 나오기 전해에 다른 인물이 쓴 신문 기사에 '개화 문명'이라는 말이 보인다는 지적도 있지만, 『서양 사정』 초편·외편은 둘 다 베스트셀러가 되어 널리 보급되었으므로 시빌라이제이션의 번역어로서 '문명개화' '문명'이 세상에 확산된 것은 이 책의 힘에 의한 것이라고 보아도 좋을 것이다.

이윽고 '개화'도 같은 말의 번역어로 단독 사용되기 시작했고, 역시 유행어가 되었다.

메이지 초기 10년 정도, 일본에서 살던 사람들은 이 '문명개화' '문명' '개화'라는 말을 기치로 삼아 이른바 근대화를 진행해갔다. 서양류의 '양복'을 입고 구두를 신으며, 머리를 잘라서 잔기리ザンギリ 머리(전통적인 각 신분에 맞는 헤어스타일에서 벗어나 서양식 남성 헤어스타일로 머리를 짧게 자른 것—옮긴이)로 헤어스타일을 바꾸었다. 영어·독어·프랑스어로 된 책을 읽어 학문과 사상을 흡수하고, 그리스도교 신앙과 접촉했다. 철도를 만들고, 기차가 달리게 만들었다. 공업 기계를 서양에서 수입하여 이를 조작하는 기술을 익혔다. 회사나 상거래 제도를 정비했다. 서양식 법전을 편찬하고, 의회의 설치와 중앙 집권적 국가 기구의 창설을 목표로 했다. 서양의 강대국을 따라서 근대를 편성했다. —철학·예술·종교부터 테크놀로지, 법제도, 일상 속 풍속에 이르기까지, 폭넓게 서양 문화를 수용하는 일에 이 시대 일본인은 열심이었다. '문명개화'란, 당시의 동향 전체를 총괄하는 어휘이기도 했다.

거기에는 '문명'과 야만을 대비시키고, 야만에서 '문명'으로 향하는 진보의 정도에 관해 서양 쪽이 일본 등의 '동양' 국가들보다 훨씬 높은 상태에 도달해 있다는 인식이 동반되어 있다. '문명개화'를 향한 노력은 동시에 19세기 서양 철학에서 볼 수 있는 진보사관을 수용하는 과정이기도 했다. 20세기 이후의 상식으로 평가하자면, 이는 서양인의 자문화 중심주의에 대한 비굴한 영합으로 보일지도 모른다.

진보의 의식

하지만 왕정복고와 폐번치현廢藩置縣을 통해 신분제에 의한 속박에서 해방되어 인간의 평등을 얘기하는 철학, 정돈된 법제도, 체계적인 자연 과학과 기술을 한꺼번에 접한 일본인에게, 그것을 '열린' 것으로 순순히 인정하는 일은 실로 자연스러운 일이었을 것이다. 전통 사상과의 관계에 관해서는 더 논의해 보아야 할 측면도 있겠지만, 여기서는 이 점만을 확인하고 서술을 계속하도록 하겠다.

그러므로 후쿠자와와 동일하게 도쿠가와 말기부터 메이지 초기에 걸쳐서 서양 국가들을 방문하고, 현지의 최신 학문을 흡수한 양학 계통의 지식인들은, 서양의 앞선 '문명'의 산물을 일본 사회에서 확산시키려고 시도하고 있었다. 그러한 움직임을 대표하는 그룹이 메이로쿠샤明六社이며 후쿠자와도 이 그룹의 일원이었다.

메이로쿠샤의 사원들은 잡지 『메이로쿠明六 잡지』(전 43호, 1874~1875)를 발행해 논설을 발표하고, 정례회를 공개하여 청중 앞에서 연설 및 토론을 했다. 서양 유래의 학문을 보급하는 것과 동시에, 그러한 지식을 유통시키기 위한 미디어를 개발하여 사회의 기풍을 또한 바꿔보려고 시도했던 것이다.

『메이로쿠 잡지』 제1호(1874년 3월)의 권두를 장식한 것은 메이지 정부의 병부성兵部省에 출사하고 있던 양학자 니시 아마네西周(1829~1897)에 의한 「서양 글자로 국어를 쓰는 일에 관한 논설」이었다. 니시는 쓰와노津和野 출신으로, 도쿠가와 말기에 번서조소蕃書調所(1855년 양학소洋学所로 시작한 서양어로 된 서적 및 문서의 번역, 연구, 양학 교육, 번역서의 인쇄, 검열 등을 담당한 정부 기관 — 옮긴이)의 교수가 되어 네덜란드 유학에 파견되었다. 왕정복고 이후에는 도쿠가와 요시노부德川慶喜(도쿠가와 쇼군가의 마지막 쇼군. 1837~ 1913년 — 옮긴이)와 함께 시즈오카静岡에 이주하여 누마즈沼津 병학교兵学校의 교장이 되었지만, 메이지 정부로부터 부탁을 받아 '동경'의 새로운 정권에 출사했던 것이다.

니시는 이 논설의 모두에서 '문명'의 발달 정도에 관해, 서양과 일본 사이에 커다란 낙차가 있음을 지적하며, 그러한 현 상태에 관해 깊이 탄식하고 있다. "곧잘 저 유럽 국가들과 비교하는 일이 많아, 끝에 가서는 그들의 문명을 부러워하고 우리의 개화되지 못함을 안타까워하며, 끝에 가서는 인민의 우매함은 어찌할 도리가 없다는 얘기로 귀착되면, 한숨지으며 길게 탄식하지 않을 수 없게 된다."(야마무로 신이치山室信一 · 나카노메 도오루中野目徹 교주, 『메이로쿠 잡지明六雜誌』 상권上巻, 岩波文庫, 1999년, 27쪽) 그렇기 때문에 이 낙차를 메꾸고, 조금이라도 따라잡기 위해서는 학문의 내용도, 이를 표현하는 문장의 스타일도 서양과 같게 만들지 않으면 안 된다. 여기서 니시는 일본어를 알파벳, 즉 '서양 글자'로 표기함으로써 글자의 학습과 서양 언어의 습득을 간단하게 만들자고 주장했다.

‘문명개화’의 진행

역사를 돌이켜보면, 이때 니시가 보인 초조함은 기우였으며, 제언은 지나치게 급진적이었다. 그로부터 10년 정도 사이, 서양의 사상·학문·테크놀로지의 수용은 니시의 예상을 넘어 급속하게 진행되었다. 『메이로쿠 잡지』가 발간되기 전해에 도쿄 긴자에는 서양식 건축인 벽돌 건물 거리가 조성되었고, ‘문명개화’의 풍속은 대도시·개항지에서 지방으로 파급되어갔다. 관립 고등 교육 기관인 개성開成학교·의학교·사법성 법학교·공학교 등이 개설되었고, 당초 서양인 교관에 의해 수업이 실시되었는데, 그곳에서 자란 지식인은 일본어와 종래의 문자를 사용한 채로 서양의 학문을 논하며 다음 세대에게 전해주게 된다. 입헌 제도의 도입도 진행되어, 니시의 글이 나온 지 16년 후에는 국회 개설이 실현되기에 이른다.

‘문명’에 대한 의구심

‘문명개화’의 급속한 진행은 동시대를 살던 사람들에게 있어서도 놀라웠다. 구마모토熊本 양학교와 교토의 도시샤(1875년에 창립된 현 도시샤대학의 전신으로, 기독계 미션 학교 계열에 속함—옮긴이)에서 배우고, 고향의 구마모토 오오에大江 마을에 돌아가 사숙을 연 청년 도쿠토미 소호德富蘇峰(1863~1957)는, 저서 『제19세기 일본의 청년 및 그 교육』(1885년) 속에서 이렇게 말하고 있다. '태서泰西의 개화사' 책들에 따르면, 유럽 국가들은 '봉건 할거割據의 기세'에서 오늘날의 '문명'에 이르기까지, 사오백 년에 걸쳐서 천천히 향상해 갔다. 이에 비해 일본은 '이 수백 년이라는 긴 시간을 단숨에 달렸'다. 이 때문에 '수백 년 전 봉건의 잔재와 수백 년 후의 문명 분자가, 같은 시대, 같은 사회 안에서 어깨를 부딪치고 행동을 함께하며 생활하지 않을 수 없는 기이한 현상'을 짧은 시간 안에 환상처럼 나타나게 만들기에 이르렀다(우에테 미치아리 편植手通有編, 『메이지 문학전집 34 도쿠토미 소호집明治文学全集34 德富蘇峰集』, 筑摩書房, 1974년, 151~152쪽).

'봉건'이라고 소호가 말하고 있는 것은 봉건제·군현제라는 동아시아의 전통적인 정체政體 분류 개념에서의 그것이 아니라, 이미 퓨덜리즘feudalism의 번역어이다. 인간 사회는 어느 나라든 '봉건 사회'에서 '자유주의의 사회'로 진보하며, '문명'의 정도를 높여간다. 이것이 19세기 서양의 문명사 저작에서 배운 새로운 역사관이었다. 이제는 '봉건 시대'의 유학이나 국학의 발상에 속박된 노인들과 학문을 통해 서양의 '문명'을 배운 젊은이들이 서로 다투고 있다. 당시의 일본 사회는 소호의 눈에 그렇게 비치고 있었다.

게다가 흥미롭게도 이 시점에 이미 '문명개화'의 풍조에 관한 비판적인 시선이 나타났다. '봉건의 잔재'와 '문명 분자'가 병존하고 있다는 이해는, 관점을 달리하면 서양 '문명'의 수용이 진행되었더라도, 그것은 도시부나 젊은이들만의, 사회의 일부에 침투해 있는 것에 불과하다. 이러한 인식으로도 연결될 수 있다.

소호 자신은, 이 저서를 2년 후에 다시 수록하여 동경에서 간행한 책 『신일본의 청년新日本之青年』(1887년)에서 서양의 '문명'에는 도덕성을 갖춘 '정신적 문명'과 배금주의에 빠져 경쟁으로 날이 새고 지는 '물질적 문명'이라는 양면이 있음에도 불구하고, 메이지 일본에는 '물질적 문명'만이 예찬받고 있다며 비판하고 있다. 새로운 '문명'의 도래를 체험하지 않은 사람들도 아직 많다는 사실에 더해, 그 내용의 '물질적'인 성격이 일본의 '문명개화'의 한계라는 말이다. 소호가 그 전해에 간행한 『장래의 일본將來之日本』(1886년)은, '완력 세계' '문명 세계'에서 '평화 세계' 즉 데모크라시('평민주의')로 향하는 사회 진화를 소리 높여 말하여, 세상 사람들의 평판을 불러 모았다. 하지만 그러한 논의에 '문명'이라는 말은 등장하지 않는다. 메이지 시대가 시작된 지 19년이 되는 시점에 이미 '문명개화', 나아가 '문명'이라는 말은 피상적이며 '물질적'인 서양 모방을 나타내는 것이 되어버려 유통기한이 지나 있었다.

'문화'의 예찬

이윽고 메이지 말인 1911(메이지 44)년이 되어, 나쓰메 소세키夏目漱石(1867~1916)가 '현대 일본의 개화'라는 강연에서 근대 일본에서 말해온 '개화'를 신랄하게 비판한다. 그것은 소세키가 보기에

서양 국가들로부터의 외압에 밀려 서양 문화를 '상피上皮'만 모방한 것에 지나지 않는다. 또한 다이쇼大正기에는 독일계 러시아인이면서 특이한 철학자이자 음악가인 라파엘 쾨베르Raphael von Koeber(1848~1923) 밑에서 공부하던 아베 지로阿部次郎(1883~1959)나 와쓰지 데쓰로和辻哲郎(1889~1960)가 '문명'이라는 말과 대립시키면서 '문화'를 새로운 키워드로 삼아 논진을 펼쳤다. 이른바 다이쇼의 '교양파敎養派'의 등장이다.

이들은 독일의 교양 시민층이 철학·예술·종교라고 하는 정신적 활동과 그 작품을 '문화'라고 부르며, 이와 대비해 '문명'은 물질적인 욕망에 봉사하는 기술의 집적에 불과하다고 폄하한 자세를 충실하게 계승한다. 그리고 이러한 '문화'의 소산을 폭넓게 감상하는 일을 통해서 인격을 향상시키는 자기 도야의 영위를 '교양'(독일어의 빌둥Bildung)이라고 부른다. 아베 지로의 『산타로의 일기三太郎の日記』(1914년)나 와쓰지 데쓰지로의 『우상재흥偶像再興』(1918년)이라는 저작은 청년들 사이에서 인기를 끌었고, 이와나미서점의 출판 사업도 여기에 편승해 다이쇼기의 '교양' 붐을 불러일으켰다. 물질적인 '문명'의 섭취에 전념했던 메이지의 구세대를 뛰어넘어 고상한 '문화'를 추구하는 젊은이들이라는 자부심이 분명히 나타난다.

본래 '문명'(프랑스어의 시빌리자시옹civilisation)이라는 말은 18세기 중엽, 정치가이자 경제학자인 자크 튀르고Anne Robert Jacques Turgot(1727~1781)에 의해 만들어져, 처음에는 프랑스의 문인이 동시대의 습속을 상찬하는 말로서 유포되었던 것이라고 한다(니얼 퍼거슨Niall Ferguson, 『文明Civilization』, 센나 오사무 역仙名紀譯, 勁草書房, 2012, 27쪽). 후쿠자와 유키치가 읽은 스코틀랜드의 버튼의 저서나, 도쿠토미 소호가 읽은 문명사의 책이 이야기하는 시빌라이제이션이라는 말도 역시 프랑스에서의 용법이 영어에 유입된 것이리라.

여기에 비해 다이쇼기부터 보급된 '문화Kultur'와 '문명Zivilisation'의 이항 대립의 논법은 독일어 개념에서 유래한다. 이것은 18세기 말의 요한 볼프강 괴테Johann Wolfgang von Goethe(1749~1832)나 요한 고트프리트 헤르더Johann Gottfried Herder(1744~1803)로 대표되는 신인문주의의 조류에 유래하는 '교양'이라는 말과 더불어 일본에서 유행했다. 19세기 독일에서 이러한 이항 대립이 논의된 데에는 '문명'의 선진국인 프랑스에 대한 후발국 독일의 대항 의식이라는 측면도 있었을 것이다. 이와 달리 아베나 와쓰지의 '문명' 비판이 향한 화살은 오히려 메이지의 구세대를 향해 있다.

쇼와昭和의 '문명' 비판

이윽고 쇼와기에 들어가면, 좌파의 맑스주의, 우파의 '일본정신'론·국체론 사이의 대립이 언론 세계를 지배하게 되어, 양자 사이에 끼어서 '교양파'의 인기는 쇠퇴한다. 하지만 그러한 전변轉變을 겪고도 '문명'에 대한 비판이나 차가운 시선은 계속해서 살아 있었다. 좌익 세력이 그림자를 감추게 되었던 1930년대 후반부터 일본 낭만파(1930년대 후반에 근대 비판과 일본 고대에 대한 찬미를 골자로 '일본 전통으로의 회귀'를 제창한 문학 사상 조류—옮긴이)를 대표해서 활약한 야스다 요주로保田與重郎가 '중일전쟁' 하에 발표했던 평론 중 하나는, 「문명개화 논리의 종언에 대해서」(1939년)라는 제목이다(단, 단행본에 재수록되었을 때의 제목). 서양 문화의 피상적인 '번역과 편집'에 전념하는 지식인의 '문명개화의 논리'가 메이지 초기부터 쇼와의 맑스주의자에 이르기까지 계승되어 '일본 대중의 이데Idee와 현실'로부터 괴리되어 있다. 이것이 야스다의 '문명개화'론이었다.

일본 낭만파와 유사한 입장을 당시에 취하고 있던 작가 하야시 후사오林房雄(1903~1975)는 '대동아 전쟁' 시대에 개최된 '근대의 초극' 좌담회(『文学界』, 1942년 10월호)에서 메이지의 '문명개화'는 '유럽에 대한 굴복'이며 '문명개화란 실용품 문화인 것이지, 그 안에 문화의 근원적인 것은 없습니다'라고 신랄하게 비판한다. 이러한 '문명'과 '문화'의 대비는 그야말로 '교양파'의 용어 사용 방식 그 자체이다. 그러나 정신적인 '문화'의 상징으로서 하야시가 언급했던 것은 아베나 와쓰지가 예찬하는 고대 그리스나 동시대 서양 철학이 아니라, 사이고 다카모리西郷隆盛와 '근황勤皇의 마음'(같은 잡지 특집에 기고했던 평론의 제목)이었다. 시대적 풍조는 확실히 한 바퀴 돌아왔던 것이다.

2. 서양 중심주의를 초월한 것

'문명'을 기뻐하는 서민

욕망 예찬과 물질 편중. 피상적인 서양화. 이러한 '문명개화' 비판이 이미 메이지 10년대에 싹트고, '대동아 전쟁' 시기에 정점을 맞이하게 된 상황을 지금까지 확인해보았다. 전후가 되자 '문명개화'를 가리켜, 위로부터의 강권에 의한 문화 개혁이라는 인상이 한층 더 겹쳐지게 된다. 맑스주의 역사학에 의한 근대사 연구를 대표하는 작품인 도야마 시게키遠山茂樹의 『메이지 유신明治維新』은 이렇게 적고 있다. '문명개화의 승리는 필경 절대주의 권력의 승리이다. 위로부터의 손에 의한 구미 문화의 이식이 인민의 빈곤한 현실의 생활과 동떨어진 것일수록, 이는 윗사람의 권위의 과시로서 인민에게는 받아들여졌다는 것이다.'(岩波全書, 1951년, 302쪽)

'문명개화'란 서양류의 '부국강병'을 지향하는 메이지 정부가 무리하게 억지로 주도한 사업이며, 종래의 생활 풍속에 애착을 가진 '인민'에게 있어서는 민폐인 억압의 도구에 불과했다. 이러한 이해이며, 지금도 그러한 관점을 드러내는 역사학자는 적지 않다.

그러나 실태는 그렇지 않았다. 당시의 서민이 '문명개화'에 기울인 태도를 잘 보여주는 문학 작품으로 게사쿠戯作(18세기 후반부터 에도에서 일어난 통속 소설류를 가리키는 총칭. — 옮긴이) 문학 작가인 가나가키 로분仮名垣魯文(1829~1894)에 의한 『서양도중 히자쿠리게西洋道中膝栗毛』(전 15편, 1870 ~1876년. 제12편 이후는 후소 간總生寬에 의한 대필)가 있다. 도쿠가와 시대의 곳케이본滑稽本, 짓펜샤 잇쿠十返舍一九(1765~1831)에 의한 『동해도중 히자쿠리게東海道中膝栗毛』의 주인공 기타하치喜多八와 야지로베彌次郎兵衛의 손자들이라는 설정으로 동명의 콤비가 에도를 출발하여 증기선에 올라 인도, 이집트를 지나 영국 런던까지 세계를 여행하는 이야기이다. 물론 작자가 실제로 유럽까지 갔던 것은 아니다. 후쿠자와 유키치가 집필한 『서양사정』, 『서양 여행 안내西洋旅案內』, 『서양 의식주西洋衣食住』와 같은 안내서를 읽고 도판을 투사透寫하고, 서양에서 돌아온 지인에게 이야기를 듣고는 상상을 부풀려가며 쓴 작품이다.

그 글의 첫머리에서 작자는 아래와 같이 말하고 있다.

문명개화 시대인 지금의 여행은 옛날과 달리 세계 만국과도 친척처럼 교제하게 되었으니, 육지에는 증기 기차, 강과 바다에는 증기선이라는 기계를 갖추고, 자국 내에서는 마당을 돌아다니듯이, 귀문관鬼門關 밖도 멀다 여겨지지 않고(귀문관은 중국 호남湖南 지역에서 광서廣西 지역으로 들어가기 위해 지나야 하는 곳으로, 장강漳江 계곡을 따라 있는 절벽의 험한 난소. 여기서는 '머나먼 변경' 정도의 뜻), 쉰다섯 숙소가 있는 도카이도東海道, 예순아홉 숙소가 있는 나카센도中山道(도카이도와 나카센도는 모두 에도에서 교토까지 가는 오가도五街道), 오쿠노호소미치奥の細道(에도 시대 하이카이俳諧 시인인 바쇼芭蕉가 여행한 2,400km 가량의 여행 루트)를

> 여행하는 것도, 에조蝦夷 10주(홋카이도北海道와 지시마千島 열도)를 유람하는 것도, 대포를 쏘아 순식간에 날아가듯 빠르게 간다. 출발할 때 마신 술이 깨기 전에 종착지인 도시나 항구에 도착하는 그 신속함이란 실로 하늘이 주신 은혜天恩로 가능해진 새로운 세상御新制이니, 이 얼마나 감사한 세상이 아닌가. (『서양도중 히자쿠리게西洋道中膝栗毛』 상권, 고바야시 지카히라小林智賀平 교정, 岩波文庫, 1958년, 50쪽)

증기 기관차와 증기선은 그 당시 서양의 앞선 '문명', 또 일본의 '문명개화'를 상징하는 것으로 자주 언급된다. 여행 이야기의 배경 설정이라고 하는 역할에 그치지 않는 커다란 의미가 그 모습에 담겨 있는 것이리라. '문명개화'는 빼어난 기술적 지원에 입각한, 커뮤니케이션의 가속과 확대로 파악되었다. '이 얼마나 감사한 세상이 아닌가'라는 말에는 왕정복고·폐번치현에 의한 '하늘이 주신 은혜'가 가져온, 이 '문명개화'를 스스럼없이 환영하는 심정이 넘치고 있다.

얼마 후 1874(메이지7)년에 간행된 제13편에서 야지로베와 기타하치 두 사람은, 런던 박람회의 '개화'된 모습에 감탄하면서, '그래도 일본도 요즈음 크게 개화가 되어가고 있는지라, 여러 가지 기계도 생기고 증기나 철도, 전신기는 물론, 사진 그 밖에도 대개는 서양과 비슷한 모양이 되었습니다'(하권, 139쪽)라고 영국인을 향해 자랑한다. 물론 두 사람의 허세를 풍자한 묘사이기는 할 것이다. 하지만 동시에 급속한 문명개화의 진행을 당시 서민이 기뻐하고 있음을 증언하는 내용임이 틀림없다.

전통 사상에서 본 '문명'

실제로 와타나베 히로시渡邊浩의 논문 「'진보'와 '중화' — 일본의 경우」(『동아시아의 왕권과 사상東アジアの王権と思想』, 東京大学出版会, 増補新装版, 2016에 수록)가 밝히고 있다시피, 이미 도쿠가와 시대 후반부터 학자나 문인의 저작에는 세상이 '열리다開ける'라는 표현이 등장하게 되었다. 이는 경제가 번영하고 계속해서 새로운 물건이 유통되고, 문화가 세련되었다는 사람들의 실감을 반영한 것이었다. 서민에게 있어서 '어일신御一新' 이후의 '문명개화'는, 앞선 시대로부터 이어진 변화의 연장으로 체감되었다. 시빌라이제이션의 번역어 중 하나로 '개화'가 선택된 이유도, 열려가는 세상이라는 감각에 잘 들어맞았기 때문일 것이다.

게다가 이 '개화'는, 도덕적인 자질의 향상과도 겹쳐서 파악되고 있었다. 『서양도중 히자쿠리게西洋道中膝栗毛』의 제2편에 보이는 삽화도 그러한 지점을 나타낸다. 야지로베와 기타하치 두 사람이 서양으로 향하는 항로의 도중 상하이의 거리를 걷고 있을 때, 기타하치의 머리에 상투가 삐뚤어져 있는 것을 야지로베가 가르쳐주지 않아 창피를 당하게 되었다. 이를 눈치챈 기타하치는 야지로베의 '몰인정'함을 나무라고, 두 사람은 말다툼을 하게 된다. 그 와중에

야지로베가 던지듯이 내뱉는 말이 '엄청 개화가 늦된 오랑캐구만' 이다. 서로를 생각해주는 '인정'이 '개화'가 진행되는 효과로 나타난다는 생각이 드러나 있다.

애초에 시빌라이제이션의 번역어로 '문명' '개화'라는 한자어를 대응시킨 일 자체가 도덕성의 뉘앙스를 강하게 띠고 있다. 양쪽 모두 유학 사상에서 이상 세계로 여기는, 경서가 전하는 고대 성인왕聖人王들의 치세에서 도덕심이 확장되고 사람들이 평온하게 공존하고 있는 모습과 연관된다. '문명'은 경서 중 하나인 『서경書經』 순전舜典에 보이며, 이상적인 성인왕 중 한 사람인 순舜의 심원한 덕을 예찬하는 형용사였다. 또한 『역경易經』 건괘 문언전乾卦 文言傳에서는, 덕이 높은 통치자에 의한 감화를 입어, 세상이 안정되어 있는 모습을 '천하 문명'이라고 표현한다. '개화'도 또한 그러한 감화 작용의 시작("화化를 열다開")을 의미하는 말이었다. 주자학의 『서경』 주석서인 채침蔡沉의 『서경집전書經集傳』은 '문명'이라는 어휘를 '문리이광명文理而光明'이라고 해설한다. 사람들이 자신의 정욕을 억제하고, 마음에 본래 갖춰져 있는 '리'를 충분히 발휘하여 모든 사람, 모든 사물과의 조화를 실현한다. '문명'이라는 말이 의미한 것은 그러한 이상적인 세상이 뿜는 아름다운 광채가 아니었을까.

'문명'의 도덕성

18세기에 장 자크 루소Jean Jacques Rousseau(1712~1778)가 『학문예

술론』 등에서 전개했던 시빌라이제이션이 가져올 인간성의 부패에 대한 고발을 알고 있는 사람의 관점에서 보자면, '문명'이라는 번역어를 대응시킨 것이 단순한 오해로 여겨질지도 모른다. 하지만 그렇지 않다. 후쿠자와 유키치의 『서양 사정』 외편은, 버튼의 원서에 있는 Civilisation이라는 제목의 장을, 제1권 제4장 '세상의 문명개화'라고 번역해냈다. 여기서 그려지고 있는 '문명'의 모습은, 아래와 같은 것이다.

역사를 살펴보건대, 인간의 삶의 시작은 망매莽昧하나 점차 문명개화文明開化로 나아간다. 망매불문莽昧不文의 세상에서는 예의의 도道가 아직 행해지지 않아서 인간들이 스스로 능히 혈기를 제어하고 정욕을 억누르지 못했다. 큰 사람이 작은 사람을 범하고 강자가 약자를 학대하고, 부인을 노비처럼 보았으며, 아버지가 아들을 무도無道하게 통제하여도 이를 제어할 자가 없었다. 게다가 세간에는 서로를 믿는 마음이 얕아서 교제交際의 도道가 아직 대단히 협소하였으므로, 제도를 설치하여 모두를 위해서 능히 이익을 도모하지 못했다. 세상이 문명으로 나아감에 따라 이러한 풍속이 점차 그쳐, 예의를 중시하고 정욕을 제어하여 작은 사람은 큰 사람에게서 도움을 받고 약자는 강자에게서 보호받았으며, 사람들이 서로 신뢰하여 오로지 사사로이 자신만을 돌아보지 않고 세상 모두世間一般를 위해서도 편리를 도모하는 자가 많았다.

이를 원문과 대조해 보면 거의 충실한 번역이라는 사실을 알 수 있다. '문명'의 진보와 함께, 인간은 '망매'한 상태에서 시빌라이제이션 즉 '문명개화'로 향해 나아간다. 그러나 여기서 그려지는 '문명'의 상태는, 남녀평등을 제외한다면, '예의를 중시하고 정욕을 제어'하며, '사람들이 서로 신뢰하여 오로지 사사로이 자신만을 돌아보지 않'는다는 등, 유자儒者가 이상으로 삼은 조화 상태와 완전히 통하는 내용이다. '예의'라고 쓴 부분은, 원문의 '도덕 감정the moral feelings'의 번역어이다. 타자에 대한 정중함과 공정함을 의미하며, 유학이 모든 사람의 마음에 잠재해 있다고 설명하는 오상五常의 덕의 중요한 구성 요소였다.

결국 19세기 서양의 문명론·문명사의 저작은, 이미 시빌라이제이션(프랑스어의 시빌리자시옹)에 대한 루소와 같은 비판을 염두에 두고, 인류가 진보함에 따라서 계산 능력이나 공리적인 사고로서의 지혜뿐만 아니라, 도덕성 또한 성장한다고 반론하는 것이었다. 후쿠자와 유키치가 『문명론의 개략文明論之概略』(1875년)을 집필할 때 참고했고, 도쿠토미 소호도 읽었을 것이라 생각되는 영국의 헨리 토마스 버클Henry Thomas Buckle(1821~1862)의 저작 『잉글랜드 문명사』(1857~1861)는, 지혜intellect와 도덕moral 양자가 서로 보완하면서 함께 발달하는 것이 시빌라이제이션의 발전이라고 설명한다.

후쿠자와 유키치도 이를 받아서 『문명론의 개략』 안에서 '지혜'와 '덕'의 양자가 함께 발달해가는 것이 '문명'의 진보라고 설명하고 있다. 인간의 욕망을 만족시키고, 의식주를 쾌적하게 만드는 기술만을 개발하는 것과 같은 '지혜'는 '문명'의 반쪽에 불과하다. 19세기 서양 국가들도 또한 확실하게 '지혜'의 진보라는 정도에서는 일본보다 훨씬 더 앞서 있었다고 하더라도, 유럽 국가들 간의 전쟁이나, 아시아·아프리카에 대한 침략의 사실을 본다면, '덕'에 있어서는 아직 크게 진보하지 않았음을 알 수 있다. 그러나 '문명'의 진보가 계속된다면, '덕' 또한 풍성하게 퍼져나가, 수백 년·수천 년 후에는 세계 만국이 전쟁을 그만두고 평온하게 공존하는 '문명의 태평'이 실현될 것이다. 후쿠자와가 제시한 인류사의 비전은 도쿠토미 소호가 비판하는 '물질적 문명'의 자기 전개가 아니었다. 오히려 19세기 인류가 보인 욕망의 분출과 전란 상태를 극복하고, 이윽고 도달할 세계 평화로의 길이었던 것이다.

3. 19세기의 다면성

세계사의 철학

앞에서 언급한 '대동아 전쟁' 시대에 열린 좌담회 '근대의 초극'에서, 사회자인 가와카미 데쓰타로河上徹太郎(1902~1980)의 긴 모두 발언 뒤에 먼저 문제 제기를 한 사람은, 좌담회 직후에 구제舊制 제3고등학교(현 교토京都대학과 오카야마岡山대학의 전신으로, 1947년 시행된 학교 교육법 이전의 구제 대학으로 진학하는 것을 주된 목적으로 설립된 예비 교육 시설로 1950년까지 존재. 남학생만을 대상으로 함— 옮긴이) 교수에서 교토제국대학 문학부 조교수로 바뀌게 되는 서양사학자 스즈키 시게타카鈴木成高(1907~1988)이다. 이즈음 스즈키는 같은 교토대학의 교수·조교수였던 철학자들, 고사카 마사아키高坂正顯(1900~1969), 고야마 이와오高山岩男(1905~1993), 니시타니 게이지西谷啓治(1900~1990)와 함께 왕성하게 '세계사의 철학'의 논진을 펼치고 '대동아 전쟁'의 사상사적 의의를 크게 주장했다.

좌담회의 모두에서 스즈키는, 현재 '초극'되어야 한다고 얘기되는 직접적인 대상은 '근대' 중에서도 프랑스 혁명 이후의 시대, 즉 19세기 이후의 유럽의 존재 양식이라고 설명하고 있다. '정치상으로는 데모크라시가 되기도 합니다만, 사상적으로는 리버럴리즘, 경제상으로는 자본주의, 그러한 것이 19세기라고 말해도 좋으리라 생각됩니다'. 좌담회에서 스즈키 외의 다른 발언에 의하면, 이는 완전히 새로운 동향이라고 할 수는 없으며, 본래 '중세'의 부정에서 출발했기 때문에 발생한 르네상스 이후의 '근대' 전체에 걸친 경향에 뿌리를 두고 있다. 그리고 모두 발언에서는, 이 '근대'의 성격은 전통적인 '유럽적인 것'의 특질과 연결되어 있기 때문에, '그러한 유럽의 세계 지배라는 것을 초극하'는 '대동아 전쟁'도 또한 '근대의 초극'의 시도가 아닐 수 없다고 설명했다.

스즈키와 다른 세 명의 '교토학파' 철학자들이 이렇게 전시

중에 한 발언은, 시국에 대한 영합으로만 볼 문제가 아니라, '대동아 전쟁'의 전쟁 목적을 문자 그대로 받아들이면서 전시 체제의 운영을 조금이라도 합리적인 방향으로 수정하려는 목표를 가진 것이었다. 그러나 전시하에 국민이 맛봐야 했던 고통, 패전이라는 결과에서 보자면 그러한 시도는 실패라고 말할 수 있다.

전후에서의 대결

이러한 스즈키와 달리, 19세기부터 20세기에 걸친 문명사의 이해에 관하여 전후 정면에서 논쟁의 도전장을 던진 지식인이 있었다. 전시하에 있었던 '근대의 초극'이라는 동향에 대해 비판 의식을 갖고, 오히려 이념으로서의 '근대'를 존중하는 입장에서 사상사 연구를 계속하고 있던 정치학자, 마루야마 마사오이다. 1954(쇼와 29)년에 간행된 좌담회 '공동 토의共同討議 세계사 속에서의 현대'(『현대사 강좌 별권 전후 일본의 동향現代史講座 別卷 戰後日本の動向』, 創文社, 수록)에서 스즈키와 마루야마는 얼굴을 마주하게 된다.

여기서 마루야마가 스즈키를 비판한 논점 중 하나는, 역시 사상사적 맥락에서 19세기의 위치를 어떻게 자리매김할 것인가를 둘러싼 문제였다. 마루야마는 대중 민주주의mass democracy의 발흥, 테크놀로지의 확장이라고 하는 '현대'의 동향이 이미 19세기에 시작되었다고 지적한다. '저는—점점 시대를 거슬러 올라가 송구

합니다만 — 제국주의 개막보다 약간 앞선 단계, 즉 19세기 중반즈음에 현대의 발단을 두고 싶습니다.'(같은 책 180쪽). 여기에서는 르네상스 이래 계속된 '근대'의 연장선상에 19세기를 자리매김하려는 스즈키와, 같은 세기를 '근대'와 구별되는 '현대'의 시작으로 보려는 마루야마가 뚜렷하게 대립하고 있다.

두 사람의 다른 저작에서의 주장도 시야에 넣고 정리해보자면, 스즈키는 19세기 서양에서의 물질주의의 횡행과, 공업력의 발전을 배경으로 했던 제국주의 국가들의 세계 지배를 '근대'가 출발점에서부터 안고 있었던 문제성의 발현이라고 파악했다. 이를 뛰어넘어 정신문화의 풍요로움을 회복하고, 서양 이외의 지역도 자립할 수 있는 다원적인 세계 질서의 기초를 다지는 것. 전시 상태에서의 '세계사의 철학'이란 그러한 형태로 '근대'라는 세계사 속의 한 시대를 초극하고자 주장한 것이었다. 여기에 비해 마루야마에게는, '18세기 계몽 정신'이 체현하는 자유나 인권의 원리는 인류가 보편적으로 지향해야 할 이상임이 틀림없었다. 그러한 이념으로서의 '근대'를 칭송하는 입장에 서서 20세기의 '현대'를 분석하고, 19세기에는 그 전사로서의 의미를 두었다.

'근대'의 문제점이 19세기에 집약되었다고 보는 스즈키. 19세기의 새로운 동향이 긍정과 부정의 양면으로 '현대'에 연속한다는 사실에 주의를 기울인 마루야마. 세계철학의 문제에서 생각할 때 두 사람의 대립으로부터 알 수 있는 것은, 19세기 서양의 철학사상이 안고 있던 다면성을 반영한 역사관의 차이다. 그리고 '문명개화'기의 일본인도 또한 그러한 다면성 중 중요한 일면을 확실하게 포착하고 있었다고 말할 수 있을 것이다. [이새봄 옮김][※]

[※] 이새봄: 이 제10장의 옮긴이다. 이새봄은 연세대학교 정치외교학과를 졸업하고 도쿄대학 총합문화연구과에서 석·박사학위를 받았다. 현재 일본 세이케이(成蹊)대학 정치학과 교수로 재직 중이다. 동아시아와의 비교를 시야에 넣은, 도쿠가와 시대부터 메이지 시대까지의 일본 정치사상사를 주요 연구 주제로 삼고 있다. 저서로는 『'自由'を求めた儒者—中村正直の理想と現實』, 中央公論新社, 2020가 있으며, 『메이로쿠 잡지: 문명개화의 공론장』, 빈서재, 2021을 통해서는 『메이로쿠(明六) 잡지』의 원문 번역과 연구를 발표했다. 이외에도 유길준의 사상, 근대 일본의 한학 등 19세기 동아시아 사상사 관련 논문을 다수 발표했다.

☞ 좀 더 자세히 알기 위한 참고 문헌

— 후쿠자와 유키치松澤弘陽校注, 『문명론의 개략文明論之概略』, 1995. '문명'에 관한 메이지의 사상가가 어떻게 사고했는가. 이러한 사고의 깊이와 넓이를 알기 위해서는 역시 이 책을 읽는 것이 가장 좋다. 뛰어난 주석이 이해를 돕는다. 보조 자료로 마쓰자와松澤弘陽의 『근대 일본의 형성과 서양 경험近代日本の形成と西洋経験』(岩波書店, 1993)을 읽는 것도 좋다.

— 고노 유리河野有理, 『메이로쿠 잡지의 정치사상—사카타니 시로시와 '도리'의 도전明六雜誌の政治思想—阪谷素と'道理'の挑戦』, 東京大学出版会, 2011; 이새봄李セボン, 『'자유'를 추구한 유자—나카무라 마사나오의 이상과 현실'自由'を求めた儒者—中村正直の理想と現實』, 中央公論新社, 2020. 사카타니 시로시阪谷素와 나카무라 마사나오中村正直 모두 주자학자이면서 근대 서양의 철학과 정치사상을 이해하여 이를 일본에 뿌리내리게 하고자 고군분투한 사상가이다. 도쿠가와 시대에서 메이지 시대에 이르는 사상의 연속과 변화를 이해하기 위한 중요한 연구서.

— 고사카 구니쓰구小坂国繼, 『메이지 철학의 연구—니시 아마네와 오니시 하지메明治哲学の研究—西周と大西祝』, 岩波書店, 2013. 이 장에서는 오늘날의 아카데미즘에서 하는 철학 연구와 가까운 작업을 했던 메이지의 사상가들에 대해서는 거의 언급하지 않았다. 그러한 방면에 관해 알고자 할 때 적절한 한 권.

— 마쓰다 고이치로松田宏一郎, 『의제의 논리 자유의 불안—근대 일본 정치사상론擬制の論理自由の不安—近代日本政治思想論』, 慶應義塾大学出版会, 2016. 서양 사상이 독자적으로 발달시킨 픽션이라는 사고의 기술을 어떻게 익힐 것인가. 이것이 비서양 지역의 지식인이 19세기 이후에 매달려

온 과제이다. '자유'나 '평등'이나 '국가' '사회'라는 개념을 둘러싼 일본의 사상가들의 영위가 이 책으로부터 떠오른다.

—가루베 다다시苅部直, 『'유신 혁명'으로의 길—'문명'을 추구했던 19세기 일본'維新革命'への道—'文明'を求めた十九世紀日本』, 新潮選書, 2017. 이 장의 배경에 있는 견해를 이해하기 위해서 필요하기 때문에 언급한다. 이 장과 이 책을 읽는다면, 메이지 정부가 슬로건으로 내걸었던 적이 없는 '화혼양재'나 '부국강병' 등의 말로 일본 근대 전체를 정리해버리는 폐습은 더 이상 답습할 수 없게 될 것이다.

후기

이 제7권에서는 주로 19세기 세계의 철학을 다루었지만, 이 세기는 우리 일본인의 '철학'에 대해 특별한 의미를 지닌다. 말할 필요도 없이 17세기 전반부터 200년 정도 이어진 쇄국 상태가 흑선黑船(에도 시대 말 서양의 배를 일컬음)의 '내습'으로 깨지고 어쩔 수 없이 개국할 수밖에 없게 되는 가운데 사람들은 서양의 풍습·학술·기술 등, 문명상의 모든 이질적인 요소와의 접촉을 경험하게 되었기 때문이다. 에도 말기부터 메이지 초기에 걸쳐 도입된, 서양 전래의 '앎에 대한 사랑, 즉 철학'이라는 학문의 발상은 당시 사람들의 눈에는 한편으로는 신선한 것으로 비쳤을지도 모르지만, 동시에 너무나도 이해하기 어려운 복잡한 개념적 작업이라고 보였을지도 모른다.

그런데 메이지 유신에서의 서양 철학 전통의 유입을 생각하면,

이런 종류의 밖으로부터 강요된 형태로 생겨난 다른 문화의 흡수와 오늘날 지구상에서 생기고 있는 철학의 세계화 운동은 어떠한 관계에 있는 것일까 하는 다른 의문도 떠오른다.

우리가 현재 경험하고 있는 철학의 지구화는 한편으로는 고도하게 발달한 통신과 교통 기술에 지탱되고 있다. 그러나 그것은 또한 현재 우리가 놓인 환경이나 생명, 신앙, 언어 등 인류에 대해 가치 있는 것의 존속이 근본적인 위기에 노출되어 있다는 통절한 유한성의 의식으로도 뒷받침되고 있다. 어쩔 수 없이 개국하게 된 19세기 일본인의 위기감과 생명이나 문화의 존속 위기 아래 지적인 연대와 교류를 구할 수밖에 없는 현대의 의식 사이에는 시대와 지리적 넓이에서 그 종류가 대단히 다른 성격이 놓여 있겠지만, 겹쳐지는 측면도 있을 것이다.

어쨌든 철학의 지구화라는 것은 단순히 다양한 문화와 신념 체계의 유동적 뒤섞임인 것 이상으로 지금까지의 모종의 폐쇄성을 지닌 앎의 시스템으로는 아무래도 극복될 수 없는 문제 상황이라는 한계 의식을 수반할 것이다. 그리고 이 한계의 의식을 돌파하기 위해서는 세계를 바라보는 종래 방식으로부터의 대규모 이탈이 필요할 것이다. 메이지 유신이라는 일본의 경험은 그때까지의 무사 사회의 내적인 상하 위계질서를 전도하고자 하는 운동이 무사 계급 그 자체의 폐절을 이끌었다고 하는 역설적인 계기를 포함하고 있었다. 오늘날의 철학에서 세계화의 운동 역시 마찬가지의 역설적 성격을 보여주는 것이 틀림없다.

제6권의 후기에서도 말했듯이 이 시리즈의 간행을 위한 편집 작업은 세계적 규모의 일찍이 없었던 바이러스 감염이라는 위기적 사태에 휘말리는 가운데 많은 사람의 헌신적인 노력으로 이럭저럭 유지되고 있다. 그 노력의 중심에서 서로 복잡하게 얽힌 수많은 요구에 부응하기 위해 하루하루 분투하고 있는 치쿠마쇼보의 마쓰다 다케시松田健 씨에게 이 권에서도 다시 감사의 말씀을 드리고자 한다.

2020년 5월

제7권 편자 이토 구니타케

편자

이토 구니타케伊藤邦武 _ 머리말 · 제1장 · 후기

1949년생. 류코쿠대학 문학부 교수, 교토대학 명예교수. 교토대학 대학원 문학연구과 박사과정 학점 취득 졸업. 스탠퍼드대학 대학원 철학과 석사과정 수료. 전공은 분석 철학·미국 철학. 저서 『프래그머티즘 입문』(ちくま新書), 『우주는 왜 철학의 문제가 되는가』(ちくまプリマー新書), 『퍼스의 프래그머티즘』(勁草書房), 『제임스의 다원적 우주론』(岩波書店), 『철학의 역사 이야기』(中公新書) 등 다수.

야마우치 시로山內志朗

1957년생. 게이오기주쿠대학 문학부 교수. 도쿄대학 대학원 인문과학연구과 박사과정 학점 취득 졸업. 전공은 서양 중세 철학·윤리학. 저서 『보편 논쟁』(平凡社ライブラリー), 『천사의 기호학』(岩波書店), 『'오독'의 철학』(青土社), 『작은 윤리학 입문』, 『느끼는 스콜라 철학』(이상, 慶應義塾大学出版会), 『유도노산의 철학』(ぷねうま舎) 등.

나카지마 다카히로中島隆博

1964년생. 도쿄대학 동양문화연구소 교수. 도쿄대학 대학원 인문과학연구과 박사과정 중도 퇴학. 전공은 중국 철학·비교사상사. 저서 『악의 철학—중국 철학의 상상력』(筑摩選書), 『장자—닭이 되어 때를 알려라』(岩波書店), 『사상으로서의 언어』(岩波現代全書), 『잔향의 중국 철학—언어와 정치』, 『공생의 프락시스—국가와 종교』(이상, 東京大学出版会) 등.

노토미 노부루納富信留

1965년생. 도쿄대학 대학원 인문사회계 연구과 교수. 도쿄대학 대학원 인문과학연구과 석사과정 수료. 케임브리지대학 대학원 고전학부 박사학위 취득. 전공은 서양 고대 철학. 저서 『소피스트란 누구인가?』, 『철학의 탄생—소크라테스는 누구인가?』(이상, ちくま学芸文庫), 『플라톤과의 철학—대화편을 읽다』(岩波新書) 등.

■ 집필자

나카가와 아키토시中川明才 __ 제2장

1971년생. 도시샤대학 문학부 교수. 도시샤대학 대학원 문학연구과 박사과정 후기 졸업. 전공은 독일 고전 철학. 저서 『피히테 지식학의 근본 구조』(晃洋書房), 『피히테 지식학의 전모』(공저, 晃洋書房). 역서 『피히테를 읽다』(晃洋書房) 등.

다케우치 쓰나후미竹內綱史 __ 제3장

1977년생. 류코쿠대학 경영학부 준교수. 교토대학 대학원 문학연구과 박사과정 학점 취득 졸업. 박사(문학). 전공은 종교 철학. 논문 「니체에게서의 니힐리즘과 신체」(『종교 철학 연구』 제33호), 「초월자 없는 자기 초월 — 니체에게서의 초월과 윤리」(『윤리학 연구』 제49호), 「니체의 동정— 동고 비판에 대하여」(『류코쿠 철학 논집』 제34호) 등.

사사키 류지佐々木隆治 __ 제4장

1974년생. 릿쿄대학 경제학부 준교수. 히토쓰바시대학 대학원 사회학연구과 박사과정 수료. 박사(사회학). 전공은 경제 이론·사회사상. 저서 『증보개정판. 맑스의 물상화론』(社會評論社), 『칼 맑스』(ちくま新書), 『맑스 자본론(시리즈 세계의 사상)』(角川選書), 『맑스와 에콜로지』(공편저, 堀之內出版) 등.

간자키 노부쓰구神崎宣次 __ 제5장

1972년생. 난잔대학 국제교양학부 교수. 교토대학 대학원 문학연구과 박사 후기과정 연구지도 인정 졸업. 박사(문학)를 교토대학에서 취득. 전공은 윤리학. 저서 『로봇으로부터의 윤리학 입문』(공저, 名古屋大学出版会), 『우주 윤리학』(공편저, 昭和堂) 등.

하라다 마사키原田雅樹 __ 제6장

1967년생. 간사이가쿠인대학 문학부 교수. 파리 제7(디드로)대학 대학원 과학사·과학 철학 전공 박사과정 수료. 박사(과학사·과학 철학). 전공은 프랑스 철학·물리학의 철학. 저서 *La physique au carrefour de l'intuitif et dusymbolique* (Vrin), 『에피스테몰로지』(공저, 慶應義塾大学出版会), 『주체의 논리·개념의 윤리』(공저, 以文社).

오가와 히토시小川仁志 _ 제7장

1970년생. 야마구치대학 국제종합과학부 교수. 나고야시립대학 대학원 박사 후기과정 수료. 박사(인간문화). 전공은 공공 철학. 저서 『공공성주의란 무엇인가?』(教育評論社), 『처음 만나는 정치 철학』, 『아메리카를 움직이는 사상』(이상, 講談社現代新書), 『탈영속패전론』(朝日新聞出版), 『닷새 배워 평생 사용한다! 프레젠테이션 교과서』(ちくまプリマー新書) 등 다수.

미야케 다케시三宅岳史 _ 제8장

1972년생. 가가와대학 교육학부 준교수. 교토대학 대학원 문학연구과 박사 후기과정 연구지도 인정 졸업. 박사(문학). 전공은 프랑스 근현대 철학. 저서 『베르그송 철학과 과학의 대화』(京都大学学術出版会), 『'현재'라는 수수께끼』(공저, 勁草書房), 『베르그송 『물질과 기억』을 해부한다』(공저, 書肆心水) 등.

도미자와 가나富澤かな _ 제9장

1971년생. 시즈오카현립대학 국제관계학부 준교수. 도쿄대학 대학원 인문사회계 연구과 박사과정 수료. 박사(문학). 전공은 종교학. 논문 「아시아와 분류 — 공통의 과제, 공통의 희망」(U-PARL 편, 『도서관이 이어주는 아시아의 앎 — 분류법에서 생각한다』(東京大学出版会), 「세 나라의 '세속주의' — 남아시아로부터 이 말의 의의를 생각한다」(이케자와 마사루 편, 『이제 종교로 향한다 4. 정치화하는 종교, 종교화하는 정치』(岩波書店) 등.

가루베 다다시苅部 直 _ 제10장

1965년생. 도쿄대학 법학부 교수. 도쿄대학 대학원 법학정치학연구과 박사과정 수료. 박사(법학). 전공은 일본 정치사상사. 저서 『빛의 나라 와쓰지 데쓰로』(岩波現代文庫), 『마류야마 마사오』(岩波新書), 『질서의 꿈』 (筑摩書房), 『'유신 혁명'에 이르는 길』(新潮選書), 『일본 사상사의 명저 30』(ちくま新書), 『일본 사상사에 이르는 길 안내』(NTT出版) 등.

오코치 다이쥬大河内泰樹 _ 칼럼 1

1973년생. 교토대학 대학원 문학연구과 교수. 히토쓰바시대학 대학원 사회학연구과 박사과정 학점 취득 졸업. 보훔 루르대학 박사(철학). 전공은 근현대 독일 철학. 저서 *Ontologie und Reflexionsbestimmungen. Zur Genealogie der Wesenslogik Hegels* (Königshausen und Neumann), 『정치에서 올바르다는 것은 어떠한 것인가: 포스트 근거짓기주의와 규범의 행방』(공저, 勁草書房) 등.

야마와키 마사오山脇雅夫 __ 칼럼 2

1965년생. 고야산대학 문학부 교수. 교토대학 대학원 문학연구과 박사과정 수료. 교토대학 박사(문학). 전공은 독일 고전 철학. 논문 「판단과 추리 — 헤겔의 매사의 존재론」(『정황』, 제4기 제5권 제3호), 「'개념'의 실현으로서의 음미 — 『정신현상학』 '서론'에서의 앎의 구조」(『고야산대학 논총』 54권) 등.

요코야마 데루오橫山輝雄 __ 칼럼 3

1952년생. 난잔대학 명예교수. 도쿄대학 대학원 이학계연구과 석사과정 수료, 박사과정 학점 취득. 전공은 과학 철학·과학 사상사. 저서 『다윈과 진화론의 철학』(편저, 勁草書房), 역서 『찰스 다윈』, 『라마르크와 진화론』(이상, 朝日新聞社) 등.

다니 스미谷 壽美 __ 칼럼 4

1953년생. 게이오기주쿠대학 명예교수. 게이오기주쿠대학 대학원 박사과정 수료, 박사(문학). 전공은 종교 철학·러시아 사상. 저서 『솔로비요프의 철학 — 러시아의 정신 풍토를 둘러싸고』(理想社), 『솔로비요프 — 삶의 변용을 구하여』(慶應義塾大学出版会) 등.

■ 옮긴이

이신철李信哲

가톨릭관동대학교 VERUM교양대학 교수. 연세대학교 철학과를 졸업, 건국대학교 대학원에서 철학 박사학위 취득. 전공은 서양 근대 철학. 저서로 『진리를 찾아서』, 『논리학』, 『철학의 시대』(이상 공저) 등이 있으며, 역서로는 피히테의 『학문론 또는 이른바 철학의 개념에 관하여』, 회슬레의 『객관적 관념론과 근거짓기』, 『현대의 위기와 철학의 책임』, 『독일철학사』, 셸링의 『신화철학』(공역), 로이 케니스 해크의 『그리스 철학과 신』, 프레더릭 바이저의 『헤겔』, 『헤겔 이후』, 『이성의 운명』, 헤겔의

『헤겔의 서문들』, 하세가와 히로시의 『헤겔 정신현상학 입문』, 곤자 다케시의 『헤겔과 그의 시대』, 『헤겔의 이성, 국가, 역사』, 한스 라데마커의 『헤겔 『논리의 학』 입문』, 테오도르 헤르츨의 『유대 국가』, 가라타니 고진의 『트랜스크리틱』, 울리히 브란트 외 『제국적 생활양식을 넘어서』, 프랑코 '비코' 베라르디의 『미래 가능성』, 사토 요시유키 외 『탈원전의 철학』 등을 비롯해, 방대한 분량의 '현대철학사전 시리즈'(전 5권)인 『칸트사전』, 『헤겔사전』, 『맑스사전』(공역), 『니체사전』, 『현상학사전』이 있다.

* 고딕은 철학 관련 사항

	유럽·아메리카 합중국	북아프리카·아시아 (동아시아 이외)	중국·조선	일본
1700	1700 베를린 학문협회(나중의 베를린 과학 아카데미) 설립 1701 프로이센 왕국 성립 1706 벤저민 프랭클린 태어남[~1790] 1707 대브리튼 왕국 성립	1700 시아파의 대전승학자 모함마드 바게르 마쥬레시 사망 1703 인도의 이슬람 개혁자 샤 왈리율라 데흐라비 태어남[~1762] 살라피주의자 무함마드 이븐 압둘 와하브 태어남[~1792]		1707 후지산 대분화 1709 오규 소라이, 켄엔주쿠(蘐園塾)를 설립
1710	1711 흄 태어남[~1776] 1712 루소 태어남[~1778] 1713 디드로 태어남[~1784] 1714 영국, 하노버 왕조 성립[~1901] 1717 달랑베르 태어남[~1783]	1715 시아파 철학자 물라 무함마드 나라기 태어남[~1795]	1716『강희자전』성립 1719 장존여 태어남[~1788]	1715년경 아라이 하쿠세키『서양기문』완성 1716 교호 개혁 시작
1720	1723 애덤 스미스 태어남[~1790] 1724 칸트 태어남[~1804] 1729 버크 태어남[~1797]	1722 시아파 철학자 미르자 모함마드 사데그 알데스타니 사망	1720 왕명성 태어남[~1797] 1723 옹정제 즉위[~1735] 옹정제 그리스도교 포교를 금지 1724 대진 태어남[~1777] 기윤 태어남[~1805]	1723 미우라 바이엔 태어남[~1789] 1724 회덕당 설립

			1727 조익 태어남[~1812] 1728 전대흔 태어남[~1804] 1729 옹정제가『대의각미록』을 반포	
1730	1736 라그랑주 태어남[~1813] 1739 흄『인간 본성론』간행[~1740]	1731 시리아의 신비 사상가 압둘가니 나불시 사망	1735 단옥재 태어남[~1815]. 건륭제 즉위[재위~1795] 1738 장학성 태어남[~1801]	1730 모토오리 노리나가 태어남[~1801]. 나카이 지쿠잔 태어남[~1804]
1740	1740 오스트리아 계승 전쟁[~1740] 1743 콩도르세 태어남[~1794]. 제퍼슨 태어남[~1826] 1748 몽테스키외『법의 정신』간행. 벤담 태어남[~1832] 1749 라디셰프 태어남[~1802]		1744 왕념손 태어남[~1832]	1742 구지가타오사다메가키(公事方御定書) 완성 1748 야마가타 반토 태어남[~1821]
1750	1755 루소『인간 불평등기원론』간행 1756 7년 전쟁[~1763] 1758 로베스피에르 태어남[~1794] 1759 스미스『도덕 감정론』간행	1753 샤이히파의 창시자 샤이흐 아흐마드 아흐사이 태어남[~1826] 1756 시아파 신비 사상가 누르 알리 샤 태어남 1757 플라시 전투. 논리학자 이스마일 하주이 사망		1755 가이호 세이료 태어남[~1817]
1760	1760 생시몽 태어남[~1825] 1762 피히테 태어남[~1814]. 루소『사회 계약론』,『에밀』간행 1763 파리 조약 체결(영국과 프랑스 사이)	1760 조명철학자 크투브딘 모함마드 네이리지 시라지 사망 1763 오스만 왕조의 대재상이자 장서가 라기브 파샤 사망 1765 영국 동인도 회	1763 초순 태어남[~1820] 1764 완원 태어남[~1849] 1766 왕인지 태어남[~1834]	1767 교쿠테이 바킨 태어남[~1848]

	1766 멘 드 비랑 태어남[~1824]. 맬서스 태어남[~1834] 1769 와트 증기기관을 개량	사가 벵골, 비하르, 오리사의 사실상의 통치권을 획득		
1770	1770 헤겔 태어남[~1831]. 라그랑주 『방정식의 대수적 해에 대한 반성』 간행 1772 노발리스 태어남[~1801]. 리카도 태어남[~1823] 1775 셸링 태어남[~1854] 1776 아메리카 독립선언 발표. 토머스 페인 『코먼 센스』 간행. 애덤 스미스 『국부론』 간행 1777 가우스 태어남[~1855]	1772/4 람 모한 로이 태어남[~1833]	1776 대진 『맹자자의소증』 성립. 유봉록 태어남[~1829]	1776 히라타 아쓰타네 태어남[~1843]
1780	1781 칸트 『순수 이성비판』 간행 1783 파리 조약 체결, 아메리카 합중국의 독립 승인 1788 칸트 『실천이성비판』 간행. 쇼펜하우어 태어남[~1860] 1789 프랑스, 「인권선언」 채택. 아메리카 연방정부 발족. 벤덤 『도덕 및 입법의 원리 서설』 간행	1783 수니파 법학자이자 신학자인 이브라힘 바주리 태어남[~1860] 1784 시아파 화학자 아가 모함마드 비다바디 사망. 콜카타에 아시아 협회 설립	1782 『사고전서』 완성	1780 라이 산요 태어남[~1832] 1782 아이자와 세이시사이 태어남[~1863]. 덴메이 대기근[~1787] 1783 아사마산 대분화 1787 간세이 개혁 시작[~1793]
1790	1792 쿠쟁 태어남[~1867]. 프랑스 제1공화정[~1804]	1792 시아파 사상가 하디 사브자바리 태어남[~1873]	1792 매카트니 중국에 도착. 공자진 태어남[~1841]	1790 쇼헤이자카 학문소 설립 1798 모토오리 노리나

	1798 콩트 태어남[~1857]. 맬서스 『인구론』 간행. 슐레겔 형제 『아테네움』 창간	1798 샤이히파의 신비사상가 사이드 카짐 라슈디 태어남[~1843]. 나폴레옹 이집트 원정[~1799]	1794 위원 태어남[~1857] 1796 백련교도의 난[~1804]	가 『고사기전』 완성
1800	1802 아벨 태어남[~1857] 1804 포이어바흐 태어남[~1872]. 프랑스, 나폴레옹이 황제가 되어 제1 제정으로[~1814]. 프랑스령 생도맹그, 독립하여 아이티가 된다 1805 트라팔가르해전. 아우스테를리츠전투. 토크빌 태어남[~1859] 1806 J. S. 밀 태어남[~1873] 1807 헤겔 『정신현상학』 간행. 아메리카에서 노예무역 금지 1809 프루동 태어남[~1865]. 다윈 태어남[~1882] 링컨 태어남[~1865]. 프루동 태어남[~1865]	1801 리파아 타흐타위 태어남[~1873]	1808 단옥재 『설문해자주』 완성	1806 후지타 도코 태어남[~1855] 1808 마미야 린조 사할린 탐험 1809 요코이 쇼난 태어남[~1869]
1810	1811 갈루아 태어남[~1832] 1812 아메리카–영국(미–영) 전쟁 1813 라베송 태어남[~1900] 1814 프랑스 부르봉 왕조 성립[~1830]	1817 데벤드라나트 타고르 태어남[~1905] 1819 부트루스 부스타니 태어남[~1883]	1810 진례 태어남[~1882] 1816 아마스트 중국에 도착 1818 강번 『한학사승기』 간행	1811 사쿠마 쇼잔 태어남[~1864]

	바쿠닌 태어남[~1876] 1815 바이어슈트라스 태어남[~1897] 1818 맑스 태어남 [~1883] 1818/19 쇼펜하우어 『의지와 표상으로서의 세계』 간행			
1820	1820 엥겔스 태어남 [~1895]. 스펜서 태어남[~1903] 1821 도스토옙스키 태어남[~1881] 1826 리만 태어남 [~1866]	1824 다야난다 사라스바티 태어남[~1883] 1828 브라흐마 사마지 브라흐마 사바라는 이름으로 설립	1821 유월 태어남 [~1907] 1829 『황청경해』 간행	1825 이국선 타격령 1829 니시 아마네 태어남[~1897]
1830	1830 프랑스 부르봉-오를레앙 왕조 성립 [~1848] 1831 데데킨트 태어남 [~1916] 1839 퍼스 태어남 [~1914]	1834/6 라마크리슈나 태어남[~1886] 1838 케샤브 찬드라 센 태어남[~1884] 1838/9 자말룻딘 아프가니 태어남[~1897]	1832 장학성 『문사통의』 간행 1837 장지동 태어남 [~1909]	1833 덴포 대기근 [~1839] 1835 후쿠자와 유키치 태어남[~1901] 1837 오시오 헤이하치로의 난
1840	1842 윌리엄 제임스 태어남[~1910]. 소푸스 리 태어남 [~1899] 1844 니체 태어남 [~1900] 1845 부트루 태어남 [~1921]. 칸토어 태어남[~1918] 1846 아메리카-멕시코 전쟁[~1848] 1848 프레게 태어남 [~1925]. 맑스·엥겔스 『공산당 선언』 간행.	1840 프라탑 찬드라 마줌다르 태어남[~1905] 1849 무함마드 압두 태어남[~1905]	1840 아편 전쟁 [~1842] 1842 왕선겸 태어남 [~1917] 1848 손이양 태어남 [~1908]	1841 덴포 개혁 [~1843] 1847 나카에 초민 태어남[~1901]

	1848년 혁명 프랑스 제2공화정[~1852] 1849 클라인 태어남 [~1925]			
1850	1852 프랑스 제2제정 [~1870] 1853 솔로비요프 태어남[~1900] 1854 푸앵카레 태어남 [~1912] 1856 프로이트 태어남 [~1939] 1857 소쉬르 태어남 [~1913] 1859 후설 태어남 [~1938]. 베르그송 태어남[~1941]. 듀이 태어남[~1952]. 다윈 『종의 기원』 간행	1855 압둘라흐만 카와키비 태어남[~1902] 1856 아디브 이스하크 태어남[~1884] 1857 인도 대반란 발생 1858 무굴 제국 멸망, 영국의 인도 직접 통치 시작	1851 태평천국의 난 [~1864] 1854 옌푸(嚴復) 태어남[~1921] 1856 제2차 아편 전쟁 [~1860] 1858 캉유웨이 태어남 [~1927]	1853 페리 우라가로 내항 1854 미일 화친 조약 1858 미일 수호 통상 조약
1860	1861 밀 『공리주의』 간행 1862 힐베르트 태어남 [~1943] 1863 아메리카 노예 해방 선언 1864 막스 베버 태어남 [~1920] 1867 맑스 『자본론』 제1권 간행	1861 조르지 자이단 태어남[~1914]. 라빈드라나트 타고르 태어남 [~1941] 1863 카심 아민 태어남 [~1908]. 비베카난다 태어남[~1902] 1865 라시드 리다 태어남[~1935] 1869 간디 태어남 [~1948]	1865 탄쓰퉁(譚嗣同) 태어남[~1898] 1866 쑨원 태어남 [~1925] 1868 장빙린(章炳麟) 태어남[~1936]	1863 도쿠토미 소호 태어남[~1957] 1867 나쓰메 소세키 태어남[~1916]. 대정봉환. 왕정복고의 대호령
1870	1870 프랑스 제3공화정[~1940]. 레닌 태어남[~1924] 1872 러셀 태어남 [~1970] 1879 아인슈타인 태어	1872 오로빈도 고슈 태어남[~1950] 1877 인도 제국 성립 [~1947]	1873 량치차오(梁啓超) 태어남[~1929] 1877 왕궈웨이(王國維) 태어남[~1927] 1879 천두슈(陳獨秀) 태어남[~1942]	1870 니시다 기타로 태어남[~1945] 1874 『명륙잡지(明六雜誌)』 창간 1875 후쿠자와 유키치 『문명론의 개략』 간행

	남[~1955]			
1880	1883 야스퍼스 태어남[~1969] 1889 비트겐슈타인 태어남[~1951]. 하이데거 태어남[~1976]	1885 인도 국민회의 발족 1888 알리 압둘라지크 태어남[~1966] 1889 타하 후사인 태어남[~1973]	1881 루쉰 태어남[~1936] 1885 슝스리(熊十力) 태어남[~1968] 1889 리다자오(李大釗) 태어남[~1927]	1883 아베 지로 태어남[~1959] 1889 대일본제국 헌법 발포. 와쓰지 데쓰로 태어남[~1960]
1890	1898 아메리카-스페인 전쟁 1899 하이에크 태어남[~1992]	1897 라마크리슈나 미션 설립	1891 후스(胡適) 태어남[~1962]. 캉유웨이 『신학위경고』 간행 1893 마오쩌둥 태어남[~1976]. 량수밍(梁漱溟) 태어남[~1988] 1894 갑오농민전쟁. 청일전쟁[~1895] 1895 펑유란(馮友蘭) 태어남[~1990] 1897 캉유웨이 『공자개제고』 간행 1898 무술정변. 경사대학당 설립. 엔푸 『천연론』 간행	1890 교육칙어 발포 1894 청일전쟁[~1895]. 타이완의 식민지화
1900	1903 아도르노 태어남[~1969] 1906 아렌트 태어남[~1975]. 레비나스 태어남[~1995] 1908 메를로퐁티 태어남[~1961]. 레비스트로스 태어남[~2009]	1905 벵골 분할령, 스와라지 스와데시 운동의 시작 1906 하산 반나 태어남[~1949]. 사이드 쿠틉 태어남[~1966]	1900 의화단 사건 1901 베이징 의정서 1905 과거 폐지	1902 영일 동맹 1904 러일 전쟁[~1905]

| 찾아보기 |

ㄱ

가가 히로오(加賀裕郞) 204
가나가키 로분(仮名垣魯文) 272
가나모리 오사무(金森修) 174
가루베 다다시(苅部直) 261, 285, 293
가르니에, 아돌프 216
가와구치 시게오(川口茂雄) 229
가와카미 데쓰타로(河上徹太郞) 279
가우스, 칼 프리드리히 152, 159, 160, 162, 166, 171, 172, 299
가토 후미하루(加藤文元) 174
가토 히사타케(加藤尙武) 65
간디, 모한다스 카람찬드(마하트마) 238, 239, 302
갈루아, 에바리스트 151–153, 159–163, 167, 169, 171, 175, 300
갈릴레이 33
고노 데쓰야(河野哲也) 229
고노 유리(河野有理) 284
고다마 사토시(兒玉聰) 126, 144
고바야시 지카히라(小林智賀平) 274
고사카 구니쓰구(小坂國繼) 284
고사카 마사아키(高坂正顯) 280
고스와미, 자이 크리슈나(비조이 크리슈노 고샤미) 250, 255
고야마 이와오(高山岩男) 280
괴테, 요한 볼프강 43, 44, 55, 270
구마가이 히데토(熊谷英人) 65
구키 슈조(九鬼周造) 36
그랑제, 질-가스통 174
그린, 조슈아 데이비드 125, 126, 143, 144
기조, 프랑수아 피에르 기욤 218

ㄴ

나가이 히토시(永井均) 95
나쓰메 소세키(夏目漱石) 38, 268, 302
나카노메 도(오)루(中野目徹) 265
나카무라 마사나오 284
나카지마 다카히로 291
나폴레옹 보나파르트 41
네그리, 안토니오 110, 113
노발리스 42, 43, 299
노토미 노부루 291
뉴턴, 아이작 29, 33, 155, 251
니시 아마네(西周) 265, 284, 301
니시다 기타로(西田幾多郞) 194, 302
니시타니 게이지(西谷啓治) 280
퍼거슨, 니알 270
니체, 프리드리히 빌헬름 45, 74–77, 87–96, 292, 301
니토베 이나조(新渡戸稻造) 40
니트함머, 프리드리히 임마누엘 48

ㄷ

다윈, 찰스 로버트 19, 24, 28, 29, 32–34, 40, 123, 124, 144, 146, 147, 219, 294, 300, 302
다카야마 쵸규(高山樗牛) 94
다카토 나오키(高頭直樹) 204
다케우치 게이지(竹內啓二) 259
다키구치 기요에이(瀧口淸榮) 65
다타, 나렌드라나트 252
데네트, 대니얼 클레멘트 40
데데킨트, 율리우스 빌헬름 리하르트 153, 163, 167, 168, 171, 301
데카르트, 르네 16–18, 181, 182, 185, 187, 188
도미자와 가나(富澤かな) 233, 245, 293
도스토옙스키, 표도르 미하일로비치 176, 177, 301
도야마 시게키(遠山茂樹) 272
도이센, 파울 야콥 93, 94
도쿠가와 요시노부(德川慶喜) 265
도쿠토미 소호(德富蘇峰) 267, 270, 278, 279, 302
뒤 부아-레몽, 에밀 하인리히 223
뒤르켐, 에밀 36
뒤링, 오이겐 칼 104
듀이, 존 36, 40, 183–186, 191, 195–199, 202, 302
드 트라시, 앙트완-루이 클로드 데스튀트 47, 211
드레퓌스, 알프레드 223
드르와, 로제-폴 95
드와르카나트, 다르카나트 타고르 249

ㄹ

라그랑주, 조제프-루이 151, 152, 159, 161, 162, 298, 299
라뇨, 쥘 209, 229
라디셰프, 알렉상드르 176, 298
라마르크, 장-바티스트 146, 210, 294
라마크리슈나(라무크리슈노) 239, 251–256, 259, 301, 303
라므네, 펠리시테 로베르 드 208
라베송-몰리앙, 장 가스파르 펠릭스 36, 219–222, 226, 227, 229, 300
라벨, 루이 227, 229
라슐리에, 쥘 209, 227, 229
라이프니츠, 고트프리트 빌헬름 221
라인홀트, 칼 레온하르트 56, 66
라자리-라덱, 카타지나 데 133, 142, 144
라지, 카필 259
라파엘로, 산티 43
라플라스, 피에르-시몽 47, 224
러셀, 버트랜드 아서 윌리엄 150, 302
레진스터, 버나드 95
로이, 람모한(람모한 라이) 243, 247–251, 256, 259, 299
로크, 존 50, 138, 210
로티, 리처드 맥케이 183, 184, 200–202
롤랑, 로맹 253, 254, 259
루소, 장-자크46, 276, 278, 297, 298
루이 14세 42
루카치, 죄르지 100, 110, 113, 119

르 센느, 루이 227, 229
르낭, 조제프 에르네스트 208
르누비에, 샤를 베르나르 209
르누아르, 프레데릭 95
르와예-콜라르, 피에르 폴 215
르프랑, 장 229
리, 마리우스 소푸스 151-153, 168, 169
리드, 토머스 215
리만, 게오르크 프리드리히 베른하르트 149, 153, 154, 163-172, 175, 301
리카도, 데이비드 30, 31, 136, 299
리트레, 에밀 막시밀리앙 폴 219

ㅁ

마루야마 마사오(丸山眞男) 116, 281
마르몽텔, 장 프랑수아 137
마스나가 요조(增永洋三) 229
마쓰나가 도시오(松永俊男) 124, 144
마쓰다 고이치로(松田宏一郎) 284
마쓰자와 히로아키(松澤弘陽) 284
마이몬, 살로몬 66
마줌다르 프라탑 찬드라(프로탑 촌드라 모줌다르) 250, 255, 301
말로, 앙드레 65
맑스, 칼 97, 99-111, 114-119, 219, 121, 270-272, 292, 301, 302
맥스웰, 제임스 클러크 34
맬서스, 토머스 로버트 24, 30, 32, 299, 300
메스트르, 조제프 마리 드 208
멘 드 비랑, 프랑수아-피에르-공티에 35, 207, 210-216, 221, 224, 299
몰레쇼트, 야콥 219
몽테뉴, 미셸 드 36
무라마쓰 마사타카(村松正隆) 214, 229
뮐러, 프리드리히 막스 245, 255
미샥, 체릴 184, 202, 204
밀, 존 스튜어트 129, 130, 133, 136-144, 300, 302
밀, 제임스 136
밀, 해리엇 테일러 137

ㅂ

바르테즈, 폴 조제프 211
바뵈프, 프랑수아 노엘 99
바우어, 브루노 105, 106
바이어슈트라스, 칼 테오도르 빌헬름 153, 165, 168, 171, 301
바일, 헤르만 클라우스 후고 170
발리바르, 에티엔 104
버클, 헨리 토머스 278
버튼, 존 힐 262, 270, 277
베르그송, 앙리 207, 216, 223-227, 293, 302
베버, 하인리히 마르틴 167
베시오, 에르네스트 169
베이스, 토머스 34
베이컨, 프랜시스 138
벤담, 제러미 24, 127, 129, 130-145, 298
벤담, 새뮤얼 136
보날, 루이 가브리엘 앙브루아즈 드 208
부트루, 에티엔 에밀 마리 36, 301
붓다(부처) 88

뷔유맹, 쥘 151, 152, 174
뷔히너, 루드비히 219
브랜덤, 로버트 보이스 184
브룅슈빅, 레옹 209
블라바츠키, 헬레나 페트로브나 245
블랑키, 루이 오귀스트 99
블로흐, 에르네스트 121
블롱델, 모리스 227, 229
비랑→멘 드 비랑
비베카난다(비베카논드) 238–240, 242–247, 251, 252, 254, 256, 259, 302
비샤, 마리 프랑수아 크사비에 211

ㅅ

사라다난다, 스와미 253
사라스바티, 다야난다 255, 301
사사키 류지(佐々木隆治) 97, 119, 292
사이고 다카모리(西郷隆盛) 271
사이토 고헤이(齋藤幸平) 119
사카타니 시로시(阪谷素) 284
생시몽, 앙리 드 99, 208, 219, 298
샤프츠버리(제3대 백작, 앤서니 애슐리–쿠퍼) 135
세키 요시히코(關嘉彦) 143
센, 케샤브 찬드라(케쇼브 촌드로 센) 243, 250, 251, 254–256, 301
셸링, 프리드리히 빌헬름 요제프 43, 66, 67, 120, 121, 222, 299
셸링, 카롤리네 43
소크라테스 42, 89, 139, 141, 251
솔로비요프, 블라디미르 세르게예비치 177, 294, 302
쇼펜하우어, 아르투어 45, 72–87, 89–91, 93–95, 299, 301
순(舜) 276
슈네델바흐, 헤르베르트 72
슈티르너 107
슐레겔, 아우구스트 빌헬름 43, 45, 300
슐레겔, 프리드리히 42–44, 55
스기야마 나오키(杉山直樹) 207, 229
스미스, 애덤 30, 31, 34, 297, 299
스즈키 시게타카(鈴木成高) 280
스코필드, 필립 144
스토 노리히데(須藤訓任) 95
스펜서, 허버트 33, 146, 147, 301
스피노자, 바뤼흐 데 44
시모무라 도라타로(下村寅太郎) 174
실러, 프리드리히 폰 43
싱어, 피터 128, 133, 142, 144
쓰루오카 요시오(鶴岡賀雄) 257

ㅇ

아네사키 마사하라[쵸후](姉崎正治[嘲風]) 94
아도르노–비젠그룬트, 테오도르 루트비히 110, 113, 303
아리스토텔레스 33, 220, 221
아리이 유키오(有井行夫) 119
아믈랭, 옥타브 209
아베 지로(阿部次郎) 269, 303
아벨, 닐스 헨릭 152, 159–161, 300
아우구스트 빌헬름 43
아인슈타인 170, 302

아타라시 시게유키(新茂之) 204
알렉산드로스 대왕(알렉산드로스 3세) 27
앙페르, 앙드레-마리 213
야마무로 신이치(山室信一) 265
야스다 요주로(保田與重郎) 271
야코비, 칼 구스타프 야콥 161
야코비, 프리드리히 하인리히 66
에머슨, 랠프 월도 245, 251
엘리아데, 미르체아 257
엘베시우스, 클로드-아드리안 138
엥겔스, 프리드리히 101, 103, 301
예수(그리스도) 248, 251
오시안 22
올컷, 헨리 스틸 245
와쓰지 데쓰로(和辻哲郎) 269, 294, 303
와타나베 히로시(渡辺浩) 275
요한(십자가의) 257
우스다 마사유키(臼田雅之) 234, 249, 259
우쓰노미야 요시아키(宇都宮芳明) 54, 65
우에키 유타카(植木豊) 188
우에테 미치아리(植手通有) 267
우치무라 간조(内村鑑三) 40
워즈워스, 윌리엄 23
월러스틴, 임마누엘 102
월슨, 에드워드 오스본 147
유클리드(에우클레이데스) 149, 150, 166, 170, 171
이나가키 료스케(稲垣良典) 40
이새봄 283, 284
이토 구니타케(伊藤邦武) 11, 204, 228, 289, 292

ㅈ

자술리치, 베라 이바노브나 118
자프란스키, 뤼디거 95
제임스, 윌리엄 36, 37, 183–185, 187, 190–195, 197, 201, 202, 301
존스, 윌리엄 234
주프르와, 테오도르 시몬 215, 216
짓펜샤 잇쿠(十返舎一九) 273

ㅊ

차라투스트라 45, 91, 92
차이타냐 마하프라브흐, 슈리 크리슈나 251
첼러, 귄터 65

ㅋ

카르탄, 엘리 조제프 170
카바니스, 피에르 장 조르주 211
카바이에스, 장 174
카우츠키, 칼 요한 101
카이사르, 가이우스 율리우스 27
칸토어, 게오르크 페르디난트 루트비히 필립 172, 301
칸트, 임마누엘 18, 34, 46, 47, 49–56, 59, 60, 64–67, 73, 126, 150–152, 154–158, 162, 168, 209, 210, 213, 217, 225, 297, 299
칼라일, 토머스 40
케어스팅, 볼프강 65
코르쉬, 칼 109

코시, 오귀스탱-루이 163
코페르니쿠스, 니콜라우스 49
콜리지, 새뮤얼 테일러 23
콩디약, 에티엔 보노 드 46, 210
콩트, 오귀스트 24, 208, 216, 219, 222, 300
콰인, 윌러드 반 오만 183, 200
쾨베르, 라파엘 폰 38
쿠쟁, 빅토르 214–222, 224, 226, 229, 299
크로너, 리하르트 66, 67
클라인, 펠릭스 크리스티안 152, 153, 168, 169, 302
키케로 51
킹, 리처드 239

ㅌ

타고르, 라빈드라나트(로빈드로나트 타고르) 248–250, 253, 254, 300, 302
테일러, 찰스 마그레이브 40
텐느, 이폴리트 아돌프 208
토마스 아퀴나스 40
튀르고, 안-로베르-자크 269
티크, 루트비히 42

ㅍ

파스칼, 블레즈 36
파커, 시어도어 245
퍼스, 찰스 샌더스 36, 40, 183–191, 195, 196, 202, 301
퍼트넘, 힐러리 화이트홀 183, 200, 201
페트라셰프스키, 미하일 바실리에비치 176
포이어바흐, 루트비히 안드레아스 103, 106, 107, 300
포크트, 칼 219
폴라니, 칼 98
표트르 대제(1세) 176
푸리에, 장 바티스트 조제프 99
푸앵카레, 쥘-앙리 151, 169, 172, 174, 302
푸코, 미셸 175
프레게, 고틀로프 150, 172, 301
프레데릭 95
프로이트, 지그문트 75, 302
플라톤 46, 89, 139
피에르 장 조르주 47
피카르, 샤를 에밀 169
피히테, 요한 고틀리프 43, 44, 47–49, 54–57, 59–61, 63–66, 151, 152, 154, 157, 158, 162, 168, 292, 298

ㅎ

하라다 마사키(原田雅樹) 149, 174, 293
하르덴베르크, 게오르크 프리드리히 폰 43
하버마스, 위르겐 121
하야시 후사오(林房雄) 271
하이데거, 마르틴 74, 303
하인리히, 미하엘 111
해킹, 이언 175
허치슨, 프랜시스 135
헤겔, 게오르크 빌헬름 프리드리히

12, 17, 23–25, 27, 28, 33, 38, 40, 47, 48, 65–67, 71–73, 99, 100, 105, 106, 110, 119–121, 217, 222, 294, 299, 300
헤르더, 요한 고트프리트 270
헨리히, 디터 66
홀러웨이, 존 110, 113
홉스, 토머스 50, 52, 53, 138
후쿠자와 유키치(福澤諭吉) 38, 262, 270, 273, 277, 278, 284, 301, 302
흄, 데이비드 34, 36, 135, 138, 213, 215, 297, 298
힐베르트, 다피트 172, 302

| 전권 목차 |

책임편집 이토 구니타케+야마우치 시로+나카지마 다카히로+노토미 노부루

옮 긴 이 이신철

세계철학사 1 — 고대 I

옮긴이 서문 이신철

서 장 세계철학사를 위하여 노토미 노부루

제1장 철학의 탄생을 둘러싸고 노토미 노부루

1. 축의 시대 | 2. 시원에 대한 물음 | 3. 철학에 대한 물음

제2장 고대 서아시아에서 세계와 혼 시바타 다이스케

1. 고대 메소포타미아 문명 | 2. 세계 | 3. 혼 | 4. 학지 전통과 학식자 | 5. 고대 이집트에서 세계와 혼

제3장 구약성서와 유대교에서 세계와 혼 다카이 게이스케

1. 구약성서와 '철학' | 2. 세계의 창조와 질서 | 3. 인간의 혼

제4장 중국의 제자백가에서 세계와 혼 나카지마 다카히로

1. 세계와 혼의 변용 | 2. 스콜라 철학, 수험도 그리고 불교와의 접속 | 3. 유가의 세계론과 혼론

제5장 고대 인도에서 세계와 혼 아카마쓰 아키히코

1. 세계철학사 속의 인도 철학 | 2. 세계와 혼에 대하여 | 3. 서사시에서 '혼에 대하여'

제6장 고대 그리스의 시에서 철학으로 마쓰우라 가즈야

1. 철학 발상지로서의 고대 그리스 | 2. 누가 철학자인가? | 3. 시에서 철학으로 | 4. '초기 그리스'의 딜레마

제7장 소크라테스와 그리스 문화 구리하라 유지

1. 세계에서 혼으로 | 2. 민주정 폴리스의 철학자 소크라테스 | 3. 혼에 대한 배려

제8장 플라톤과 아리스토텔레스 이나무라 가즈타카

1. 고전기 그리스의 유산 | 2. 플라톤 | 3. 아리스토텔레스

제9장 헬레니즘의 철학 오기하라 사토시

1. 헬레니즘 철학의 이미지 | 2. 스토아학파 | 3. 에피쿠로스학파 | 4. 회의학파

제10장 그리스와 인도의 만남과 교류 가나자와 오사무

1. 이문화 교류가 실현된 역사적 배경 | 2. 퓌론에게서 인도 사상과의 접촉 | 3. 아소카왕

비문에서 두 사상의 융합 | 4. 대화편으로서의 『밀린다왕의 물음』
후 기 노토미 노부루
— 칼럼 1. 인류세의 철학 시노하라 마사타케 | 칼럼 2. 블랙 아테나 논쟁 노토미 노부루 | 칼럼 3. 그리스 과학 사이토 겐
— 편자 · 집필자 · 옮긴이 소개 | 연표 | 찾아보기

세계철학사 2 — 고대 II

머리말 노토미 노부루
제1장 철학의 세계화와 제도 · 전통 노토미 노부루
1. 고대란 무엇인가? | 2. 철학과 비철학 | 3. 학교와 학파
제2장 로마로 들어간 철학 곤도 도모히코
1. 토가를 입은 철학 | 2. 로마 철학의 시작 | 3. 라틴어에 의한 철학 | 4. 삶의 기법으로서의 철학
제3장 그리스도교의 성립 도다 사토시
1. 철학사 속의 고대 그리스도교? | 2. '그리스도교의 그리스화' — 그노시스주의와 호교론자 | 3. 그리스도교 교의의 역사 — 짧은 역사 | 4. '철학'으로서의 그리스도교
제4장 대승 불교의 성립 시모다 마사히로
1. 이 장의 문제 계열 — 역사 철학으로서의 물음 | 2. 대승 교단의 부재와 텍스트로서의 대승 불교 | 3. 대승 경전 연구와 역사 연구
제5장 고전 중국의 성립 와타나베 요시히로
1. 고전 중국이란 무엇인가? | 2. 법가에서 유가로 | 3. 유교 국교화의 완성
제6장 불교와 유교의 논쟁 나카지마 다카히로
1. 불교 전래 | 2. 위진 현학 | 3. 화북과 강남의 불교 | 4. 신멸불멸 논쟁
제7장 조로아스터교와 마니교 아오키 다케시
1. 세계철학사와 3~6세기의 페르시아 | 2. 자라스슈트라의 일신교적 이원론 | 3. 마니교의 염세적 이원론 | 4. 조로아스터교의 낙관적 이원론
제8장 플라톤주의 전통 니시무라 요헤이
1. 기원전 1세기부터 기원후 6세기까지의 플라톤주의 | 2. 주석의 전통 | 3. 플라톤주의의 기본 사상 | 4. 플라톤주의를 살아가다
제9장 동방 교부 전통 쓰치하시 시게키
1. 교부 이전 | 2. 동방 교부에서의 그리스도의 신성을 둘러싼 논쟁 | 3. '신을 닮기'와 '신화'
제10장 라틴 교부와 아우구스티누스 데무라 가즈히코
1. 들어가며 — 아우구스티누스의 신 탐구 | 2. 내적 초월 | 3. 선악 이원론과 자유

의지 | 4. 원죄 · 근원 악과 인류의 굴레

후 기 노토미 노부루

— 칼럼 1. 알렉산드리아 문헌학 데무라 미야코 | 칼럼 2. 율리아누스의 '살아 있는 철학' 나카니시 교코 | 칼럼 3. 조지프 니덤이 발견한 것 쓰카하라 도고

— 편자 · 집필자 · 옮긴이 소개 | 연표 | 찾아보기

세계철학사 3 — 중세 I

머리말 노토미 노부루

제1장 보편과 초월에 대한 앎 야마우치 시로

1. 중세라는 시대 | 2. 초월이라는 것 | 3. 보편이라는 견지

제2장 동방 신학의 계보 하카마다 레

1. 비잔틴 제국에서 철학과 신학의 자리매김 | 2. 그레고리오스 팔라마스에서 몸에 대한 눈길 | 3. 비잔틴 정교의 그 후와 『필로칼리아』

제3장 교부 철학과 수도원 야마자키 히로코

1. 교부들과 수도 생활 | 2. 안셀무스의 신학과 철학 | 3. 11세기에서 12세기로

제4장 존재 문제와 중세 논리학 나가시마 데쓰야

1. 들어가며 | 2. 중세 논리학의 개략적인 스케치 | 3. 보에티우스 — 갈매기의 탈을 쓴 매? | 4. 아벨라르 — 중세 철학의 늑대 |

제5장 자유 학예와 문법학 세키자와 이즈미

1. 복수의 자유 학예(리버럴 아츠) | 2. 문법학과 주해 전통

제6장 이슬람에서의 정통과 이단 기쿠치 다쓰야

1. 들어가며 | 2. 이스마일파의 기원 | 3. 극단파와 창세 신화 | 4. 10~11세기의 교의 수정 | 5. 나가며

제7장 그리스 철학의 전통과 계승 스토 다키

1. 주해서라는 스타일 | 2. 그리스 철학의 전통과 계승 | 3. 나가며 — 주해 영위의 의의

제8장 불교 · 도교 · 유교 시노 요시노부

1. 언어 | 2. 정신, 영혼 | 3. 효

제9장 인도의 형이상학 가타오카 게이

1. 인식론적 전회 이후의 논쟁사 | 2. 실재를 둘러싼 물음 | 3. 인식론

제10장 일본 밀교의 세계관 아베 류이치

1. 들어가며 — 우화로부터 철학사로 | 2. 구카이가 살아간 시대와 사회 — 문장경국의 시대 | 3. 문장경국의 '정명' 이론과 구카이의 밀교적 세계관 | 4. 구카이의 밀교적 언어론의 세계 | 5. 정리 — 천황의 왕권을 진언화하다

후 기 야마우치 시로
— 칼럼 1. 로마법과 중세 야부모토 마사노리 | 칼럼 2. 회의주의 전통과 계승 가나야마 야스히라 | 칼럼 3. 그리스와 이슬람을 이어준 그리스어 화자들 다카하시 히데미 | 칼럼 4. 그리스 고전과 콘스탄티노폴리스 오쓰키 야스히로
— 편자 · 집필자 · 옮긴이 소개 | 연표 | 찾아보기

세계철학사 4 — 중세 II

머리말 야마우치 시로
제1장 도시의 발달과 개인의 각성 야마우치 시로
1. 13세기와 철학 | 2. 도시라는 집단 주거 형식 | 3. 중세에서의 개체와 개인
제2장 토마스 아퀴나스와 탁발수도회 야마구치 마사히로
1. 토마스 사상 체계의 기본적 특징 | 2. 탁발수도회의 기본적 특징 | 3. 파리대학과 탁발수도회
제3장 서양 중세에서의 존재와 본질 혼마 히로유키
1. 역사 속의 중세 철학 | 2. 존재와 본질 | 3. 본질과 형이상학
제4장 아라비아 철학과 이슬람 고무라 유타
1. 이슬람 지역으로의 철학의 전파 | 2. 아비센나에 의한 철학 통합 프로젝트 | 3. 종교와 철학의 대립 | 4. 그 후의 전개
제5장 토마스 정념론에 의한 전통의 이론화 마쓰네 신지
1. 기본 개념과 사상 원천 | 2. 다양한 정념을 어떻게 이해할 것인가? | 3. 정념론의 목적과 배경
제6장 서양 중세의 인식론
제7장 서양 중세 철학의 총괄로서의 유명론 쓰지우치 노부히로
1. 서양 중세 철학과 보편 논쟁 | 2. 유명론적인 철학이 지니는 두 가지 특징 | 3. 유명론적인 철학의 현장 — 오컴과 뷔리당
제8장 주자학 가키우치 게이코
1. 중국 유교의 재생과 '개인의 각성' | 2. 심학으로서의 주자학 | 3. 이학으로서의 주자학 | 4. 주자학으로부터 생각한다
제9장 가마쿠라 시대의 불교 미노와 겐료
1. 전체 그림 | 2. 현밀 불교의 영위 | 3. 새롭게 등장하는 종파들 | 4. 요약
제10장 중세 유대 철학 시다 마사히로
1. 이방의 사상 | 2. 마이모니데스 — 중세 유대 철학의 정점 | 3. 유대교 문화 속의 철학으로
후 기 야마우치 시로

— 칼럼 1. 위클리프와 종교 개혁 사토 마사루 | 칼럼 2. 토마스 아퀴나스의 정의론 사사키 와타루 | 칼럼 3. 그리스도의 몸 고이케 히사코 | 칼럼 4. 동방의 그리스도교 아키야마 마나부

— 편자 · 집필자 · 옮긴이 소개 | 연표 | 찾아보기

세계철학사 5 — 중세 III

머리말 야마우치 시로

제1장 서양 중세로부터 근세로 야마우치 시로

1. 서양 중세와 근세 | 2. 서양의 사상적 지도 | 3. 바로크 철학으로의 길

제2장 서양 근세의 신비주의 와타나베 유

1. 신비주의와 앎의 사랑 | 2. 스페인 황금 세기와 신비주의 | 3. 아빌라의 테레사 | 4. 십자가의 요한네스 | 5. 신비주의의 행방

제3장 서양 중세의 경제와 윤리 야마우치 시로

1. 중세의 경제사상 | 2. 청빈과 경제사상 | 3. 올리비의 경제사상 | 4. 중세에서의 경제와 윤리

제4장 근세 스콜라 철학 애덤 다카하시

1. 아리스토텔레스주의와 대학에서의 철학 | 2. 철학의 모태 또는 '주해자' 아베로에스와 그의 사상 | 3. 세 사람의 근세 철학자 — 폼포나치, 스칼리게르, 멜란히톤

제5장 예수회와 키리시탄 니이 요코

1. 키리시탄 시대의 필로소피아 번역 | 2. 이성의 번역어로서 '영' | 3. 동아시아로부터 서유럽으로 — 이성과 '이' | 4. 천주교 비판으로부터 한층 더한 보편의 모색으로

제6장 서양에서의 신학과 철학 오니시 요시토모

1. 믿음과 앎의 원풍경 — 안셀무스 | 2. 괴리되는 믿음과 앎 — 몰리나와 수아레스 | 3. 문제의 재구성 — 데카르트

제7장 포스트 데카르트의 과학론과 방법론 이케다 신지

1. 바로크적 방법의 시대 | 2. 홉스의 방법과 자연 철학 | 3. 스피노자의 방법과 자연 철학 | 4. 라이프니츠의 방법과 자연 철학

제8장 근대 조선 사상과 일본 오구라 기조

1. 조선·한국의 철학적 위치 | 2. 근대와의 관계 | 3. 근대에서의 일본과의 관계

제9장 명나라 시대의 중국 철학 나카지마 다카히로

1. 원나라에서 명나라로 | 2. 양명학의 전개 | 3. 그리스도교와 이슬람

제10장 주자학과 반주자학 란 고가쿠

1. 주자학의 탄생과 전개 — 송대 중국에서 도쿠가와 일본으로 | 2. 도쿠가와 일본에서 반주자학의 전개 — 소라이학을 중심으로 | 3. 동아시아에서 소라이학의 전개

후 기 야마우치 시로

— 칼럼 1. 루터와 스콜라학 마쓰우라 쥰 | 칼럼 2. 루터와 칼뱅 가네코 하루오 | 칼럼 3. 활자 인쇄술과 서양 철학 아가타 마리 | 칼럼 4. 르네상스와 오컬트 사상 이토 히로아키

— 편자 · 집필자 · 옮긴이 소개 | 연표 | 찾아보기

세계철학사 6 — 근대 I

머리말 이토 구니타케

제1장 계몽의 빛과 그림자 이토 구니타케

1. 들어가며 | 2. 계몽에서의 이성과 감정 | 3. 이성의 어둠 | 4. 인간 감정론의 범위

제2장 도덕 감정론 쓰게 히사노리

1. 도덕 감정론의 형성 | 2. 도덕 감정론의 전개 — 흄 | 3. 도덕 감정론의 완성 — 스미스 | 4. 도덕 감정론의 가능성

제3장 사회 계약이라는 논리 니시무라 세이슈

1. 17~18세기 유럽에서의 사회 계약론 | 2. 홉스와 스피노자 | 3. 로크와 루소

제4장 계몽에서 혁명으로 오지 겐타

1. 들어가며 — '세계철학사' 속의 계몽과 혁명 | 2. 몽테스키외의 전제 비판 | 3. 새로운 정치적 정통성의 모색 | 4. 혁명과 정치적 자율 실현의 어려움 | 5. 나가며

제5장 계몽과 종교 야마구치 마사히로

1. 뉴턴의 자연 신학 | 2. 뉴턴과 라이프니츠 | 3. 흄과 칸트

제6장 식민지 독립 사상 니시카와 히데카즈

1. 18세기 아메리카에서의 계몽주의 수용 | 2. 프랭클린의 실용주의 | 3. 제퍼슨의 자유주의 | 4. 식민지 독립 사상의 유산

제7장 비판 철학의 기획 오사다 구란도

1. 비판 철학이란 무엇인가? | 2. 『순수 이성 비판』의 물음 | 3. 『실천 이성 비판』의 물음 | 4. 계몽과 이성주의

제8장 이슬람의 계몽사상 오카자키 히로키

1. '시대정신' 속의 계몽사상 | 2. '타자'를 거울로 하여 '자기'를 알다 | 3. 나흐다 제2세대에서의 실천적 응답 | 4. 제3세대에서의 계몽파와 그 계승자들

제9장 중국에서의 감정의 철학 이시이 쓰요시

1. '중국의 르네상스' | 2. 성과 정을 둘러싼 중국 철학의 논의 | 3. 일상 속에서 배우기

제10장 에도 시대의 '정'의 사상 다카야마 다이키

1. '정'의 해방? | 2. 유학의 '정'론 | 3. '모노노아와레를 안다'라는 설과 '스이',

'쓰우' | 4. '인정' 이해론과 '진기'론

후 기 이토 구니타케

— 칼럼 1. 근대의 회의론 구메 아키라 | 칼럼 2. 시공간을 둘러싼 논쟁 마쓰다 쓰요시 | 칼럼 3. 유물론과 관념론 도다 다케후미 | 칼럼 4. 세계 시민이라는 사상 미타니 나오즈미 | 칼럼 5. 프리메이슨 하시즈메 다이사부로

— 편자 · 집필자 · 옮긴이 소개 | 연표 | 찾아보기

세계철학사 7 — 근대 II

세계철학사 8 — 현대

머리말 세계철학사를 위하여 나카지마 다카히로

제1장 분석 철학의 흥망 이치노세 마사키

1. 과학주의와 '사실/가치'의 분리 | 2. 분리형 이원론의 전개 | 3. 분리형 이원론에서 혼합형 이원론으로 | 4. 화합형 이원론으로의 길

제2장 유럽의 자의식과 불안 히가키 다쓰야

1. 들어가며 — 유럽 대륙 사상 개관 | 2. 대중 사회와 사상 — 오르테가와 벤야민 | 3. 실증주의 및 기술에 대한 회의 | 4. 오늘날에 대한 과제 — 결론을 대신하여

제3장 포스트모던 또는 포스트 구조주의의 논리와 윤리 치바 마사야

1. 프랑스의 포스트 구조주의와 그 세계적 영향 | 2. 포스트모던의 논리 | 3. 타자와 상대주의 | 4. 부정 신학 비판의 그다음으로 | 5. 인간의 종언 이후, 포스트모던의 윤리

제4장 페미니즘의 사상과 '여성'을 둘러싼 정치 시미즈 아키코

1. 젠더는 미움받는다 — 안티 젠더의 시대에 | 2. 인간과 여성 사이에서 — 생물학적 결정론에서 벗어나기 | 3. 여성의 다양성에 대한 재상상 — 본질주의 논쟁으로부터 '젠더인 섹스'로 | 4. 나가며 — 다시 안티 젠더 시대에

제5장 철학과 비평 안도 레이지

1. 비평을 재정의하다 | 2. 의미의 구조 | 3. 무한의 신, 무한의 의미

제6장 현대 이슬람 철학 나카타 고

1. 들어가며 | 2. 문화의 번역과 전통 이슬람학 | 3. 일본 문화로서의 '현대 이슬람 철학' | 4. 이슬람사에서 하디스의 무리 | 5. 오리엔탈리즘과 이슬람의 현대 | 6. 나가며

제7장 중국의 현대 철학 오우 젠

1. 들어가며 | 2. 서학 동점과 중국 현대 철학의 빛나는 여명기 | 3. 현대 철학의 재등장과 1980년대의 문화 붐 | 4. 중국 현대 철학의 새로운 흐름

제8장 일본 철학의 연속성 우에하라 마유코
1. 들어가며 | 2. 관념론 전개의 기점 | 3. 현상 즉 실재론의 확립 | 4. '일본형 관념론'의 완성과 발전 | 5. 나가며 — 니시-이노우에-니시다의 연속성
제9장 아시아 속의 일본 아사쿠라 토모미
1. 사상적 전통이라는 문제 | 2. 동아시아적인 철학은 가능한가? | 3. 미화가 아니라 공동의 탐구로
제10장 현대 아프리카 철학 고노 데쓰야
1. 들어가며 — 서양 중심주의의 그늘에서 | 2. '암묵의 대륙' 담론으로부터 범아프리카주의로 | 3. 아프리카에 철학은 있는가? | 4. 에스노필로소피와 그 비판 | 5. 현대 아프리카 철학의 주제와 경향 | 6. 정리
종 장 세계철학사의 전망 이토 구니타케
1. 『세계철학사』 전 8권을 돌아보며 | 2. 세계와 혼 | 3. 다원적 세계관으로
후 기 나카지마 다카히로
— 칼럼 1. 세계 종교인 회의 오키나가 다카시 | 칼럼 2. 현대 자본주의 다이코쿠 고지 | 칼럼 3. AI의 충격 구키타 미나오 | 칼럼 4. 라틴아메리카에서의 철학 나카노 히로타카
— 편자 · 집필자 · 옮긴이 소개 | 연표 | 찾아보기

세계철학사 별권 — 미래를 열다

들어가며 나카지마 다카히로
제I부 세계철학의 과거 · 현재 · 미래
제1장 지금부터의 철학을 향하여 — 『세계철학사』 전 8권을 되돌아본다
야마우치 시로+나카지마 다카히로+노토미 노부루 (대담)
제2장 변경에서 본 세계철학 야마우치 시로
1. 변경에서 본 세계철학 | 2. 변경이란 무엇인가? | 3. 원천으로서의 변경 | 4. 철학에서의 변경 | 5. 비중심에 대한 희구로서의 세계철학
제3장 세계철학으로서의 일본 철학 나카지마 다카히로
1. 구카이에 대한 반복 악구 | 2. 필롤로지 | 3. 세계 붕괴와 자아의 축소 | 4. 오래됨은 몇 개 있는 것일까? | 5. 반복하라, 그러나 반복해서는 안 된다 | 6. 세계 전쟁과 삶 | 7. 전후 일본 철학의 방위
제4장 세계철학의 스타일과 실천 노토미 노부루
1. 철학의 스타일 | 2. 텍스트와 번역 | 3. 세계철학의 실천
제II부 세계철학사의 더 나아간 논점
제1장 데카르트 『정념론』의 범위 쓰자키 요시노리

제2장 중국 철학 정보의 유럽으로의 유입 이가와 요시쓰구
제3장 시몬 베유와 스즈키 다이세쓰 사토 노리코
제4장 인도의 논리학 시다 다이세이
제5장 이슬람의 언어 철학 노모토 신
제6장 도겐의 철학 요리즈미 미쓰코
제7장 러시아의 현대 철학 노리마쓰 교헤이
제8장 이탈리아의 현대 철학 오카다 아쓰시
제9장 현대의 유대 철학 나가이 신
제10장 나치스의 농업 사상 후지하라 다쓰시
제11장 포스트 세속화의 철학 다테 기요노부
제12장 몽골의 불교와 샤머니즘 시마무라 잇페이
제13장 정의론의 철학 가미시마 유코
후 기 나카지마 다카히로
옮긴이 후기 이신철
— 편자 · 집필자 · 옮긴이 소개 | 찾아보기

세계철학사 7

초판 1쇄 발행일 2023년 05월 15일

엮은이 이토 구니타케+야마우치 시로+나카지마 다카히로+노토미 노부루
옮긴이 이신철
기 획 문형준, 복도훈, 신상환, 심철민, 이성민, 이신철, 이충훈, 최진석
편 집 신동완
관 리 김장미
펴낸이 조기조
발행처 도서출판 b
인쇄소 주)상지사P&B
등 록 2003년 2월 24일 제2006-000054호
주 소 08772 서울특별시 관악구 난곡로 288 남진빌딩 302호
전 화 02-6293-7070(대)
팩 스 02-6293-8080
이메일 bbooks@naver.com
누리집 b-book.co.kr

책 값 30,000원
ISBN 979-11-89898-90-8 (세트)
ISBN 979-11-89898-97-7 94140